Constitución Política de Chile

ACCESO GRATIS a la Lectura en la Nube

Para visualizar el libro electrónico en la nube de lectura envíe junto a su nombre y apellidos una fotografía del código de barras situado en la contraportada del libro y otra del ticket de compra a la dirección:

ebooktirant@tirant.com

En un máximo de 72 horas laborales le enviaremos el código de acceso con sus instrucciones.

Constitución Política de Chile

2ª Edición con índice analítico preparado por
JULIO ALVEAR TÉLLEZ

tirant lo blanch
Valencia, 2020

En caso de erratas y actualizaciones, la Editorial Tirant lo Blanch publicará la pertinente corrección en la página web www.tirant.com incorporada a la ficha del libro. En www.tirant.com dispondrá de un servicio con los textos legales básicos y sectoriales actualizados como complemento de su libro.

Los textos jurídicos que aparecen se ofrecen con una finalidad informativa o divulgativa. Tirant lo Blanch intentará cuidar por la actualidad, exactitud y veracidad de los mismos, si bien advierte que no son los textos oficiales y declina toda responsabilidad por los daños que puedan causarse debido a las inexactitudes o incorrecciones de los mismos.

Los únicos textos considerados legalmente válidos son los que aparecen en las publicaciones oficiales de acuerdo a lo establecido por las normas jurídicas vigentes de cada país.

El autor es Doctor en Derecho y Doctor en Filosofía por la Universidad Complutense de Madrid. Es profesor titular de Derecho Constitucional de la Universidad del Desarrollo (Chile). Se agradece la ayuda de Gaspar Jenkins Peña y Lillo y de María José Canessa Ferrer.

Para la elaboración del índice analítico de la Constitución se han tenido a la vista los trabajos precedentes de los profesores Emilio Pfeffer (1999), Alejandro Vergara (2011), Alan Bronfman y José Ignacio Martínez (2012), así como el índice temático de la Honorable Cámara de Diputados (2014).

©   Julio Alvear Téllez

©   TIRANT LO BLANCH
EDITA: TIRANT LO BLANCH
C/ Artes Gráficas, 14 - 46010 - Valencia
TELFS.: 96/361 00 48 - 50
FAX: 96/369 41 51
Email: tlb@tirant.com
www.tirant.com
Librería virtual: www.tirant.es
ISBN: 978-84-1336-966-2

Si tiene alguna queja o sugerencia, envíenos un mail a: *atencioncliente@tirant.com*. En caso de no ser atendida su sugerencia, por favor, lea en *www.tirant.net/index.php/ empresa/politicas-de-empresa* nuestro procedimiento de quejas.

Responsabilidad Social Corporativa: http://www.tirant.net/Docs/RSCTirant.pdf

ÍNDICE

CONSTITUCIÓN POLÍTICA DE LA REPÚBLICA DE CHILE

LEYES Y NORMAS COMPLEMENTARIAS

Constitución Política de la República de Chile
(Con la última modificación de la Ley 21.200, del 24 de diciembre de 2019)

Decreto Núm. 100.- Santiago, 17 de septiembre de 2005.- Visto: En uso de las facultades que me confiere el artículo 2° de la Ley N° 20.050, y teniendo presente lo dispuesto en el artículo 32 N°8 de la Constitución Política de 1980, Decreto: Fíjase el siguiente texto refundido, coordinado y sistematizado de la Constitución Política de la República:

Capítulo I
BASES DE LA INSTITUCIONALIDAD

Artículo 1°.- Las personas nacen libres e iguales en dignidad y derechos.

La familia es el núcleo fundamental de la sociedad.

El Estado reconoce y ampara a los grupos intermedios a través de los cuales se organiza y estructura la sociedad y les garantiza la adecuada autonomía para cumplir sus propios fines específicos.

El Estado está al servicio de la persona humana y su finalidad es promover el bien común, para lo cual debe contribuir a crear las condiciones sociales que permitan a todos y a cada uno de los integrantes de la comunidad nacional su mayor realización espiritual y material posible, con pleno respeto a los derechos y garantías que esta Constitución establece.

Es deber del Estado resguardar la seguridad nacional, dar protección a la población y a la familia, propender al fortalecimiento de ésta, promover la integración armónica de todos los sectores de la Nación y asegurar el derecho de las personas a participar con igualdad de oportunidades en la vida nacional.

Artículo 2°.- Son emblemas nacionales la bandera nacional, el escudo de armas de la República y el himno nacional.

Artículo 3°.- El Estado de Chile es unitario.

La administración del Estado será funcional y territorialmente descentralizada, o desconcentrada en su caso, de conformidad a la ley.

Los órganos del Estado promoverán el fortalecimiento de la regionalización del país y el desarrollo equitativo y solidario entre las regiones, provincias y comunas del territorio nacional.

Artículo 4°.- Chile es una república democrática.

Artículo 5°.- La soberanía reside esencialmente en la Nación. Su ejercicio se realiza por el pueblo a través del plebiscito y de elecciones periódicas y, también, por las autoridades que esta Constitución establece. Ningún sector del pueblo ni individuo alguno puede atribuirse su ejercicio.

El ejercicio de la soberanía reconoce como limitación el respeto a los derechos esenciales que emanan de la naturaleza humana. Es deber de los órganos del Estado respetar y promover tales derechos, garantizados por esta Constitución, así como por los tratados internacionales ratificados por Chile y que se encuentren vigentes.

Artículo 6°.- Los órganos del Estado deben someter su acción a la Constitución y a las normas dictadas conforme a ella, y garantizar el orden institucional de la República.

Los preceptos de esta Constitución obligan tanto a los titulares o integrantes de dichos órganos como a toda persona, institución o grupo.

La infracción de esta norma generará las responsabilidades y sanciones que determine la ley.

Artículo 7°.- Los órganos del Estado actúan válidamente previa investidura regular de sus integrantes, dentro de su competencia y en la forma que prescriba la ley.

Ninguna magistratura, ninguna persona ni grupo de personas pueden atribuirse, ni aun a pretexto de circunstancias extraordinarias, otra autoridad o derechos que los que expresamente se les hayan conferido en virtud de la Constitución o las leyes.

Todo acto en contravención a este artículo es nulo y originará las responsabilidades y sanciones que la ley señale.

Artículo 8°.- El ejercicio de las funciones públicas obliga a sus titulares a dar estricto cumplimiento al principio de probidad en todas sus actuaciones.

Son públicos los actos y resoluciones de los órganos del Estado, así como sus fundamentos y los procedimientos que utilicen. Sin embargo, sólo una ley de quórum calificado podrá establecer la reserva o secreto de aquéllos o de éstos, cuando la publicidad afectare el debido cumplimiento de las funciones de dichos órganos, los derechos de las personas, la seguridad de la Nación o el interés nacional.

El Presidente de la República, los Ministros de Estado, los diputados y senadores, y las demás autoridades y funcionarios que una ley orgánica constitucional señale, deberán declarar sus intereses y patrimonio en forma pública.

Dicha ley determinará los casos y las condiciones en que esas autoridades delegarán a terceros la administración de aquellos bienes y obligaciones que supongan conflicto de interés en el ejercicio de su función pública. Asimismo, podrá considerar otras medidas apropiadas para resolverlos y, en situaciones calificadas, disponer la enajenación de todo o parte de esos bienes.

Artículo 9°.- El terrorismo, en cualquiera de sus formas, es por esencia contrario a los derechos humanos.

Una ley de quórum calificado determinará las conductas terroristas y su penalidad. Los responsables de estos delitos quedarán inhabilitados por el plazo de quince años para ejercer funciones o cargos públicos, sean o no de elección popular, o de rector o director de establecimiento de educación, o para ejercer en ellos funciones de enseñanza; para explotar un medio de comunicación social o ser director o administrador del mismo, o para desempeñar en él funciones relacionadas con la emisión o difusión de opiniones o informaciones; ni podrá ser dirigentes de organizaciones políticas o relacionadas con la educación o de carácter vecinal, profesional, empresarial, sindical, estudiantil o gremial en general, durante dicho plazo. Lo anterior se entiende sin perjuicio de otras inhabilidades o de las que por mayor tiempo establezca la ley.

Los delitos a que se refiere el inciso anterior serán considerados siempre comunes y no políticos para todos los efectos legales y no procederá respecto de ellos el indulto particular, salvo para conmutar la pena de muerte por la de presidio perpetuo.

Capítulo II
NACIONALIDAD Y CIUDADANÍA

Artículo 10.- Son chilenos:

1º.- Los nacidos en el territorio de Chile, con excepción de los hijos de extranjeros que se encuentren en Chile en servicio de su Gobierno, y de los hijos de extranjeros transeúntes, todos los que, sin embargo, podrán optar por la nacionalidad chilena;

2º.- Los hijos de padre o madre chilenos, nacidos en territorio extranjero. Con todo, se requerirá que alguno de sus ascendientes en línea recta de primer o segundo grado, haya adquirido la nacionalidad chilena en virtud de lo establecido en los números 1º, 3º ó 4º;

3º.- Los extranjeros que obtuvieren carta de nacionalización en conformidad a la ley, y

4º.- Los que obtuvieren especial gracia de nacionalización por ley.

La ley reglamentará los procedimientos de opción por la nacionalidad chilena; de otorgamiento, negativa y cancelación de las cartas de nacionalización, y la formación de un registro de todos estos actos.

Artículo 11.- La nacionalidad chilena se pierde:

1º.- Por renuncia voluntaria manifestada ante autoridad chilena competente. Esta renuncia sólo producirá efectos si la persona, previamente, se ha nacionalizado en país extranjero;

2º.- Por decreto supremo, en caso de prestación de servicios durante una guerra exterior a enemigos de Chile o de sus aliados;

3º.- Por cancelación de la carta de nacionalización, y

4º.- Por ley que revoque la nacionalización concedida por gracia.

Los que hubieren perdido la nacionalidad chilena por cualquiera de las causales establecidas en este artículo, sólo podrán ser rehabilitados por ley.

Artículo 12.- La persona afectada por acto o resolución de autoridad administrativa que la prive de su nacionalidad chilena o se la desconozca, podrá recurrir, por sí o por cualquiera a su nombre, dentro del plazo de treinta días, ante la Corte Suprema, la que conocerá como jurado y en tribunal pleno. La interposición del recurso suspenderá los efectos del acto o resolución recurridos.

Artículo 13.- Son ciudadanos los chilenos que hayan cumplido dieciocho años de edad y que no hayan sido condenados a pena aflictiva.

La calidad de ciudadano otorga los derechos de sufragio, de optar a cargos de elección popular y los demás que la Constitución o la ley confieran.

Los ciudadanos con derecho a sufragio que se encuentren fuera del país podrán sufragar desde el extranjero en las elecciones primarias presidenciales, en las elecciones de Presidente de la República y en los plebiscitos nacionales. Una ley orgánica constitucional establecerá el procedimiento para materializar la inscripción en el registro electoral y regulará la manera en que se realizarán los procesos electorales y plebiscitarios en el extranjero, en conformidad con lo dispuesto en los incisos primero y segundo del artículo 18.

Tratándose de los chilenos a que se refieren los números 2º y 4º del artículo 10, el ejercicio de los derechos que les confiere la ciudadanía estará sujeto a que hubieren estado avecindados en Chile por más de un año.

Artículo 14.- Los extranjeros avecindados en Chile por más de cinco años, y que cumplan con los requisitos señalados en el inciso primero del artículo 13, podrán ejercer el derecho de sufragio en los casos y formas que determine la ley.

Los nacionalizados en conformidad al N° 3° del artículo 10, tendrán opción a cargos públicos de elección popular sólo después de cinco años de estar en posesión de sus cartas de nacionalización.

Artículo 15.- En las votaciones populares, el sufragio será personal, igualitario, secreto y voluntario.

Sólo podrá convocarse a votación popular para las elecciones y plebiscitos expresamente previstos en esta Constitución.

Artículo 16.- El derecho de sufragio se suspende:

1°.- Por interdicción en caso de demencia;

2°.- Por hallarse la persona acusada por delito que merezca pena aflictiva o por delito que la ley califique como conducta terrorista, y

3°.- Por haber sido sancionado por el Tribunal Constitucional en conformidad al inciso séptimo del número 15° del artículo 19 de esta Constitución. Los que por esta causa se hallaren privados del ejercicio del derecho de sufragio lo recuperarán al término de cinco años, contado desde la declaración del Tribunal. Esta suspensión no producirá otro efecto legal, sin perjuicio de lo dispuesto en el inciso séptimo del número 15° del artículo 19.

Artículo 17.- La calidad de ciudadano se pierde:

1°.- Por pérdida de la nacionalidad chilena;

2°.- Por condena a pena aflictiva, y

3°.- Por condena por delitos que la ley califique como conducta terrorista y los relativos al tráfico de estupefacientes y que hubieren merecido, además, pena aflictiva.

Los que hubieren perdido la ciudadanía por la causal indicada en el número 2°, la recuperarán en conformidad a la ley, una vez extinguida su responsabilidad penal. Los que la hubieren perdido por las causales previstas en el número 3° podrán solicitar su rehabilitación al Senado una vez cumplida la condena.

Artículo 18.- Habrá un sistema electoral público. Una ley orgánica constitucional determinará su organización y funcionamiento, regulará la forma en que se realizarán los procesos electorales y plebiscitarios, en todo lo no previsto por esta Constitución y garantizará siempre la plena igualdad entre los independientes y los miembros de partidos políticos tanto en la presentación de candidaturas como en su participación en los señalados procesos. Dicha ley establecerá también un sistema de financiamiento, transparencia, límite y control del gasto electoral.

Una ley orgánica constitucional contemplará, además, un sistema de registro electoral, bajo la dirección del Servicio Electoral, al que se incorporarán, por el solo ministerio de la ley, quienes cumplan los requisitos establecidos por esta Constitución.

El resguardo del orden público durante los actos electorales y plebiscitarios corresponderá a las Fuerzas Armadas y Carabineros del modo que indique la ley.

CAPÍTULO **III**
DE LOS DERECHOS Y DEBERES CONSTITUCIONALES

Artículo 19.- La Constitución asegura a todas las personas:

1º.- El derecho a la vida y a la integridad física y psíquica de la persona.

La ley protege la vida del que está por nacer.

La pena de muerte sólo podrá establecerse por delito contemplado en ley aprobada con quórum calificado.

Se prohíbe la aplicación de todo apremio ilegítimo;

2º.- La igualdad ante la ley. En Chile no hay persona ni grupo privilegiados. En Chile no hay esclavos y el que pise su territorio queda libre. Hombres y mujeres son iguales ante la ley.

Ni la ley ni autoridad alguna podrán establecer diferencias arbitrarias;

3º.- La igual protección de la ley en el ejercicio de sus derechos.

Toda persona tiene derecho a defensa jurídica en la forma que la ley señale y ninguna autoridad o individuo podrá impedir, restringir o perturbar la debida intervención del letrado si hubiere sido requerida. Tratándose de los integrantes de las Fuerzas Armadas y de Orden y Seguridad Pública, este derecho se regirá, en lo concerniente a lo administrativo y disciplinario, por las normas pertinentes de sus respectivos estatutos.

La ley arbitrará los medios para otorgar asesoramiento y defensa jurídica a quienes no puedan procurárselos por sí mismos. La ley señalará los casos y establecerá la forma en que las personas naturales víctimas de delitos dispondrán de asesoría y defensa jurídica gratuitas, a efecto de ejercer la acción penal reconocida por esta Constitución y las leyes.

Toda persona imputada de delito tiene derecho irrenunciable a ser asistida por un abogado defensor proporcionado por el Estado si no nombrare uno en la oportunidad establecida por la ley.

Nadie podrá ser juzgado por comisiones especiales, sino por el tribunal que señalare la ley y que se hallare establecido por ésta con anterioridad a la perpetración del hecho.

Toda sentencia de un órgano que ejerza jurisdicción debe fundarse en un proceso previo legalmente tramitado. Corresponderá al legislador establecer siempre las garantías de un procedimiento y una investigación racionales y justos.

La ley no podrá presumir de derecho la responsabilidad penal.

Ningún delito se castigará con otra pena que la que señale una ley promulgada con anterioridad a su perpetración, a menos que una nueva ley favorezca al afectado.

Ninguna ley podrá establecer penas sin que la conducta que se sanciona esté expresamente descrita en ella;

4°.- El respeto y protección a la vida privada y a la honra de la persona y su familia, y asimismo, la protección de sus datos personales. El tratamiento y protección de estos datos se efectuará en la forma y condiciones que determine la ley;

5°.- La inviolabilidad del hogar y de toda forma de comunicación privada. El hogar sólo puede allanarse y las comunicaciones y documentos privados interceptarse, abrirse o registrarse en los casos y formas determinados por la ley;

6º.- La libertad de conciencia, la manifestación de todas las creencias y el ejercicio libre de todos los cultos que no se opongan a la moral, a las buenas costumbres o al orden público.

Las confesiones religiosas podrán erigir y conservar templos y sus dependencias bajo las condiciones de seguridad e higiene fijadas por las leyes y ordenanzas.

Las iglesias, las confesiones e instituciones religiosas de cualquier culto tendrán los derechos que otorgan y reconocen, con respecto a los bienes, las leyes actualmente en vigor. Los templos y sus dependencias, destinados exclusivamente al servicio de un culto, estarán exentos de toda clase de contribuciones;

7º.- El derecho a la libertad personal y a la seguridad individual.

En consecuencia:

a) Toda persona tiene derecho de residir y permanecer en cualquier lugar de la República, trasladarse de uno a otro y entrar y salir de su territorio, a condición de que se guarden las normas establecidas en la ley y salvo siempre el perjuicio de terceros;

b) Nadie puede ser privado de su libertad personal ni ésta restringida sino en los casos y en la forma determinados por la Constitución y las leyes;

c) Nadie puede ser arrestado o detenido sino por orden de funcionario público expresamente facultado por la ley y después de que dicha orden le sea intimada en forma legal. Sin embargo, podrá ser detenido el que fuere sorprendido en delito flagrante, con el solo objeto de ser puesto a disposición del juez competente dentro de las veinticuatro horas siguientes.

Si la autoridad hiciere arrestar o detener a alguna persona, deberá, dentro de las cuarenta y ocho horas siguientes, dar aviso al juez competente, poniendo a su disposición al afectado. El juez podrá, por resolución fundada, ampliar este plazo hasta por cinco días, y hasta por diez días, en el caso que se investigaren hechos calificados por la ley como conductas terroristas;

d) Nadie puede ser arrestado o detenido, sujeto a prisión preventiva o preso, sino en su casa o en lugares públicos destinados a este objeto.

Los encargados de las prisiones no pueden recibir en ellas a nadie en calidad de arrestado o detenido, procesado o preso, sin dejar constancia de la orden correspondiente, emanada de autoridad que tenga facultad legal, en un registro que será público.

Ninguna incomunicación puede impedir que el funcionario encargado de la casa de detención visite al arrestado o detenido, procesado o preso, que se encuentre en ella. Este funcionario está obligado, siempre que el arrestado o detenido lo requiera, a transmitir al juez competente la copia de la orden de detención, o a reclamar para que se le dé dicha copia, o a dar él mismo un certificado de hallarse detenido aquel individuo, si al tiempo de su detención se hubiere omitido este requisito;

e) La libertad del imputado procederá a menos que la detención o prisión preventiva sea considerada por el juez como necesaria para las investigaciones o para la seguridad del ofendido o de la sociedad. La ley establecerá los requisitos y modalidades para obtenerla.

La apelación de la resolución que se pronuncie sobre la libertad del imputado por los delitos a que se refiere el artículo 9°, será conocida por el tribunal superior que corresponda, integrado exclusivamente por miembros titulares. La resolución que la apruebe u otorgue requerirá ser acordada por unanimidad. Mientras dure la libertad, el imputado quedará siempre sometido a las medidas de vigilancia de la autoridad que la ley contemple;

f) En las causas criminales no se podrá obligar al imputado o acusado a que declare bajo juramento sobre hecho propio; tampoco podrán ser obligados a declarar en contra de éste sus ascendientes, descendientes, cónyuge y demás personas que, según los casos y circunstancias, señale la ley;

g) No podrá imponerse la pena de confiscación de bienes, sin perjuicio del comiso en los casos establecidos por las leyes; pero dicha pena será procedente respecto de las asociaciones ilícitas;

h) No podrá aplicarse como sanción la pérdida de los derechos previsionales, e

i) Una vez dictado sobreseimiento definitivo o sentencia absolutoria, el que hubiere sido sometido a proceso o condenado en cualquier instancia por resolución que la Corte Suprema declare injustificadamente errónea o arbitraria, tendrá derecho a ser indemnizado por el Estado de los perjuicios patrimoniales y morales que haya sufrido. La indemnización será determinada judicialmente en procedimiento breve y sumario y en él la prueba se apreciará en conciencia;

8º.- El derecho a vivir en un medio ambiente libre de contaminación. Es deber del Estado velar para que este derecho no sea afectado y tutelar la preservación de la naturaleza.

La ley podrá establecer restricciones específicas al ejercicio de determinados derechos o libertades para proteger el medio ambiente;

9º.- El derecho a la protección de la salud.

El Estado protege el libre e igualitario acceso a las acciones de promoción, protección y recuperación de la salud y de rehabilitación del individuo.

Le corresponderá, asimismo, la coordinación y control de las acciones relacionadas con la salud.

Es deber preferente del Estado garantizar la ejecución de las acciones de salud, sea que se presten a través de instituciones públicas o privadas, en la forma y condiciones que determine la ley, la que podrá establecer cotizaciones obligatorias.

Cada persona tendrá el derecho a elegir el sistema de salud al que desee acogerse, sea éste estatal o privado;

10º.- El derecho a la educación.

La educación tiene por objeto el pleno desarrollo de la persona en las distintas etapas de su vida.

Los padres tienen el derecho preferente y el deber de educar a sus hijos. Corresponderá al Estado otorgar especial protección al ejercicio de este derecho.

Para el Estado es obligatorio promover la educación parvularia, para lo que financiará un sistema gratuito a partir del nivel medio menor, destinado a asegurar el acceso a éste y sus niveles superiores. El segundo nivel de transición es obligatorio, siendo requisito para el ingreso a la educación básica.

La educación básica y la educación media son obligatorias, debiendo el Estado financiar un sistema gratuito con tal objeto, destinado a asegurar el acceso a ellas de toda la población. En el caso de la educación media este sistema, en conformidad a la ley, se extenderá hasta cumplir los 21 años de edad.

Corresponderá al Estado, asimismo, fomentar el desarrollo de la educación en todos sus niveles; estimular la investigación científica y tecnológica, la creación artística y la protección e incremento del patrimonio cultural de la Nación.

Es deber de la comunidad contribuir al desarrollo y perfeccionamiento de la educación;

11º.- La libertad de enseñanza incluye el derecho de abrir, organizar y mantener establecimientos educacionales.

La libertad de enseñanza no tiene otras limitaciones que las impuestas por la moral, las buenas costumbres, el orden público y la seguridad nacional.

La enseñanza reconocida oficialmente no podrá orientarse a propagar tendencia político partidista alguna.

Los padres tienen el derecho de escoger el establecimiento de enseñanza para sus hijos.

Una ley orgánica constitucional establecerá los requisitos mínimos que deberán exigirse en cada uno de los niveles de la enseñanza básica y media y señalará las normas objetivas, de general aplicación, que permitan al Estado velar por su cumplimiento. Dicha ley, del mismo modo, establecerá los requisitos para el reconocimiento oficial de los establecimientos educacionales de todo nivel;

12º.- La libertad de emitir opinión y la de informar, sin censura previa, en cualquier forma y por cualquier medio, sin perjuicio de responder de los delitos y abusos que se cometan en el ejercicio de estas libertades, en conformidad a la ley, la que deberá ser de quórum calificado.

La ley en ningún caso podrá establecer monopolio estatal sobre los medios de comunicación social.

Toda persona natural o jurídica ofendida o injustamente aludida por algún medio de comunicación social, tiene derecho a que su declaración o rectificación sea gratuitamente difundida, en las condiciones que la ley determine, por el medio de comunicación social en que esa información hubiera sido emitida.

Toda persona natural o jurídica tiene el derecho de fundar, editar y mantener diarios, revistas y periódicos, en las condiciones que señale la ley.

El Estado, aquellas universidades y demás personas o entidades que la ley determine, podrán establecer, operar y mantener estaciones de televisión.

Habrá un Consejo Nacional de Televisión, autónomo y con personalidad jurídica, encargado de velar por el correcto funcionamiento de este medio de comunicación. Una ley de quórum calificado señalará la organización y demás funciones y atribuciones del referido Consejo.

La ley regulará un sistema de calificación para la exhibición de la producción cinematográfica;

13º.- El derecho a reunirse pacíficamente sin permiso previo y sin armas.

Las reuniones en las plazas, calles y demás lugares de uso público, se regirán por las disposiciones generales de policía;

14º.- El derecho de presentar peticiones a la autoridad, sobre cualquier asunto de interés público o privado, sin otra limitación que la de proceder en términos respetuosos y convenientes;

15º.- El derecho de asociarse sin permiso previo.

Para gozar de personalidad jurídica, las asociaciones deberán constituirse en conformidad a la ley.

Nadie puede ser obligado a pertenecer a una asociación.

Prohíbense las asociaciones contrarias a la moral, al orden público y a la seguridad del Estado.

Los partidos políticos no podrán intervenir en actividades ajenas a las que les son propias ni tener privilegio alguno o monopolio de la participación ciudadana; la nómina de sus militantes se registrará en el servicio electoral del Estado, el que guardará reserva de la misma, la cual será accesible a los militantes del respectivo partido; su contabilidad deberá ser pública; las fuentes de su financiamiento no podrán provenir de dineros, bienes, donaciones, aportes ni créditos de origen extranjero; sus estatutos deberán contemplar las normas que aseguren una efectiva democracia interna. Una ley orgánica constitucional establecerá un sistema de elecciones primarias que podrá ser utilizado por dichos partidos para la nominación de candidatos a cargos de elección popular, cuyos resultados serán vinculantes para estas colectividades, salvo las excepciones que establezca dicha ley. Aquellos que no resulten elegidos en las elecciones primarias no podrán ser candidatos, en esa elección, al respectivo cargo. Una ley orgánica constitucional regulará las demás materias que les conciernan y las sanciones que se aplicarán por el incumplimiento de sus preceptos, dentro de las cuales podrá considerar su disolución. Las asociaciones, movimientos, organizaciones o grupos de personas que persigan o realicen actividades propias de los partidos políticos sin ajustarse a las normas anteriores son ilícitos y serán sancionados de acuerdo a la referida ley orgánica constitucional.

La Constitución Política garantiza el pluralismo político. Son inconstitucionales los partidos, movimientos u otras formas de organización cuyos objetivos, actos o conductas no respeten los principios básicos del régimen democrático y constitucional, procuren el establecimiento de un sistema totalitario, como asimismo aquellos que hagan uso de la violencia, la propugnen o inciten a ella como método de acción política. Corresponderá al Tribunal Constitucional declarar esta inconstitucionalidad.

Sin perjuicio de las demás sanciones establecidas en la Constitución o en la ley, las personas que hubieren tenido participación en los hechos que motiven la declaración de inconstitucionalidad a que se refiere el inciso precedente, no podrán participar en la formación de otros partidos políticos, movimientos u otras formas de organización política, ni optar a cargos públicos de elección popular ni desempeñar los cargos que se mencionan en los números 1) a 6) del artículo 57, por el término de cinco años, contado desde la resolución del Tribunal. Si a esa fecha las personas referidas estuvieren en posesión de las funciones o cargos indicados, los perderán de pleno derecho.

Las personas sancionadas en virtud de este precepto no podrán ser objeto de rehabilitación durante el plazo señalado en el inciso anterior. La duración de las inhabilidades contempladas en dicho inciso se elevará al doble en caso de reincidencia;

16º.- La libertad de trabajo y su protección.

Toda persona tiene derecho a la libre contratación y a la libre elección del trabajo con una justa retribución.

Se prohíbe cualquiera discriminación que no se base en la capacidad o idoneidad personal, sin perjuicio de que la ley pueda exigir la nacionalidad chilena o límites de edad para determinados casos.

Ninguna clase de trabajo puede ser prohibida, salvo que se oponga a la moral, a la seguridad o a la salubridad públicas, o que lo exija el interés nacional y una ley lo declare así. Ninguna ley o disposición de autoridad pública podrá exigir la afiliación a organización o entidad alguna como requisito para desarrollar una determinada actividad o trabajo, ni la desafiliación para mantenerse en éstos. La ley determinará las profesiones que requieren grado o título universitario y las condiciones que deben cumplirse para ejercerlas. Los colegios profesionales constituidos en conformidad a la ley y que digan relación con tales profesiones, estarán facultados para conocer de las reclamaciones que se interpongan sobre la conducta ética de sus miembros. Contra sus resoluciones podrá apelarse ante la Corte de Apelaciones respectiva. Los profesionales no asociados serán juzgados por los tribunales especiales establecidos en la ley.

La negociación colectiva con la empresa en que laboren es un derecho de los trabajadores, salvo los casos en que la ley expresamente no permita negociar. La ley establecerá las modalidades de la negociación colectiva y los procedimientos adecuados para lograr en ella una solución justa y pacífica. La ley señalará los casos en que la negociación colectiva deba someterse a arbitraje obligatorio, el que corresponderá a tribunales especiales de expertos cuya organización y atribuciones se establecerán en ella.

No podrán declararse en huelga los funcionarios del Estado ni de las municipalidades. Tampoco podrán hacerlo las personas que trabajen en corporaciones o empresas, cualquiera que sea su naturaleza, finalidad o función, que atiendan servicios de utilidad pública o cuya paralización cause grave daño a la salud, a la economía del país, al abastecimiento de la población o a la seguridad nacional. La ley establecerá los procedimientos para determinar las corporaciones o empresas cuyos trabajadores estarán sometidos a la prohibición que establece este inciso;

17°.- La admisión a todas las funciones y empleos públicos, sin otros requisitos que los que impongan la Constitución y las leyes;

18°.- El derecho a la seguridad social.

Las leyes que regulen el ejercicio de este derecho serán de quórum calificado.

La acción del Estado estará dirigida a garantizar el acceso de todos los habitantes al goce de prestaciones básicas uniformes, sea que se otorguen a través de instituciones públicas o privadas. La ley podrá establecer cotizaciones obligatorias.

El Estado supervigilará el adecuado ejercicio del derecho a la seguridad social;

19°.- El derecho de sindicarse en los casos y forma que señale la ley. La afiliación sindical será siempre voluntaria.

Las organizaciones sindicales gozarán de personalidad jurídica por el solo hecho de registrar sus estatutos y actas constitutivas en la forma y condiciones que determine la ley.

La ley contemplará los mecanismos que aseguren la autonomía de estas organizaciones. Las organizaciones sindicales no podrán intervenir en actividades político partidistas;

20°.- La igual repartición de los tributos en proporción a las rentas o en la progresión o forma que fije la ley, y la igual repartición de las demás cargas públicas.

En ningún caso la ley podrá establecer tributos manifiestamente desproporcionados o injustos.

Los tributos que se recauden, cualquiera que sea su naturaleza, ingresarán al patrimonio de la Nación y no podrán estar afectos a un destino determinado.

Sin embargo, la ley podrá autorizar que determinados tributos puedan estar afectados a fines propios de la defensa nacional. Asimismo, podrá autorizar que los que gravan actividades o bienes que tengan una clara identificación regional o local puedan ser aplicados, dentro de los marcos que la misma ley señale, por las autoridades regionales o comunales para el financiamiento de obras de desarrollo;

21º.- El derecho a desarrollar cualquiera actividad económica que no sea contraria a la moral, al orden público o a la seguridad nacional, respetando las normas legales que la regulen.

El Estado y sus organismos podrán desarrollar actividades empresariales o participar en ellas sólo si una ley de quórum calificado los autoriza. En tal caso, esas actividades estarán sometidas a la legislación común aplicable a los particulares, sin perjuicio de las excepciones que por motivos justificados establezca la ley, la que deberá ser, asimismo, de quórum calificado;

22º.- La no discriminación arbitraria en el trato que deben dar el Estado y sus organismos en materia económica.

Sólo en virtud de una ley, y siempre que no signifique tal discriminación, se podrán autorizar determinados beneficios directos o indirectos en favor de algún sector, actividad o zona geográfica, o establecer gravámenes especiales que afecten a uno u otras. En el caso de las franquicias o beneficios indirectos, la estimación del costo de éstos deberá incluirse anualmente en la Ley de Presupuestos;

23º.- La libertad para adquirir el dominio de toda clase de bienes, excepto aquellos que la naturaleza ha hecho comunes a todos los hombres o que deban pertenecer a la Nación toda y la ley lo declare así. Lo anterior es sin perjuicio de lo prescrito en otros preceptos de esta Constitución.

Una ley de quórum calificado y cuando así lo exija el interés nacional puede establecer limitaciones o requisitos para la adquisición del dominio de algunos bienes;

24º.- El derecho de propiedad en sus diversas especies sobre toda clase de bienes corporales o incorporales.

Sólo la ley puede establecer el modo de adquirir la propiedad, de usar, gozar y disponer de ella y las limitaciones y obligaciones que deriven de su función social. Esta comprende cuanto exijan los intereses generales de la Nación, la seguridad nacional, la utilidad y la salubridad públicas y la conservación del patrimonio ambiental.

Nadie puede, en caso alguno, ser privado de su propiedad, del bien sobre que recae o de alguno de los atributos o facultades esenciales del dominio, sino en virtud de ley general o especial que autorice la expropiación por causa de utilidad pública o de interés nacional, calificada por el legislador. El expropiado podrá reclamar de la legalidad del acto expropiatorio ante los tribunales ordinarios y tendrá siempre derecho a indemnización por el daño patrimonial efectivamente causado, la que se fijará de común acuerdo o en sentencia dictada conforme a derecho por dichos tribunales.

A falta de acuerdo, la indemnización deberá ser pagada en dinero efectivo al contado.

La toma de posesión material del bien expropiado tendrá lugar previo pago del total de la indemnización, la que, a falta de acuerdo, será determinada provisionalmente por peritos en la forma que señale la ley. En caso de reclamo acerca de la procedencia de la expropiación, el juez podrá, con el mérito de los antecedentes que se invoquen, decretar la suspensión de la toma de posesión.

El Estado tiene el dominio absoluto, exclusivo, inalienable e imprescriptible de todas las minas, comprendiéndose en éstas las covaderas, las arenas metalíferas, los salares, los depósitos de carbón e hidrocarburos y las demás sustancias fósiles, con excepción de las arcillas superficiales, no obstante la propiedad de las personas naturales o jurídicas sobre los terrenos en cuyas entrañas estuvieren situadas. Los predios superficiales estarán sujetos a las obligaciones y limitaciones que la ley señale para facilitar la exploración, la explotación y el beneficio de dichas minas.

Corresponde a la ley determinar qué sustancias de aquellas a que se refiere el inciso precedente, exceptuados los hidrocarburos líquidos o gaseosos, pueden ser objeto de concesiones de exploración o de explotación. Dichas concesiones se constituirán siempre por resolución judicial y tendrán la duración, conferirán los derechos e impondrán las obligaciones que la ley exprese, la que tendrá el carácter de orgánica constitucional. La concesión minera obliga al dueño a desarrollar la actividad necesaria para satisfacer el interés público que justifica su otorgamiento. Su régimen de amparo será establecido por dicha ley, tenderá directa o indirectamente a obtener el cumplimiento de esa obligación y contemplará causales de caducidad para el caso de incumplimiento o de simple extinción del dominio sobre la concesión. En todo caso dichas causales y sus efectos deben estar establecidos al momento de otorgarse la concesión.

Será de competencia exclusiva de los tribunales ordinarios de justicia declarar la extinción de tales concesiones. Las controversias que se produzcan respecto de la caducidad o extinción del dominio sobre la concesión serán resueltas por ellos; y en caso de caducidad, el afectado podrá requerir de la justicia la declaración de subsistencia de su derecho.

El dominio del titular sobre su concesión minera está protegido por la garantía constitucional de que trata este número.

La exploración, la explotación o el beneficio de los yacimientos que contengan sustancias no susceptibles de concesión, podrán ejecutarse directamente por el Estado o por sus empresas, o por medio de concesiones administrativas o de contratos especiales de operación, con los requisitos y bajo las condiciones que el Presidente de la República fije, para cada caso, por decreto supremo. Esta norma se aplicará también a los yacimientos de cualquier especie existentes en las aguas marítimas sometidas a la jurisdicción nacional y a los situados, en todo o en parte, en zonas que, conforme a la ley, se determinen como de importancia para la seguridad nacional. El Presidente de la República podrá poner término, en cualquier tiempo, sin expresión de causa y con la indemnización que corresponda, a las concesiones administrativas o a los contratos de operación relativos a explotaciones ubicadas en zonas declaradas de importancia para la seguridad nacional.

Los derechos de los particulares sobre las aguas, reconocidos o constituidos en conformidad a la ley, otorgarán a sus titulares la propiedad sobre ellos;

25º.- La libertad de crear y difundir las artes, así como el derecho del autor sobre sus creaciones intelectuales y artísticas de cualquier especie, por el tiempo que señale la ley y que no será inferior al de la vida del titular.

El derecho de autor comprende la propiedad de las obras y otros derechos, como la paternidad, la edición y la integridad de la obra, todo ello en conformidad a la ley.

Se garantiza, también, la propiedad industrial sobre las patentes de invención, marcas comerciales, modelos, procesos tecnológicos u otras creaciones análogas, por el tiempo que establezca la ley.

Será aplicable a la propiedad de las creaciones intelectuales y artísticas y a la propiedad industrial lo prescrito en los incisos segundo, tercero, cuarto y quinto del número anterior, y

26º.- La seguridad de que los preceptos legales que por mandato de la Constitución regulen o complementen las garantías que ésta establece o que las limiten en los casos en que ella lo autoriza, no podrán afectar los derechos en su esencia, ni imponer condiciones, tributos o requisitos que impidan su libre ejercicio.

Artículo 20.- El que por causa de actos u omisiones arbitrarios o ilegales sufra privación, perturbación o amenaza en el legítimo ejercicio de los derechos y garantías establecidos en el artículo 19, números 1º, 2º, 3º inciso quinto, 4º, 5º, 6º, 9º inciso final, 11º, 12º, 13º, 15º, 16º en lo relativo a la libertad de trabajo y al derecho a su libre elección y libre contratación, y a lo establecido en el inciso cuarto, 19º, 21º, 22º, 23º, 24º, y 25º podrá ocurrir por sí o por cualquiera a su nombre, a la Corte de Apelaciones respectiva, la que adoptará de inmediato las providencias que juzgue necesarias para restablecer el imperio del derecho y asegurar la debida protección del afectado, sin perjuicio de los demás derechos que pueda hacer valer ante la autoridad o los tribunales correspondientes.

Procederá, también, el recurso de protección en el caso del Nº8º del artículo 19, cuando el derecho a vivir en un medio ambiente libre de contaminación sea afectado por un acto u omisión ilegal imputable a una autoridad o persona determinada.

Artículo 21.- Todo individuo que se hallare arrestado, detenido o preso con infracción de lo dispuesto en la Constitución o en las leyes, podrá ocurrir por sí, o por cualquiera a su nombre, a la magistratura que señale la ley, a fin de que ésta ordene se guarden las formalidades legales y adopte de inmediato las providencias que juzgue necesarias para restablecer el imperio del derecho y asegurar la debida protección del afectado.

Esa magistratura podrá ordenar que el individuo sea traído a su presencia y su decreto será precisamente obedecido por todos los encargados de las cárceles o lugares de detención. Instruida de los antecedentes, decretará su libertad inmediata o hará que se reparen los defectos legales o pondrá al individuo a disposición del juez competente, procediendo en todo breve y sumariamente, y corrigiendo por sí esos defectos o dando cuenta a quien corresponda para que los corrija.

El mismo recurso, y en igual forma, podrá ser deducido en favor de toda persona que ilegalmente sufra cualquiera otra privación, perturbación o amenaza en su derecho a la libertad personal y seguridad individual. La respectiva magistratura dictará en tal caso las medidas indicadas en los incisos anteriores que estime conducentes para restablecer el imperio del derecho y asegurar la debida protección del afectado.

Artículo 22.- Todo habitante de la República debe respeto a Chile y a sus emblemas nacionales.

Los chilenos tienen el deber fundamental de honrar a la patria, de defender su soberanía y de contribuir a preservar la seguridad nacional y los valores esenciales de la tradición chilena.

El servicio militar y demás cargas personales que imponga la ley son obligatorios en los términos y formas que ésta determine.

Los chilenos en estado de cargar armas deberán hallarse inscritos en los Registros Militares, si no están legalmente exceptuados.

Artículo 23.- Los grupos intermedios de la comunidad y sus dirigentes que hagan mal uso de la autonomía que la Constitución les reconoce, interviniendo indebidamente en actividades ajenas a sus fines específicos, serán sancionados en conformidad a la ley. Son incompatibles los cargos directivos superiores de las organizaciones gremiales con los cargos directivos superiores, nacionales y regionales, de los partidos políticos.

La ley establecerá las sanciones que corresponda aplicar a los dirigentes gremiales que intervengan en actividades político partidistas y a los dirigentes de los partidos políticos, que interfieran en el funcionamiento de las organizaciones gremiales y demás grupos intermedios que la propia ley señale.

Capítulo IV
GOBIERNO

Presidente de la República

Artículo 24.- El gobierno y la administración del Estado corresponden al Presidente de la República, quien es el Jefe del Estado.

Su autoridad se extiende a todo cuanto tiene por objeto la conservación del orden público en el interior y la seguridad externa de la República, de acuerdo con la Constitución y las leyes.

El 1 de junio de cada año, el Presidente de la República dará cuenta al país del estado administrativo y político de la Nación ante el Congreso Pleno.

Artículo 25.- Para ser elegido Presidente de la República se requiere tener la nacionalidad chilena de acuerdo a lo dispuesto en los números 1° ó 2° del artículo 10; tener cumplidos treinta y cinco años de edad y poseer las demás calidades necesarias para ser ciudadano con derecho a sufragio.

El Presidente de la República durará en el ejercicio de sus funciones por el término de cuatro años y no podrá ser reelegido para el período siguiente.

El Presidente de la República no podrá salir del territorio nacional por más de treinta días ni a contar del día señalado en el inciso primero del artículo siguiente, sin acuerdo del Senado.

En todo caso, el Presidente de la República comunicará con la debida anticipación al Senado su decisión de ausentarse del territorio y los motivos que la justifican.

Artículo 26.- El Presidente de la República será elegido en votación directa y por mayoría absoluta de los sufragios válidamente emitidos. La elección se efectuará conjuntamente con la de parlamentarios, en la forma que determine la ley orgánica constitucional respectiva, el tercer domingo de noviembre del año anterior a aquel en que deba cesar en el cargo el que esté en funciones.

Si a la elección de Presidente de la República se presentaren más de dos candidatos y ninguno de ellos obtuviere más de la mitad de los sufragios válidamente emitidos, se procederá a una segunda votación que se circunscribirá a los candidatos que hayan obtenido las dos más altas mayorías relativas y en ella resultará electo aquél de los candidatos que obtenga el mayor número de sufragios. Esta nueva votación se verificará, en la forma que determine la ley, el cuarto domingo después de efectuada la primera.

Para los efectos de lo dispuesto en los dos incisos precedentes, los votos en blanco y los nulos se considerarán como no emitidos.

En caso de muerte de uno o de ambos candidatos a que se refiere el inciso segundo, el Presidente de la República convocará a una nueva elección dentro del plazo de diez días, contado desde la fecha del deceso. La elección se celebrará noventa días después de la convocatoria si ese día correspondiere a un domingo. Si así no fuere, ella se realizará el domingo inmediatamente siguiente.

Si expirase el mandato del Presidente de la República en ejercicio antes de la fecha de asunción del Presidente que se elija en conformidad al inciso anterior, se aplicará, en lo pertinente, la norma contenida en el inciso primero del artículo 28.

Artículo 27.- El proceso de calificación de la elección presidencial deberá quedar concluido dentro de los quince días siguientes tratándose de la primera votación o dentro de los treinta días siguientes tratándose de la segunda votación.

El Tribunal Calificador de Elecciones comunicará de inmediato al Presidente del Senado la proclamación de Presidente electo que haya efectuado.

El Congreso Pleno, reunido en sesión pública el día en que deba cesar en su cargo el Presidente en funciones y con los miembros que asistan, tomará conocimiento de la resolución en virtud de la cual el Tribunal Calificador de Elecciones proclama al Presidente electo.

En este mismo acto, el Presidente electo prestará ante el Presidente del Senado, juramento o promesa de desempeñar fielmente el cargo de Presidente de la República, conservar la independencia de la Nación, guardar y hacer guardar la Constitución y las leyes, y de inmediato asumirá sus funciones.

Artículo 28.- Si el Presidente electo se hallare impedido para tomar posesión del cargo, asumirá, mientras tanto, con el título de Vicepresidente de la República, el Presidente del Senado; a falta de éste, el Presidente de la Cámara de Diputados, y a falta de éste, el Presidente de la Corte Suprema.

Con todo, si el impedimento del Presidente electo fuere absoluto o debiere durar indefinidamente, el Vicepresidente, en los diez días siguientes al acuerdo del Senado adoptado en conformidad al artículo 53 Nº 7º, convocará a una nueva elección presidencial que se celebrará noventa días después de la convocatoria si ese día correspondiere a un domingo. Si así no fuere, ella se realizará el domingo inmediatamente siguiente. El Presidente de la República así elegido asumirá sus funciones en la oportunidad que señale esa ley, y durará en el ejercicio de ellas hasta el día en que le habría correspondido cesar en el cargo al electo que no pudo asumir y cuyo impedimento hubiere motivado la nueva elección.

Artículo 29.- Si por impedimento temporal, sea por enfermedad, ausencia del territorio u otro grave motivo, el Presidente de la República no pudiere ejercer su cargo, le subrogará, con el título de Vicepresidente de la República, el Ministro titular a quien corresponda de acuerdo con el orden de precedencia legal. A falta de éste, la subrogación corresponderá al Ministro titular que siga en ese orden de precedencia y, a falta de todos ellos, le subrogarán sucesivamente el Presidente del Senado, el Presidente de la Cámara de Diputados y el Presidente de la Corte Suprema.

En caso de vacancia del cargo de Presidente de la República, se producirá la subrogación como en las situaciones del inciso anterior, y se procederá a elegir sucesor en conformidad a las reglas de los incisos siguientes.

Si la vacancia se produjere faltando menos de dos años para la próxima elección presidencial, el Presidente será elegido por el Congreso Pleno por la mayoría absoluta de los senadores y diputados en ejercicio. La elección por el Congreso será hecha dentro de los diez días siguientes a la fecha de la vacancia y el elegido asumirá su cargo dentro de los treinta días siguientes.

Si la vacancia se produjere faltando dos años o más para la próxima elección presidencial, el Vicepresidente, dentro de los diez primeros días de su mandato, convocará a los ciudadanos a elección presidencial para ciento veinte días después de la convocatoria, si ese día correspondiere a un domingo. Si así no fuere, ella se realizará el domingo inmediatamente siguiente. El Presidente que resulte elegido asumirá su cargo el décimo día después de su proclamación.

El Presidente elegido conforme a alguno de los incisos precedentes durará en el cargo hasta completar el período que restaba a quien se reemplace y no podrá postular como candidato a la elección presidencial siguiente.

Artículo 30.- El Presidente cesará en su cargo el mismo día en que se complete su período y le sucederá el recientemente elegido.

El que haya desempeñado este cargo por el período completo, asumirá, inmediatamente y de pleno derecho, la dignidad oficial de Ex Presidente de la República.

En virtud de esta calidad, le serán aplicables las disposiciones de los incisos segundo, tercero y cuarto del artículo 61 y el artículo 62.

No la alcanzará el ciudadano que llegue a ocupar el cargo de Presidente de la República por vacancia del mismo ni quien haya sido declarado culpable en juicio político seguido en su contra.

El Ex Presidente de la República que asuma alguna función remunerada con fondos públicos, dejará, en tanto la desempeñe, de percibir la dieta, manteniendo, en todo caso, el fuero. Se exceptúan los empleos docentes y las funciones o comisiones de igual carácter de la enseñanza superior, media y especial.

Artículo 31.- El Presidente designado por el Congreso Pleno o, en su caso, el Vicepresidente de la República tendrá todas las atribuciones que esta Constitución confiere al Presidente de la República.

Artículo 32.- Son atribuciones especiales del Presidente de la República:

1°.- Concurrir a la formación de las leyes con arreglo a la Constitución, sancionarlas y promulgarlas;

2°.- Pedir, indicando los motivos, que se cite a sesión a cualquiera de las ramas del Congreso Nacional. En tal caso, la sesión deberá celebrarse a la brevedad posible;

3°.- Dictar, previa delegación de facultades del Congreso, decretos con fuerza de ley sobre las materias que señala la Constitución;

4°.- Convocar a plebiscito en los casos del artículo 128;

5°.- Declarar los estados de excepción constitucional en los casos y formas que se señalan en esta Constitución;

6°.- Ejercer la potestad reglamentaria en todas aquellas materias que no sean propias del dominio legal, sin perjuicio de la facultad de dictar los demás reglamentos, decretos e instrucciones que crea convenientes para la ejecución de las leyes;

7°.- Nombrar y remover a su voluntad a los ministros de Estado, subsecretarios, delegados presidenciales regionales y delegados presidenciales provinciales;

8°.- Designar a los embajadores y ministros diplomáticos, y a los representantes ante organismos internacionales. Tanto estos funcionarios como los señalados en el N° 7° precedente, serán de la confianza exclusiva del Presidente de la República y se mantendrán en sus puestos mientras cuenten con ella;

9°.- Nombrar al Contralor General de la República con acuerdo del Senado;

10°.- Nombrar y remover a los funcionarios que la ley denomina como de su exclusiva confianza y proveer los demás empleos civiles en conformidad a la ley. La remoción de los demás funcionarios se hará de acuerdo a las disposiciones que ésta determine;

11°.- Conceder jubilaciones, retiros, montepíos y pensiones de gracia, con arreglo a las leyes;

12°.- Nombrar a los magistrados y fiscales judiciales de las Cortes de Apelaciones y a los jueces letrados, a proposición de la Corte Suprema y de las Cortes de Apelaciones, respectivamente; a los miembros del Tribunal Constitucional que le corresponde designar; y a los magistrados y fiscales judiciales de la Corte Suprema y al Fiscal Nacional, a proposición de dicha Corte y con acuerdo del Senado, todo ello conforme a lo prescrito en esta Constitución;

13º.- Velar por la conducta ministerial de los jueces y demás empleados del Poder Judicial y requerir, con tal objeto, a la Corte Suprema para que, si procede, declare su mal comportamiento, o al ministerio público, para que reclame medidas disciplinarias del tribunal competente, o para que, si hubiere mérito bastante, entable la correspondiente acusación;

14º.- Otorgar indultos particulares en los casos y formas que determine la ley. El indulto será improcedente en tanto no se haya dictado sentencia ejecutoriada en el respectivo proceso. Los funcionarios acusados por la Cámara de Diputados y condenados por el Senado, sólo pueden ser indultados por el Congreso;

15º.- Conducir las relaciones políticas con las potencias extranjeras y organismos internacionales, y llevar a cabo las negociaciones; concluir, firmar y ratificar los tratados que estime convenientes para los intereses del país, los que deberán ser sometidos a la aprobación del Congreso conforme a lo prescrito en el artículo 54 Nº 1º. Las discusiones y deliberaciones sobre estos objetos serán secretos si el Presidente de la República así lo exigiere;

16º.- Designar y remover a los Comandantes en Jefe del Ejército, de la Armada, de la Fuerza Aérea y al General Director de Carabineros en conformidad al artículo 104, y disponer los nombramientos, ascensos y retiros de los Oficiales de las Fuerzas Armadas y de Carabineros en la forma que señala el artículo 105;

17º.- Disponer de las fuerzas de aire, mar y tierra, organizarlas y distribuirlas de acuerdo con las necesidades de la seguridad nacional;

18º.- Asumir, en caso de guerra, la jefatura suprema de las Fuerzas Armadas;

19º.- Declarar la guerra, previa autorización por ley, debiendo dejar constancia de haber oído al Consejo de Seguridad Nacional, y

20º.- Cuidar de la recaudación de las rentas públicas y decretar su inversión con arreglo a la ley. El Presidente de la República, con la firma de todos los Ministros de Estado, podrá decretar pagos no autorizados por ley, para atender necesidades impostergables derivadas de calamidades públicas, de agresión exterior, de conmoción interna, de grave daño o peligro para la seguridad nacional o del agotamiento de los recursos destinados a mantener servicios que no puedan paralizarse sin serio perjuicio para el país. El total de los giros que se hagan con estos objetos no podrá exceder anualmente del dos por ciento (2%) del monto de los gastos que autorice la Ley de Presupuestos. Se podrá contratar empleados con cargo a esta misma ley, pero sin que el ítem respectivo pueda ser incrementado ni disminuido mediante traspasos. Los Ministros de Estado o funcionarios que autoricen o den curso a gastos que contravengan lo dispuesto en este número serán responsables solidaria y personalmente de su reintegro, y culpables del delito de malversación de caudales públicos.

Ministros de Estado

Artículo 33.- Los Ministros de Estado son los colaboradores directos e inmediatos del Presidente de la República en el gobierno y administración del Estado.

La ley determinará el número y organización de los Ministerios, como también el orden de precedencia de los Ministros titulares.

El Presidente de la República podrá encomendar a uno o más Ministros la coordinación de la labor que corresponde a los Secretarios de Estado y las relaciones del Gobierno con el Congreso Nacional.

Artículo 34.- Para ser nombrado Ministro se requiere ser chileno, tener cumplidos veintiún años de edad y reunir los requisitos generales para el ingreso a la Administración Pública.

En los casos de ausencia, impedimento o renuncia de un Ministro, o cuando por otra causa se produzca la vacancia del cargo, será reemplazado en la forma que establezca la ley.

Artículo 35.- Los reglamentos y decretos del Presidente de la República deberán firmarse por el Ministro respectivo y no serán obedecidos sin este esencial requisito.

Los decretos e instrucciones podrán expedirse con la sola firma del Ministro respectivo, por orden del Presidente de la República, en conformidad a las normas que al efecto establezca la ley.

Artículo 36.- Los Ministros serán responsables individualmente de los actos que firmaren y solidariamente de los que suscribieren o acordaren con los otros Ministros.

Artículo 37.- Los Ministros podrán, cuando lo estimaren conveniente, asistir a las sesiones de la Cámara de Diputados o del Senado, y tomar parte en sus debates, con preferencia para hacer uso de la palabra, pero sin derecho a voto. Durante la votación podrán, sin embargo, rectificar los conceptos emitidos por cualquier diputado o senador al fundamentar su voto.

Sin perjuicio de lo anterior, los Ministros deberán concurrir personalmente a las sesiones especiales que la Cámara de Diputados o el Senado convoquen para informarse sobre asuntos que, perteneciendo al ámbito de atribuciones de las correspondientes Secretarías de Estado, acuerden tratar.

Artículo 37 bis. A los Ministros les serán aplicables las incompatibilidades establecidas en el inciso primero del artículo 58. Por el solo hecho de aceptar el nombramiento, el Ministro cesará en el cargo, empleo, función o comisión incompatible que desempeñe.

Durante el ejercicio de su cargo, los Ministros estarán sujetos a la prohibición de celebrar o caucionar contratos con el Estado, actuar como abogados o mandatarios en cualquier clase de juicio o como procurador o agente en gestiones particulares de carácter administrativo, ser director de bancos o de alguna sociedad anónima y ejercer cargos de similar importancia en estas actividades.

BASES GENERALES DE LA ADMINISTRACIÓN DEL ESTADO

Artículo 38.- Una ley orgánica constitucional determinará la organización básica de la Administración Pública, garantizará la carrera funcionaria y los principios de carácter técnico y profesional en que deba fundarse, y asegurará tanto la igualdad de oportunidades de ingreso a ella como la capacitación y el perfeccionamiento de sus integrantes.

Cualquier persona que sea lesionada en sus derechos por la Administración del Estado, de sus organismos o de las municipalidades, podrá reclamar ante los tribunales que determine la ley, sin perjuicio de la responsabilidad que pudiere afectar al funcionario que hubiere causado el daño.

Estados de excepción constitucional

Artículo 39.- El ejercicio de los derechos y garantías que la Constitución asegura a todas las personas sólo puede ser afectado bajo las siguientes situaciones de excepción: guerra externa o interna, conmoción interior, emergencia y calamidad pública, cuando afecten gravemente el normal desenvolvimiento de las instituciones del Estado.

Artículo 40.- El estado de asamblea, en caso de guerra exterior, y el estado de sitio, en caso de guerra interna o grave conmoción interior, lo declarará el Presidente de la República, con acuerdo del Congreso Nacional. La declaración deberá determinar las zonas afectadas por el estado de excepción correspondiente.

El Congreso Nacional, dentro del plazo de cinco días contado desde la fecha en que el Presidente de la República someta la declaración de estado de asamblea o de sitio a su consideración, deberá pronunciarse aceptando o rechazando la proposición, sin que pueda introducirle modificaciones. Si el Congreso no se pronunciara dentro de dicho plazo, se entenderá que aprueba la proposición del Presidente.

Sin embargo, el Presidente de la República podrá aplicar el estado de asamblea o de sitio de inmediato mientras el Congreso se pronuncia sobre la declaración, pero en este último estado sólo podrá restringir el ejercicio del derecho de reunión. Las medidas que adopte el Presidente de la República en tanto no se reúna el Congreso Nacional, podrán ser objeto de revisión por los tribunales de justicia, sin que sea aplicable, entre tanto, lo dispuesto en el artículo 45.

La declaración de estado de sitio sólo podrá hacerse por un plazo de quince días, sin perjuicio de que el Presidente de la República solicite su prórroga. El estado de asamblea mantendrá su vigencia por el tiempo que se extienda la situación de guerra exterior, salvo que el Presidente de la República disponga su suspensión con anterioridad.

Artículo 41.- El estado de catástrofe, en caso de calamidad pública, lo declarará el Presidente de la República, determinando la zona afectada por la misma.

El Presidente de la República estará obligado a informar al Congreso Nacional de las medidas adoptadas en virtud del estado de catástrofe. El Congreso Nacional podrá dejar sin efecto la declaración transcurridos ciento ochenta días desde ésta si las razones que la motivaron hubieran cesado en forma absoluta. Con todo, el Presidente de la República sólo podrá declarar el estado de catástrofe por un período superior a un año con acuerdo del Congreso Nacional. El referido acuerdo se tramitará en la forma establecida en el inciso segundo del artículo 40.

Declarado el estado de catástrofe, las zonas respectivas quedarán bajo la dependencia inmediata del Jefe de la Defensa Nacional que designe el Presidente de la República. Este asumirá la dirección y supervigilancia de su jurisdicción con las atribuciones y deberes que la ley señale.

Artículo 42.- El estado de emergencia, en caso de grave alteración del orden público o de grave daño para la seguridad de la Nación, lo declarará el Presidente de la República, determinando las zonas afectadas por dichas circunstancias. El estado de emergencia no podrá extenderse por más de quince días, sin perjuicio de que el Presidente de la República pueda prorrogarlo por igual período. Sin embargo, para sucesivas prórrogas, el Presidente requerirá siempre del acuerdo del Congreso Nacional. El referido acuerdo se tramitará en la forma establecida en el inciso segundo del artículo 40.

Declarado el estado de emergencia, las zonas respectivas quedarán bajo la dependencia inmediata del Jefe de la Defensa Nacional que designe el Presidente de la República. Este asumirá la dirección y supervigilancia de su jurisdicción con las atribuciones y deberes que la ley señale.

El Presidente de la República estará obligado a informar al Congreso Nacional de las medidas adoptadas en virtud del estado de emergencia.

Artículo 43.- Por la declaración del estado de asamblea, el Presidente de la República queda facultado para suspender o restringir la libertad personal, el derecho de reunión y la libertad de trabajo. Podrá, también, restringir el ejercicio del derecho de asociación, interceptar, abrir o registrar documentos y toda clase de comunicaciones, disponer requisiciones de bienes y establecer limitaciones al ejercicio del derecho de propiedad.

Por la declaración de estado de sitio, el Presidente de la República podrá restringir la libertad de locomoción y arrestar a las personas en sus propias moradas o en lugares que la ley determine y que no sean cárceles ni estén destinados a la detención o prisión de reos comunes. Podrá, además, suspender o restringir el ejercicio del derecho de reunión.

Por la declaración del estado de catástrofe, el Presidente de la República podrá restringir las libertades de locomoción y de reunión. Podrá, asimismo, disponer requisiciones de bienes, establecer limitaciones al ejercicio del derecho de propiedad y adoptar todas las medidas extraordinarias de carácter administrativo que sean necesarias para el pronto restablecimiento de la normalidad en la zona afectada.

Por la declaración del estado de emergencia, el Presidente de la República podrá restringir las libertades de locomoción y de reunión.

Artículo 44.- Una ley orgánica constitucional regulará los estados de excepción, así como su declaración y la aplicación de las medidas legales y administrativas que procediera adoptar bajo aquéllos. Dicha ley contemplará lo estrictamente necesario para el pronto restablecimiento de la normalidad constitucional y no podrá afectar las competencias y el funcionamiento de los órganos constitucionales ni los derechos e inmunidades de sus respectivos titulares.

Las medidas que se adopten durante los estados de excepción no podrán, bajo ninguna circunstancia, prolongarse más allá de la vigencia de los mismos.

Artículo 45.- Los tribunales de justicia no podrán calificar los fundamentos ni las circunstancias de hecho invocados por la autoridad para decretar los estados de excepción, sin perjuicio de lo dispuesto en el artículo 39. No obstante, respecto de las medidas particulares que afecten derechos constitucionales, siempre existirá la garantía de recurrir ante las autoridades judiciales a través de los recursos que corresponda.

Las requisiciones que se practiquen darán lugar a indemnizaciones en conformidad a la ley. También darán derecho a indemnización las limitaciones que se impongan al derecho de propiedad cuando importen privación de alguno de sus atributos o facultades esenciales y con ello se cause daño.

Capítulo V
CONGRESO NACIONAL

Artículo 46.- El Congreso Nacional se compone de dos ramas: la Cámara de Diputados y el Senado. Ambas concurren a la formación de las leyes en conformidad a esta Constitución y tienen las demás atribuciones que ella establece.

Composición y generación de la Cámara de Diputados y del Senado

Artículo 47.- La Cámara de Diputados está integrada por miembros elegidos en votación directa por distritos electorales. La ley orgánica constitucional respectiva determinará el número de diputados, los distritos electorales y la forma de su elección.

La Cámara de Diputados se renovará en su totalidad cada cuatro años.

Artículo 48.- Para ser elegido diputado se requiere ser ciudadano con derecho a sufragio, tener cumplidos veintiún años de edad, haber cursado la enseñanza media o equivalente, y tener residencia en la región a que pertenezca el distrito electoral correspondiente durante un plazo no inferior a dos años, contado hacia atrás desde el día de la elección.

Artículo 49.- El Senado se compone de miembros elegidos en votación directa por circunscripciones senatoriales, en consideración a las regiones del país, cada una de las cuales constituirá, a lo menos, una circunscripción. La ley orgánica constitucional respectiva determinará el número de Senadores, las circunscripciones senatoriales y la forma de su elección.

Los senadores durarán ocho años en su cargo y se renovarán alternadamente cada cuatro años, en la forma que determine la ley orgánica constitucional respectiva.

Artículo 50.- Para ser elegido senador se requiere ser ciudadano con derecho a sufragio, haber cursado la enseñanza media o equivalente y tener cumplidos treinta y cinco años de edad el día de la elección.

Artículo 51.- Se entenderá que los diputados tienen, por el solo ministerio de la ley, su residencia en la región correspondiente, mientras se encuentren en ejercicio de su cargo.

Las elecciones de diputados y de senadores se efectuarán conjuntamente. Los parlamentarios podrán ser reelegidos en sus cargos.

Las vacantes de diputados y las de senadores se proveerán con el ciudadano que señale el partido político al que pertenecía el parlamentario que produjo la vacante al momento de ser elegido.

Los parlamentarios elegidos como independientes no serán reemplazados.

Los parlamentarios elegidos como independientes que hubieren postulado integrando lista en conjunto con uno o más partidos políticos, serán reemplazados por el ciudadano que señale el partido indicado por el respectivo parlamentario al momento de presentar su declaración de candidatura.

El reemplazante deberá reunir los requisitos para ser elegido diputado o senador, según el caso. Con todo, un diputado podrá ser nominado para ocupar el puesto de un senador, debiendo aplicarse, en ese caso, las normas de los incisos anteriores para llenar la vacante que deja el diputado, quien al asumir su nuevo cargo cesará en el que ejercía.

El nuevo diputado o senador ejercerá sus funciones por el término que faltaba a quien originó la vacante.

En ningún caso procederán elecciones complementarias.

ATRIBUCIONES EXCLUSIVAS DE LA CÁMARA DE DIPUTADOS

Artículo 52.- Son atribuciones exclusivas de la Cámara de Diputados:

1) Fiscalizar los actos del Gobierno. Para ejercer esta atribución la Cámara puede:

a) Adoptar acuerdos o sugerir observaciones, con el voto de la mayoría de los diputados presentes, los que se transmitirán por escrito al Presidente de la República, quien deberá dar respuesta fundada por medio del Ministro de Estado que corresponda, dentro de treinta días.

Sin perjuicio de lo anterior, cualquier diputado, con el voto favorable de un tercio de los miembros presentes de la Cámara, podrá solicitar determinados antecedentes al Gobierno. El Presidente de la República contestará fundadamente por intermedio del Ministro de Estado que corresponda, dentro del mismo plazo señalado en el párrafo anterior.

En ningún caso los acuerdos, observaciones o solicitudes de antecedentes afectarán la responsabilidad política de los Ministros de Estado;

b) Citar a un Ministro de Estado, a petición de a lo menos un tercio de los diputados en ejercicio, a fin de formularle preguntas en relación con materias vinculadas al ejercicio de su cargo. Con todo, un mismo Ministro no podrá ser citado para este efecto más de tres veces dentro de un año calendario, sin previo acuerdo de la mayoría absoluta de los diputados en ejercicio.

La asistencia del Ministro será obligatoria y deberá responder a las preguntas y consultas que motiven su citación; y

c) Crear comisiones especiales investigadoras a petición de a lo menos dos quintos de los diputados en ejercicio, con el objeto de reunir informaciones relativas a determinados actos del Gobierno.

Las comisiones investigadoras, a petición de un tercio de sus miembros, podrán despachar citaciones y solicitar antecedentes. Los Ministros de Estado, los demás funcionarios de la Administración y el personal de las empresas del Estado o de aquéllas en que éste tenga participación mayoritaria, que sean citados por estas comisiones, estarán obligados a comparecer y a suministrar los antecedentes y las informaciones que se les soliciten.

No obstante, los Ministros de Estado no podrán ser citados más de tres veces a una misma comisión investigadora, sin previo acuerdo de la mayoría absoluta de sus miembros.

La ley orgánica constitucional del Congreso Nacional regulará el funcionamiento y las atribuciones de las comisiones investigadoras y la forma de proteger los derechos de las personas citadas o mencionadas en ellas.

2) Declarar si han o no lugar las acusaciones que no menos de diez ni más de veinte de sus miembros formulen en contra de las siguientes personas:

a) Del Presidente de la República, por actos de su administración que hayan comprometido gravemente el honor o la seguridad de la Nación, o infringido abiertamente la Constitución o las leyes. Esta acusación podrá interponerse mientras el Presidente esté en funciones y en los seis meses siguientes a su expiración en el cargo. Durante este último tiempo no podrá ausentarse de la República sin acuerdo de la Cámara;

b) De los Ministros de Estado, por haber comprometido gravemente el honor o la seguridad de la Nación, por infringir la Constitución o las leyes o haber dejado éstas sin ejecución, y por los delitos de traición, concusión, malversación de fondos públicos y soborno;

c) De los magistrados de los tribunales superiores de justicia y del Contralor General de la República, por notable abandono de sus deberes;

d) De los generales o almirantes de las instituciones pertenecientes a las Fuerzas de la Defensa Nacional, por haber comprometido gravemente el honor o la seguridad de la Nación, y

e) De los delegados presidenciales regionales, delegados presidenciales provinciales y de la autoridad que ejerza el Gobierno en los territorios especiales a que se refiere el artículo 126 bis, por infracción de la Constitución y por los delitos de traición, sedición, malversación de fondos públicos y concusión.

La acusación se tramitará en conformidad a la ley orgánica constitucional relativa al Congreso.

Las acusaciones referidas en las letras b), c), d) y e) podrán interponerse mientras el afectado esté en funciones o en los tres meses siguientes a la expiración en su cargo. Interpuesta la acusación, el afectado no podrá ausentarse del país sin permiso de la Cámara y no podrá hacerlo en caso alguno si la acusación ya estuviere aprobada por ella.

Para declarar que ha lugar la acusación en contra del Presidente de la República o de un gobernador regional se necesitará el voto de la mayoría de los diputados en ejercicio.

En los demás casos se requerirá el de la mayoría de los diputados presentes y el acusado quedará suspendido en sus funciones desde el momento en que la Cámara declare que ha lugar la acusación. La suspensión cesará si el Senado desestimare la acusación o si no se pronunciare dentro de los treinta días siguientes.

Atribuciones exclusivas del Senado

Artículo 53.- Son atribuciones exclusivas del Senado:

1) Conocer de las acusaciones que la Cámara de Diputados entable con arreglo al artículo anterior.

El Senado resolverá como jurado y se limitará a declarar si el acusado es o no culpable del delito, infracción o abuso de poder que se le imputa.

La declaración de culpabilidad deberá ser pronunciada por los dos tercios de los senadores en ejercicio cuando se trate de una acusación en contra del Presidente de la República o de un gobernador regional, y por la mayoría de los senadores en ejercicio en los demás casos.

Por la declaración de culpabilidad queda el acusado destituido de su cargo, y no podrá desempeñar ninguna función pública, sea o no de elección popular, por el término de cinco años.

El funcionario declarado culpable será juzgado de acuerdo a las leyes por el tribunal competente, tanto para la aplicación de la pena señalada al delito, si lo hubiere, cuanto para hacer efectiva la responsabilidad civil por los daños y perjuicios causados al Estado o a particulares;

2) Decidir si ha o no lugar la admisión de las acciones judiciales que cualquier persona pretenda iniciar en contra de algún Ministro de Estado, con motivo de los perjuicios que pueda haber sufrido injustamente por acto de éste en el desempeño de su cargo;

3) Conocer de las contiendas de competencia que se susciten entre las autoridades políticas o administrativas y los tribunales superiores de justicia;

4) Otorgar la rehabilitación de la ciudadanía en el caso del artículo 17, número 3° de esta Constitución;

5) Prestar o negar su consentimiento a los actos del Presidente de la República, en los casos en que la Constitución o la ley lo requieran.

Si el Senado no se pronunciare dentro de treinta días después de pedida la urgencia por el Presidente de la República, se tendrá por otorgado su asentimiento;

6) Otorgar su acuerdo para que el Presidente de la República pueda ausentarse del país por más de treinta días o a contar del día señalado en el inciso primero del artículo 26;

7) Declarar la inhabilidad del Presidente de la República o del Presidente electo cuando un impedimento físico o mental lo inhabilite para el ejercicio de sus funciones; y declarar asimismo, cuando el Presidente de la República haga dimisión de su cargo, si los motivos que la originan son o no fundados y, en consecuencia, admitirla o desecharla. En ambos casos deberá oír previamente al Tribunal Constitucional;

8) Aprobar, por la mayoría de sus miembros en ejercicio, la declaración del Tribunal Constitucional a que se refiere la segunda parte del N° 10° del artículo 93;

9) Aprobar, en sesión especialmente convocada al efecto y con el voto conforme de los dos tercios de los senadores en ejercicio, la designación de los ministros y fiscales judiciales de la Corte Suprema y del Fiscal Nacional, y

10) Dar su dictamen al Presidente de la República en los casos en que éste lo solicite.

El Senado, sus comisiones y sus demás órganos, incluidos los comités parlamentarios si los hubiere, no podrán fiscalizar los actos del Gobierno ni de las entidades que de él dependan, ni adoptar acuerdos que impliquen fiscalización.

ATRIBUCIONES EXCLUSIVAS DEL CONGRESO

Artículo 54.- Son atribuciones del Congreso:

1) Aprobar o desechar los tratados internacionales que le presentare el Presidente de la República antes de su ratificación. La aprobación de un tratado requerirá, en cada Cámara, de los quórum que corresponda, en conformidad al artículo 66, y se someterá, en lo pertinente, a los trámites de una ley.

El Presidente de la República informará al Congreso sobre el contenido y el alcance del tratado, así como de las reservas que pretenda confirmar o formularle.

El Congreso podrá sugerir la formulación de reservas y declaraciones interpretativas a un tratado internacional, en el curso del trámite de su aprobación, siempre que ellas procedan de conformidad a lo previsto en el propio tratado o en las normas generales de derecho internacional.

Las medidas que el Presidente de la República adopte o los acuerdos que celebre para el cumplimiento de un tratado en vigor no requerirán de nueva aprobación del Congreso, a menos que se trate de materias propias de ley. No requerirán de aprobación del Congreso los tratados celebrados por el Presidente de la República en el ejercicio de su potestad reglamentaria.

Las disposiciones de un tratado sólo podrán ser derogadas, modificadas o suspendidas en la forma prevista en los propios tratados o de acuerdo a las normas generales de derecho internacional.

Corresponde al Presidente de la República la facultad exclusiva para denunciar un tratado o retirarse de él, para lo cual pedirá la opinión de ambas Cámaras del Congreso, en el caso de tratados que hayan sido aprobados por éste. Una vez que la denuncia o el retiro produzca sus efectos en conformidad a lo establecido en el tratado internacional, éste dejará de tener efecto en el orden jurídico chileno.

En el caso de la denuncia o el retiro de un tratado que fue aprobado por el Congreso, el Presidente de la República deberá informar de ello a éste dentro de los quince días de efectuada la denuncia o el retiro.

El retiro de una reserva que haya formulado el Presidente de la República y que tuvo en consideración el Congreso Nacional al momento de aprobar un tratado, requerirá previo acuerdo de éste, de conformidad a lo establecido en la ley orgánica constitucional respectiva. El Congreso Nacional deberá pronunciarse dentro del plazo de treinta días contados desde la recepción del oficio en que se solicita el acuerdo pertinente. Si no se pronunciare dentro de este término, se tendrá por aprobado el retiro de la reserva.

De conformidad a lo establecido en la ley, deberá darse debida publicidad a hechos que digan relación con el tratado internacional, tales como su entrada en vigor, la formulación y retiro de reservas, las declaraciones interpretativas, las objeciones a una reserva y su retiro, la denuncia del tratado, el retiro, la suspensión, la terminación y la nulidad del mismo.

En el mismo acuerdo aprobatorio de un tratado podrá el Congreso autorizar al Presidente de la República a fin de que, durante la vigencia de aquél, dicte las disposiciones con fuerza de ley que estime necesarias para su cabal cumplimiento, siendo en tal caso aplicable lo dispuesto en los incisos segundo y siguientes del artículo 64, y

2) Pronunciarse, cuando corresponda, respecto de los estados de excepción constitucional, en la forma prescrita por el inciso segundo del artículo 40.

FUNCIONAMIENTO DEL CONGRESO

Artículo 55.- El Congreso Nacional se instalará e iniciará su período de sesiones en la forma que determine su ley orgánica constitucional.

En todo caso, se entenderá siempre convocado de pleno derecho para conocer de la declaración de estados de excepción constitucional.

La ley orgánica constitucional señalada en el inciso primero, regulará la tramitación de las acusaciones constitucionales, la calificación de las urgencias conforme lo señalado en el artículo 74 y todo lo relacionado con la tramitación interna de la ley.

Artículo 56.- La Cámara de Diputados y el Senado no podrán entrar en sesión ni adoptar acuerdos sin la concurrencia de la tercera parte de sus miembros en ejercicio.

Cada una de las Cámaras establecerá en su propio reglamento la clausura del debate por simple mayoría.

Artículo 56 bis.- Durante el mes de julio de cada año, el Presidente del Senado y el Presidente de la Cámara de Diputados darán cuenta pública al país, en sesión del Congreso Pleno, de las actividades realizadas por las Corporaciones que presiden.

El Reglamento de cada Cámara determinará el contenido de dicha cuenta y regulará la forma de cumplir esta obligación.

NORMAS COMUNES PARA LOS DIPUTADOS Y SENADORES

Artículo 57.- No pueden ser candidatos a diputados ni a senadores:

1) Los Ministros de Estado;

2) Los gobernadores regionales, los delegados presidenciales regionales, los delegados presidenciales provinciales, los alcaldes, los consejeros regionales, los concejales y los subsecretarios;

3) Los miembros del Consejo del Banco Central;

4) Los magistrados de los tribunales superiores de justicia y los jueces de letras;

5) Los miembros del Tribunal Constitucional, del Tribunal Calificador de Elecciones y de los tribunales electorales regionales;

6) El Contralor General de la República;

7) Las personas que desempeñan un cargo directivo de naturaleza gremial o vecinal;

8) Las personas naturales y los gerentes o administradores de personas jurídicas que celebren o caucionen contratos con el Estado;

9) El Fiscal Nacional, los fiscales regionales y los fiscales adjuntos del Ministerio Público, y

10) Los Comandantes en Jefe del Ejército, de la Armada y de la Fuerza Aérea, el General Director de Carabineros, el Director General de la Policía de Investigaciones y los oficiales pertenecientes a las Fuerzas Armadas y a las Fuerzas de Orden y Seguridad Pública.

Las inhabilidades establecidas en este artículo serán aplicables a quienes hubieren tenido las calidades o cargos antes mencionados dentro del año inmediatamente anterior a la elección; excepto respecto de las personas mencionadas en los números 7) y 8), las que no deberán reunir esas condiciones al momento de inscribir su candidatura y de las indicadas en el número 9), respecto de las cuales el plazo de la inhabilidad será de los dos años inmediatamente anteriores a la elección. Si no fueren elegidos en una elección no podrán volver al mismo cargo ni ser designados para cargos análogos a los que desempeñaron hasta un año después del acto electoral.

Artículo 58.- Los cargos de diputados y senadores son incompatibles entre sí y con todo empleo o comisión retribuidos con fondos del Fisco, de las municipalidades, de las entidades fiscales autónomas, semifiscales o de las empresas del Estado o en las que el Fisco tenga intervención por aportes de capital, y con toda otra función o comisión de la misma naturaleza. Se exceptúan los empleos docentes y las funciones o comisiones de igual carácter de la enseñanza superior, media y especial.

Asimismo, los cargos de diputados y senadores son incompatibles con las funciones de directores o consejeros, aun cuando sean ad honorem, en las entidades fiscales autónomas, semifiscales o en las empresas estatales, o en las que el Estado tenga participación por aporte de capital.

Por el solo hecho de su proclamación por el Tribunal Calificador de Elecciones, el diputado o senador cesará en el otro cargo, empleo o comisión incompatible que desempeñe.

Artículo 59.- Ningún diputado o senador, desde el momento de su proclamación por el Tribunal Calificador de Elecciones puede ser nombrado para un empleo, función o comisión de los referidos en el artículo anterior.

Esta disposición no rige en caso de guerra exterior; ni se aplica a los cargos de Presidente de la República, Ministro de Estado y agente diplomático; pero sólo los cargos conferidos en estado de guerra son compatibles con las funciones de diputado o senador.

Artículo 60.- Cesará en el cargo el diputado o senador que se ausentare del país por más de treinta días sin permiso de la Cámara a que pertenezca o, en receso de ella, de su Presidente.

Cesará en el cargo el diputado o senador que durante su ejercicio celebrare o caucionare contratos con el Estado, o el que actuare como procurador o agente en gestiones particulares de carácter administrativo, en la provisión de empleos públicos, consejerías, funciones o comisiones de similar naturaleza. En la misma sanción incurrirá el que acepte ser director de banco o de alguna sociedad anónima, o ejercer cargos de similar importancia en estas actividades.

La inhabilidad a que se refiere el inciso anterior tendrá lugar sea que el diputado o senador actúe por sí o por interpósita persona, natural o jurídica, o por medio de una sociedad de personas de la que forme parte.

Cesará en su cargo el diputado o senador que actúe como abogado o mandatario en cualquier clase de juicio, que ejercite cualquier influencia ante las autoridades administrativas o judiciales en favor o representación del empleador o de los trabajadores en negociaciones o conflictos laborales, sean del sector público o privado, o que intervengan en ellos ante cualquiera de las partes. Igual sanción se aplicará al parlamentario que actúe o intervenga en actividades estudiantiles, cualquiera que sea la rama de la enseñanza, con el objeto de atentar contra su normal desenvolvimiento.

Sin perjuicio de lo dispuesto en el inciso séptimo del número 15° del artículo 19, cesará, asimismo, en sus funciones el diputado o senador que de palabra o por escrito incite a la alteración del orden público o propicie el cambio del orden jurídico institucional por medios distintos de los que establece esta Constitución, o que comprometa gravemente la seguridad o el honor de la Nación.

Quien perdiere el cargo de diputado o senador por cualquiera de las causales señaladas precedentemente no podrá optar a ninguna función o empleo público, sea o no de elección popular, por el término de dos años, salvo los casos del inciso séptimo del número 15º del artículo 19, en los cuales se aplicarán las sanciones allí contempladas.

Cesará en su cargo el diputado o senador que haya infringido gravemente las normas sobre transparencia, límites y control del gasto electoral, desde la fecha que lo declare por sentencia firme el Tribunal Calificador de Elecciones, a requerimiento del Consejo Directivo del Servicio Electoral. Una ley orgánica constitucional señalará los casos en que existe una infracción grave. Asimismo, el diputado o senador que perdiere el cargo no podrá optar a ninguna función o empleo público por el término de tres años, ni podrá ser candidato a cargos de elección popular en los dos actos electorales inmediatamente siguientes a su cesación.

Cesará, asimismo, en sus funciones el diputado o senador que, durante su ejercicio, pierda algún requisito general de elegibilidad o incurra en alguna de las causales de inhabilidad a que se refiere el artículo 57, sin perjuicio de la excepción contemplada en el inciso segundo del artículo 59 respecto de los Ministros de Estado.

Los diputados y senadores podrán renunciar a sus cargos cuando les afecte una enfermedad grave que les impida desempeñarlos y así lo califique el Tribunal Constitucional.

Artículo 61.- Los diputados y senadores sólo son inviolables por las opiniones que manifiesten y los votos que emitan en el desempeño de sus cargos, en sesiones de sala o de comisión.

Ningún diputado o senador, desde el día de su elección o desde su juramento, según el caso, puede ser acusado o privado de su libertad, salvo el caso de delito flagrante, si el Tribunal de Alzada de la jurisdicción respectiva, en pleno, no autoriza previamente la acusación declarando haber lugar a formación de causa. De esta resolución podrá apelarse para ante la Corte Suprema.

En caso de ser arrestado algún diputado o senador por delito flagrante, será puesto inmediatamente a disposición del Tribunal de Alzada respectivo, con la información sumaria correspondiente. El Tribunal procederá, entonces, conforme a lo dispuesto en el inciso anterior.

Desde el momento en que se declare, por resolución firme, haber lugar a formación de causa, queda el diputado o senador imputado suspendido de su cargo y sujeto al juez competente.

Artículo 62.- Los diputados y senadores percibirán como única renta una dieta equivalente a la remuneración de un Ministro de Estado incluidas todas las asignaciones que a éstos correspondan.

MATERIAS DE LEY

Artículo 63.- Sólo son materias de ley:

1) Las que en virtud de la Constitución deben ser objeto de leyes orgánicas constitucionales;

2) Las que la Constitución exija que sean reguladas por una ley;

3) Las que son objeto de codificación, sea civil, comercial, procesal, penal u otra;

4) Las materias básicas relativas al régimen jurídico laboral, sindical, previsional y de seguridad social;

5) Las que regulen honores públicos a los grandes servidores;

6) Las que modifiquen la forma o características de los emblemas nacionales;

7) Las que autoricen al Estado, a sus organismos y a las municipalidades, para contratar empréstitos, los que deberán estar destinados a financiar proyectos específicos. La ley deberá indicar las fuentes de recursos con cargo a los cuales deba hacerse el servicio de la deuda. Sin embargo, se requerirá de una ley de quórum calificado para autorizar la contratación de aquellos empréstitos cuyo vencimiento exceda del término de duración del respectivo período presidencial.

Lo dispuesto en este número no se aplicará al Banco Central;

8) Las que autoricen la celebración de cualquier clase de operaciones que puedan comprometer en forma directa o indirecta el crédito o la

responsabilidad financiera del Estado, sus organismos y de las municipa-lidades.

Esta disposición no se aplicará al Banco Central;

9) Las que fijen las normas con arreglo a las cuales las empresas del Estado y aquellas en que éste tenga participación puedan contratar em-préstitos, los que en ningún caso, podrán efectuarse con el Estado, sus organismos o empresas;

10) Las que fijen las normas sobre enajenación de bienes del Estado o de las municipalidades y sobre su arrendamiento o concesión;

11) Las que establezcan o modifiquen la división política y adminis-trativa del país;

12) Las que señalen el valor, tipo y denominación de las monedas y el sistema de pesos y medidas;

13) Las que fijen las fuerzas de aire, mar y tierra que han de mante-nerse en pie en tiempo de paz o de guerra, y las normas para permitir la entrada de tropas extranjeras en el territorio de la República, como, asi-mismo, la salida de tropas nacionales fuera de él;

14) Las demás que la Constitución señale como leyes de iniciativa exclusiva del Presidente de la República;

15) Las que autoricen la declaración de guerra, a propuesta del Presi-dente de la República;

16) Las que concedan indultos generales y amnistías y las que fijen las normas generales con arreglo a las cuales debe ejercerse la facultad del Presidente de la República para conceder indultos particulares y pensiones de gracia.

Las leyes que concedan indultos generales y amnistías requerirán siem-pre de quórum calificado. No obstante, este quórum será de las dos ter-ceras partes de los diputados y senadores en ejercicio cuando se trate de delitos contemplados en el artículo 9º;

17) Las que señalen la ciudad en que debe residir el Presidente de la República, celebrar sus sesiones el Congreso Nacional y funcionar la Corte Suprema y el Tribunal Constitucional;

18) Las que fijen las bases de los procedimientos que rigen los actos de la administración pública;

19) Las que regulen el funcionamiento de loterías, hipódromos y apuestas en general, y

20) Toda otra norma de carácter general y obligatoria que estatuya las bases esenciales de un ordenamiento jurídico.

Artículo 64.- El Presidente de la República podrá solicitar autorización al Congreso Nacional para dictar disposiciones con fuerza de ley durante un plazo no superior a un año sobre materias que correspondan al dominio de la ley.

Esta autorización no podrá extenderse a la nacionalidad, la ciudadanía, las elecciones ni al plebiscito, como tampoco a materias comprendidas en las garantías constitucionales o que deban ser objeto de leyes orgánicas constitucionales o de quórum calificado.

La autorización no podrá comprender facultades que afecten a la organización, atribuciones y régimen de los funcionarios del Poder Judicial, del Congreso Nacional, del Tribunal Constitucional ni de la Contraloría General de la República.

La ley que otorgue la referida autorización señalará las materias precisas sobre las que recaerá la delegación y podrá establecer o determinar las limitaciones, restricciones y formalidades que se estimen convenientes.

Sin perjuicio de lo dispuesto en los incisos anteriores, el Presidente de la República queda autorizado para fijar el texto refundido, coordinado y sistematizado de las leyes cuando sea conveniente para su mejor ejecución. En ejercicio de esta facultad, podrá introducirle los cambios de forma que sean indispensables, sin alterar, en caso alguno, su verdadero sentido y alcance.

A la Contraloría General de la República corresponderá tomar razón de estos decretos con fuerza de ley, debiendo rechazarlos cuando ellos excedan o contravengan la autorización referida.

Los decretos con fuerza de ley estarán sometidos en cuanto a su publicación, vigencia y efectos, a las mismas normas que rigen para la ley.

Formación de la ley

Artículo 65.- Las leyes pueden tener origen en la Cámara de Diputados o en el Senado, por mensaje que dirija el Presidente de la República o por moción de cualquiera de sus miembros. Las mociones no pueden ser firmadas por más de diez diputados ni por más de cinco senadores.

Las leyes sobre tributos de cualquiera naturaleza que sean, sobre los presupuestos de la Administración Pública y sobre reclutamiento, sólo pueden tener origen en la Cámara de Diputados. Las leyes sobre amnistía y sobre indultos generales sólo pueden tener origen en el Senado.

Corresponderá al Presidente de la República la iniciativa exclusiva de los proyectos de ley que tengan relación con la alteración de la división política o administrativa del país, o con la administración financiera o presupuestaria del Estado, incluyendo las modificaciones de la Ley de Presupuestos, y con las materias señaladas en los números 10 y 13 del artículo 63.

Corresponderá, asimismo, al Presidente de la República la iniciativa exclusiva para:

1º.- Imponer, suprimir, reducir o condonar tributos de cualquier clase o naturaleza, establecer exenciones o modificar las existentes, y determinar su forma, proporcionalidad o progresión;

2º.- Crear nuevos servicios públicos o empleos rentados, sean fiscales, semifiscales, autónomos o de las empresas del Estado; suprimirlos y determinar sus funciones o atribuciones;

3º.- Contratar empréstitos o celebrar cualquiera otra clase de operaciones que puedan comprometer el crédito o la responsabilidad financiera del Estado, de las entidades semifiscales, autónomas, de los gobiernos regionales o de las municipalidades, y condonar, reducir o modificar obligaciones, intereses u otras cargas financieras de cualquier naturaleza establecidas en favor del Fisco o de los organismos o entidades referidos;

4º.- Fijar, modificar, conceder o aumentar remuneraciones, jubilaciones, pensiones, montepíos, rentas y cualquiera otra clase de emolumentos, préstamos o beneficios al personal en servicio o en retiro y a los beneficiarios de montepío, en su caso, de la Administración Pública y demás organismos y entidades anteriormente señalados, como asimismo fijar las remuneraciones mínimas de los trabajadores del sector privado, aumentar obligatoriamente sus remuneraciones y demás beneficios económicos o alterar las bases que sirvan para determinarlos; todo ello sin perjuicio de lo dispuesto en los números siguientes;

5º.- Establecer las modalidades y procedimientos de la negociación colectiva y determinar los casos en que no se podrá negociar, y

6º.- Establecer o modificar las normas sobre seguridad social o que incidan en ella, tanto del sector público como del sector privado.

El Congreso Nacional sólo podrá aceptar, disminuir o rechazar los servicios, empleos, emolumentos, préstamos, beneficios, gastos y demás iniciativas sobre la materia que proponga el Presidente de la República.

Artículo 66.- Las normas legales que interpreten preceptos constitucionales necesitarán, para su aprobación, modificación o derogación, de las tres quintas partes de los diputados y senadores en ejercicio.

Las normas legales a las cuales la Constitución confiere el carácter de ley orgánica constitucional requerirán, para su aprobación, modificación o derogación, de las cuatro séptimas partes de los diputados y senadores en ejercicio.

Las normas legales de quórum calificado se establecerán, modificarán o derogarán por la mayoría absoluta de los diputados y senadores en ejercicio.

Las demás normas legales requerirán la mayoría de los miembros presentes de cada Cámara, o las mayorías que sean aplicables conforme a los artículos 68 y siguientes.

Artículo 67.- El proyecto de Ley de Presupuestos deberá ser presentado por el Presidente de la República al Congreso Nacional, a lo menos con tres meses de anterioridad a la fecha en que debe empezar a regir; y si el Congreso no lo despachare dentro de los sesenta días contados desde su presentación, regirá el proyecto presentado por el Presidente de la República.

El Congreso Nacional no podrá aumentar ni disminuir la estimación de los ingresos; sólo podrá reducir los gastos contenidos en el proyecto de Ley de Presupuestos, salvo los que estén establecidos por ley permanente.

La estimación del rendimiento de los recursos que consulta la Ley de Presupuestos y de los nuevos que establezca cualquiera otra iniciativa de ley, corresponderá exclusivamente al Presidente, previo informe de los organismos técnicos respectivos.

No podrá el Congreso aprobar ningún nuevo gasto con cargo a los fondos de la Nación sin que se indiquen, al mismo tiempo, las fuentes de recursos necesarios para atender dicho gasto.

Si la fuente de recursos otorgada por el Congreso fuere insuficiente para financiar cualquier nuevo gasto que se apruebe, el Presidente de la República, al promulgar la ley, previo informe favorable del servicio o institución a través del cual se recaude el nuevo ingreso, refrendado por la Contraloría General de la República, deberá reducir proporcionalmente todos los gastos, cualquiera que sea su naturaleza.

Artículo 68.- El proyecto que fuere desechado en general en la Cámara de su origen no podrá renovarse sino después de un año. Sin embargo, el Presidente de la República, en caso de un proyecto de su iniciativa, podrá solicitar que el mensaje pase a la otra Cámara y, si ésta lo aprueba en general por los dos tercios de sus miembros presentes, volverá a la de su origen y sólo se considerará desechado si esta Cámara lo rechaza con el voto de los dos tercios de sus miembros presentes.

Artículo 69.- Todo proyecto puede ser objeto de adiciones o correcciones en los trámites que corresponda, tanto en la Cámara de Diputados como en el Senado; pero en ningún caso se admitirán las que no tengan relación directa con las ideas matrices o fundamentales del proyecto.

Aprobado un proyecto en la Cámara de su origen, pasará inmediatamente a la otra para su discusión.

Artículo 70.- El proyecto que fuere desechado en su totalidad por la Cámara revisora será considerado por una comisión mixta de igual número de diputados y senadores, la que propondrá la forma y modo de resolver las dificultades. El proyecto de la comisión mixta volverá a la Cámara de origen y, para ser aprobado tanto en ésta como en la revisora, se requerirá de la mayoría de los miembros presentes en cada una de ellas. Si la comisión mixta no llegare a acuerdo, o si la Cámara de origen rechazare el proyecto de esa comisión, el Presidente de la República podrá pedir que esa Cámara se pronuncie sobre si insiste por los dos tercios de sus miembros presentes en el proyecto que aprobó en el primer trámite. Acordada la insistencia, el proyecto pasará por segunda vez a la Cámara que lo desechó, y sólo se entenderá que ésta lo reprueba si concurren para ello las dos terceras partes de sus miembros presentes.

Artículo 71.- El proyecto que fuere adicionado o enmendado por la Cámara revisora volverá a la de su origen, y en ésta se entenderán aprobadas las adiciones y enmiendas con el voto de la mayoría de los miembros presentes.

Si las adiciones o enmiendas fueren reprobadas, se formará una comisión mixta y se procederá en la misma forma indicada en el artículo anterior. En caso de que en la comisión mixta no se produzca acuerdo para resolver las divergencias entre ambas Cámaras, o si alguna de las Cámaras rechazare la proposición de la comisión mixta, el Presidente de la República podrá solicitar a la Cámara de origen que considere nuevamente el proyecto aprobado en segundo trámite por la revisora. Si la Cámara de origen rechazare las adiciones o modificaciones por los dos tercios de sus miembros presentes, no habrá ley en esa parte o en su totalidad; pero, si hubiere mayoría para el rechazo, menor a los dos tercios, el proyecto pasará a la Cámara revisora, y se entenderá aprobado con el voto conforme de las dos terceras partes de los miembros presentes de esta última.

Artículo 72.- Aprobado un proyecto por ambas Cámaras será remitido al Presidente de la República, quien, si también lo aprueba, dispondrá su promulgación como ley.

Artículo 73.- Si el Presidente de la República desaprueba el proyecto, lo devolverá a la Cámara de su origen con las observaciones convenientes, dentro del término de treinta días.

En ningún caso se admitirán las observaciones que no tengan relación directa con las ideas matrices o fundamentales del proyecto, a menos que hubieran sido consideradas en el mensaje respectivo.

Si las dos Cámaras aprobaren las observaciones, el proyecto tendrá fuerza de ley y se devolverá al Presidente para su promulgación.

Si las dos Cámaras desecharen todas o algunas de las observaciones e insistieren por los dos tercios de sus miembros presentes en la totalidad o parte del proyecto aprobado por ellas, se devolverá al Presidente para su promulgación.

Artículo 74.- El Presidente de la República podrá hacer presente la urgencia en el despacho de un proyecto, en uno o en todos sus trámites, y en tal caso, la Cámara respectiva deberá pronunciarse dentro del plazo máximo de treinta días.

La calificación de la urgencia corresponderá hacerla al Presidente de la República de acuerdo a la ley orgánica constitucional relativa al Congreso, la que establecerá también todo lo relacionado con la tramitación interna de la ley.

Artículo 75.- Si el Presidente de la República no devolviere el proyecto dentro de treinta días, contados desde la fecha de su remisión, se entenderá que lo aprueba y se promulgará como ley.

La promulgación deberá hacerse siempre dentro del plazo de diez días, contados desde que ella sea procedente.

La publicación se hará dentro de los cinco días hábiles siguientes a la fecha en que quede totalmente tramitado el decreto promulgatorio.

Capítulo VI
PODER JUDICIAL

Artículo 76.- La facultad de conocer de las causas civiles y criminales, de resolverlas y de hacer ejecutar lo juzgado, pertenece exclusivamente a los tribunales establecidos por la ley. Ni el Presidente de la República ni el Congreso pueden, en caso alguno, ejercer funciones judiciales, avocarse causas pendientes, revisar los fundamentos o contenido de sus resoluciones o hacer revivir procesos fenecidos.

Reclamada su intervención en forma legal y en negocios de su competencia, no podrán excusarse de ejercer su autoridad, ni aun por falta de ley que resuelva la contienda o asunto sometidos a su decisión.

Para hacer ejecutar sus resoluciones, y practicar o hacer practicar los actos de instrucción que determine la ley, los tribunales ordinarios de justicia y los especiales que integran el Poder Judicial, podrán impartir órdenes directas a la fuerza pública o ejercer los medios de acción conducentes de que dispusieren. Los demás tribunales lo harán en la forma que la ley determine.

La autoridad requerida deberá cumplir sin más trámite el mandato judicial y no podrá calificar su fundamento u oportunidad, ni la justicia o legalidad de la resolución que se trata de ejecutar.

Artículo 77.- Una ley orgánica constitucional determinará la organización y atribuciones de los tribunales que fueren necesarios para la pronta y cumplida administración de justicia en todo el territorio de la República. La misma ley señalará las calidades que respectivamente deban tener los jueces y el número de años que deban haber ejercido la profesión de abogado las personas que fueren nombradas ministros de Corte o jueces letrados.

La ley orgánica constitucional relativa a la organización y atribuciones de los tribunales, sólo podrá ser modificada oyendo previamente a la Corte Suprema de conformidad a lo establecido en la ley orgánica constitucional respectiva.

La Corte Suprema deberá pronunciarse dentro del plazo de treinta días contados desde la recepción del oficio en que se solicita la opinión pertinente.

Sin embargo, si el Presidente de la República hubiere hecho presente una urgencia al proyecto consultado, se comunicará esta circunstancia a la Corte.

En dicho caso, la Corte deberá evacuar la consulta dentro del plazo que implique la urgencia respectiva.

Si la Corte Suprema no emitiere opinión dentro de los plazos aludidos, se tendrá por evacuado el trámite.

La ley orgánica constitucional relativa a la organización y atribuciones de los tribunales, así como las leyes procesales que regulen un sistema de enjuiciamiento, podrán fijar fechas diferentes para su entrada en vigencia en las diversas regiones del territorio nacional. Sin perjuicio de lo anterior, el plazo para la entrada en vigor de dichas leyes en todo el país no podrá ser superior a cuatros años.

Artículo 78.- En cuanto al nombramiento de los jueces, la ley se ajustará a los siguientes preceptos generales.

La Corte Suprema se compondrá de veintiún ministros.

Los ministros y los fiscales judiciales de la Corte Suprema serán nombrados por el Presidente de la República, eligiéndolos de una nómina de cinco personas que, en cada caso, propondrá la misma Corte, y con acuerdo del Senado. Este adoptará los respectivos acuerdos por los dos tercios de sus miembros en ejercicio, en sesión especialmente convocada al efecto. Si el Senado no aprobare la proposición del Presidente de la República, la Corte Suprema deberá completar la quina proponiendo un nuevo nombre en sustitución del rechazado, repitiéndose el procedimiento hasta que se apruebe un nombramiento.

Cinco de los miembros de la Corte Suprema deberán ser abogados extraños a la administración de justicia, tener a lo menos quince años de título, haberse destacado en la actividad profesional o universitaria y cumplir los demás requisitos que señale la ley orgánica constitucional respectiva.

La Corte Suprema, cuando se trate de proveer un cargo que corresponda a un miembro proveniente del Poder Judicial, formará la nómina exclusivamente con integrantes de éste y deberá ocupar un lugar en ella el ministro más antiguo de Corte de Apelaciones que figure en lista de méritos. Los otros cuatro lugares se llenarán en atención a los merecimientos de los candidatos. Tratándose de proveer una vacante correspondiente a abogados extraños a la administración de justicia, la nómina se formará exclusivamente, previo concurso público de antecedentes, con abogados que cumplan los requisitos señalados en el inciso cuarto.

Los ministros y fiscales judiciales de las Cortes de Apelaciones serán designados por el Presidente de la República, a propuesta en terna de la Corte Suprema.

Los jueces letrados serán designados por el Presidente de la República, a propuesta en terna de la Corte de Apelaciones de la jurisdicción respectiva.

El juez letrado en lo civil o criminal más antiguo de asiento de Corte o el juez letrado civil o criminal más antiguo del cargo inmediatamente inferior al que se trata de proveer y que figure en lista de méritos y exprese su interés en el cargo, ocupará un lugar en la terna correspondiente. Los otros dos lugares se llenarán en atención al mérito de los candidatos.

La Corte Suprema y las Cortes de Apelaciones, en su caso, formarán las quinas o las ternas en pleno especialmente convocado al efecto, en una misma y única votación, donde cada uno de sus integrantes tendrá derecho a votar por tres o dos personas, respectivamente. Resultarán elegidos quienes obtengan las cinco o las tres primeras mayorías, según corresponda. El empate se resolverá mediante sorteo.

Sin embargo, cuando se trate del nombramiento de ministros de Corte suplentes, la designación podrá hacerse por la Corte Suprema y, en el caso de los jueces, por la Corte de Apelaciones respectiva. Estas designaciones no podrán durar más de sesenta días y no serán prorrogables. En caso de que los tribunales superiores mencionados no hagan uso de esta facultad o de que haya vencido el plazo de la suplencia, se procederá a proveer las vacantes en la forma ordinaria señalada precedentemente.

Artículo 79.- Los jueces son personalmente responsables por los delitos de cohecho, falta de observancia en materia sustancial de las leyes que reglan el procedimiento, denegación y torcida administración de justicia y, en general, de toda prevaricación en que incurran en el desempeño de sus funciones.

Tratándose de los miembros de la Corte Suprema, la ley determinará los casos y el modo de hacer efectiva esta responsabilidad.

Artículo 80.- Los jueces permanecerán en sus cargos durante su buen comportamiento; pero los inferiores desempeñarán su respectiva judicatura por el tiempo que determinen las leyes.

No obstante lo anterior, los jueces cesarán en sus funciones al cumplir 75 años de edad; o por renuncia o incapacidad legal sobreviniente o en caso de ser depuestos de sus destinos, por causa legalmente sentenciada. La norma relativa a la edad no regirá respecto al Presidente de la Corte Suprema, quien continuará en su cargo hasta el término de su período.

En todo caso, la Corte Suprema por requerimiento del Presidente de la República, a solicitud de parte interesada, o de oficio, podrá declarar que los jueces no han tenido buen comportamiento y, previo informe del inculpado y de la Corte de Apelaciones respectiva, en su caso, acordar su remoción por la mayoría del total de sus componentes. Estos acuerdos se comunicarán al Presidente de la República para su cumplimiento.

La Corte Suprema, en pleno especialmente convocado al efecto y por la mayoría absoluta de sus miembros en ejercicio, podrá autorizar u ordenar, fundadamente, el traslado de los jueces y demás funcionarios y empleados del Poder Judicial a otro cargo de igual categoría.

Artículo 81.- Los magistrados de los tribunales superiores de justicia, los fiscales judiciales y los jueces letrados que integran el Poder Judicial, no podrán ser aprehendidos sin orden del tribunal competente, salvo el caso de crimen o simple delito flagrante y sólo para ponerlos inmediatamente a disposición del tribunal que debe conocer del asunto en conformidad a la ley.

Artículo 82.- La Corte Suprema tiene la superintendencia directiva, correccional y económica de todos los tribunales de la Nación. Se exceptúan de esta norma el Tribunal Constitucional, el Tribunal Calificador de Elecciones y los tribunales electorales regionales.

Los tribunales superiores de justicia, en uso de sus facultades disciplinarias, sólo podrán invalidar resoluciones jurisdiccionales en los casos y forma que establezca la ley orgánica constitucional respectiva.

Capítulo VII
MINISTERIO PÚBLICO

Artículo 83.- Un organismo autónomo, jerarquizado, con el nombre de Ministerio Público, dirigirá en forma exclusiva la investigación de los hechos constitutivos de delito, los que determinen la participación punible y los que acrediten la inocencia del imputado y, en su caso, ejercerá la acción penal pública en la forma prevista por la ley. De igual manera, le corresponderá la adopción de medidas para proteger a las víctimas y a los testigos. En caso alguno podrá ejercer funciones jurisdiccionales.

El ofendido por el delito y las demás personas que determine la ley podrán ejercer igualmente la acción penal.

El Ministerio Público podrá impartir órdenes directas a las Fuerzas de Orden y Seguridad durante la investigación. Sin embargo, las actuaciones que priven al imputado o a terceros del ejercicio de los derechos que esta Constitución asegura, o lo restrinjan o perturben, requerirán de aprobación judicial previa. La autoridad requerida deberá cumplir sin más trámite dichas órdenes y no podrá calificar su fundamento, oportunidad, justicia o legalidad, salvo requerir la exhibición de la autorización judicial previa, en su caso.

El ejercicio de la acción penal pública, y la dirección de las investigaciones de los hechos que configuren el delito, de los que determinen la participación punible y de los que acrediten la inocencia del imputado en las causas que sean de conocimiento de los tribunales militares, como asimismo la adopción de medidas para proteger a las víctimas y a los testigos de tales hechos corresponderán, en conformidad con las normas del Código de Justicia Militar y a las leyes respectivas, a los órganos y a las personas que ese Código y esas leyes determinen.

Artículo 84.- Una ley orgánica constitucional determinará la organización y atribuciones del Ministerio Público, señalará las calidades y requisitos que deberán tener y cumplir los fiscales para su nombramiento y las causales de remoción de los fiscales adjuntos, en lo no contemplado en la Constitución. Las personas que sean designadas fiscales no podrán tener impedimento alguno que las inhabilite para desempeñar el cargo de juez. Los fiscales regionales y adjuntos cesarán en su cargo al cumplir 75 años de edad.

La ley orgánica constitucional establecerá el grado de independencia y autonomía y la responsabilidad que tendrán los fiscales en la dirección de la investigación y en el ejercicio de la acción penal pública, en los casos que tengan a su cargo.

Artículo 85.- El Fiscal Nacional será designado por el Presidente de la República, a propuesta en quina de la Corte Suprema y con acuerdo del Senado adoptado por los dos tercios de sus miembros en ejercicio, en sesión especialmente convocada al efecto. Si el Senado no aprobare la proposición del Presidente de la República, la Corte Suprema deberá completar la quina proponiendo un nuevo nombre en sustitución del rechazado, repitiéndose el procedimiento hasta que se apruebe un nombramiento.

El Fiscal Nacional deberá tener a lo menos diez años de título de abogado, haber cumplido cuarenta años de edad y poseer las demás calidades necesarias para ser ciudadano con derecho a sufragio; durará ocho años en el ejercicio de sus funciones y no podrá ser designado para el período siguiente.

Será aplicable al Fiscal Nacional lo dispuesto en el inciso segundo del artículo 80 en lo relativo al tope de edad.

Artículo 86.- Existirá un Fiscal Regional en cada una de las regiones en que se divida administrativamente el país, a menos que la población o la extensión geográfica de la región hagan necesario nombrar más de uno.

Los fiscales regionales serán nombrados por el Fiscal Nacional, a propuesta en terna de la Corte de Apelaciones de la respectiva región. En caso que en la región exista más de una Corte de Apelaciones, la terna será formada por un pleno conjunto de todas ellas, especialmente convocado al efecto por el Presidente de la Corte de más antigua creación.

Los fiscales regionales deberán tener a lo menos cinco años de título de abogado, haber cumplido 30 años de edad y poseer las demás calidades necesarias para ser ciudadano con derecho a sufragio; durarán ocho años en el ejercicio de sus funciones y no podrán ser designados como fiscales regionales por el período siguiente, lo que no obsta a que puedan ser nombrados en otro cargo del Ministerio Público.

Artículo 87.- La Corte Suprema y las Cortes de Apelaciones, en su caso, llamarán a concurso público de antecedentes para la integración de las quinas y ternas, las que serán acordadas por la mayoría absoluta de sus miembros en ejercicio, en pleno especialmente convocado al efecto. No podrán integrar las quinas y ternas los miembros activos o pensionados del Poder Judicial.

Las quinas y ternas se formarán en una misma y única votación en la cual cada integrante del pleno tendrá derecho a votar por tres o dos personas, respectivamente. Resultarán elegidos quienes obtengan las cinco o las tres primeras mayorías, según corresponda. De producirse un empate, éste se resolverá mediante sorteo.

Artículo 88.- Existirán fiscales adjuntos que serán designados por el Fiscal Nacional, a propuesta en terna del fiscal regional respectivo, la que deberá formarse previo concurso público, en conformidad a la ley orgánica constitucional. Deberán tener el título de abogado y poseer las demás calidades necesarias para ser ciudadano con derecho a sufragio.

Artículo 89.- El Fiscal Nacional y los fiscales regionales sólo podrán ser removidos por la Corte Suprema, a requerimiento del Presidente de la República, de la Cámara de Diputados, o de diez de sus miembros, por incapacidad, mal comportamiento o negligencia manifiesta en el ejercicio de sus funciones. La Corte conocerá del asunto en pleno especialmente convocado al efecto y para acordar la remoción deberá reunir el voto conforme de la mayoría de sus miembros en ejercicio.

La remoción de los fiscales regionales también podrá ser solicitada por el Fiscal Nacional.

Artículo 90.- Se aplicará al Fiscal Nacional, a los fiscales regionales y a los fiscales adjuntos lo establecido en el artículo 81.

Artículo 91.- El Fiscal Nacional tendrá la superintendencia directiva, correccional y económica del Ministerio Público, en conformidad a la ley orgánica constitucional respectiva.

Capítulo VIII
TRIBUNAL CONSTITUCIONAL

Artículo 92.- Habrá un Tribunal Constitucional integrado por diez miembros, designados de la siguiente forma:

a) Tres designados por el Presidente de la República.

b) Cuatro elegidos por el Congreso Nacional. Dos serán nombrados directamente por el Senado y dos serán previamente propuestos por la Cámara de Diputados para su aprobación o rechazo por el Senado. Los nombramientos, o la propuesta en su caso, se efectuarán en votaciones únicas y requerirán para su aprobación del voto favorable de los dos tercios de los senadores o diputados en ejercicio, según corresponda.

c) Tres elegidos por la Corte Suprema en una votación secreta que se celebrará en sesión especialmente convocada para tal efecto.

Los miembros del Tribunal durarán nueve años en sus cargos y se renovarán por parcialidades cada tres. Deberán tener a lo menos quince años de título de abogado, haberse destacado en la actividad profesional, universitaria o pública, no podrán tener impedimento alguno que los inhabilite para desempeñar el cargo de juez, estarán sometidos a las normas de los artículos 58, 59 y 81, y no podrán ejercer la profesión de abogado, incluyendo la judicatura, ni cualquier acto de los establecidos en los incisos segundo y tercero del artículo 60.

Los miembros del Tribunal Constitucional serán inamovibles y no podrán ser reelegidos, salvo aquel que lo haya sido como reemplazante y haya ejercido el cargo por un período menor a cinco años. Cesarán en sus funciones al cumplir 75 años de edad.

En caso que un miembro del Tribunal Constitucional cese en su cargo, se procederá a su reemplazo por quien corresponda, de acuerdo con el inciso primero de este artículo y por el tiempo que falte para completar el período del reemplazado.

El Tribunal funcionará en pleno o dividido en dos salas. En el primer caso, el quórum para sesionar será de, a lo menos, ocho miembros y en el segundo de, a lo menos, cuatro. El Tribunal adoptará sus acuerdos por simple mayoría, salvo los casos en que se exija un quórum diferente y fallará de acuerdo a derecho. El Tribunal en pleno resolverá en definitiva las atribuciones indicadas en los números 1°, 3°, 4°, 5°, 6°, 7°, 8°, 9° y 11° del artículo siguiente. Para el ejercicio de sus restantes atribuciones, podrá funcionar en pleno o en sala de acuerdo a lo que disponga la ley orgánica constitucional respectiva.

Una ley orgánica constitucional determinará su organización, funcionamiento, procedimientos y fijará la planta, régimen de remuneraciones y estatuto de su personal.

Artículo 93.- Son atribuciones del Tribunal Constitucional:

1°.- Ejercer el control de constitucionalidad de las leyes que interpreten algún precepto de la Constitución, de las leyes orgánicas constitucionales y de las normas de un tratado que versen sobre materias propias de estas últimas, antes de su promulgación;

2°.- Resolver sobre las cuestiones de constitucionalidad de los autos acordados dictados por la Corte Suprema, las Cortes de Apelaciones y el Tribunal Calificador de Elecciones;

3°.- Resolver las cuestiones sobre constitucionalidad que se susciten durante la tramitación de los proyectos de ley o de reforma constitucional y de los tratados sometidos a la aprobación del Congreso;

4°.- Resolver las cuestiones que se susciten sobre la constitucionalidad de un decreto con fuerza de ley;

5°.- Resolver las cuestiones que se susciten sobre constitucionalidad con relación a la convocatoria a un plebiscito, sin perjuicio de las atribuciones que correspondan al Tribunal Calificador de Elecciones;

6°.- Resolver, por la mayoría de sus miembros en ejercicio, la inaplicabilidad de un precepto legal cuya aplicación en cualquier gestión que se siga ante un tribunal ordinario o especial, resulte contraria a la Constitución;

7°.- Resolver por la mayoría de los cuatro quintos de sus integrantes en ejercicio, la inconstitucionalidad de un precepto legal declarado inaplicable en conformidad a lo dispuesto en el numeral anterior;

8°.- Resolver los reclamos en caso de que el Presidente de la República no promulgue una ley cuando deba hacerlo o promulgue un texto diverso del que constitucionalmente corresponda;

9°.- Resolver sobre la constitucionalidad de un decreto o resolución del Presidente de la República que la Contraloría General de la República haya representado por estimarlo inconstitucional, cuando sea requerido por el Presidente en conformidad al artículo 99;

10°.- Declarar la inconstitucionalidad de las organizaciones y de los movimientos o partidos políticos, como asimismo la responsabilidad de las personas que hubieran tenido participación en los hechos que motivaron la declaración de inconstitucionalidad, en conformidad a lo dispuesto en los párrafos sexto, séptimo y octavo del N° 15° del artículo 19 de esta Constitución. Sin embargo, si la persona afectada fuera el Presidente de la República o el Presidente electo, la referida declaración requerirá, además, el acuerdo del Senado adoptado por la mayoría de sus miembros en ejercicio;

11°.- Informar al Senado en los casos a que se refiere el artículo 53 número 7) de esta Constitución;

12°.- Resolver las contiendas de competencia que se susciten entre las autoridades políticas o administrativas y los tribunales de justicia, que no correspondan al Senado;

13°.- Resolver sobre las inhabilidades constitucionales o legales que afecten a una persona para ser designada Ministro de Estado, permanecer en dicho cargo o desempeñar simultáneamente otras funciones;

14°.- Pronunciarse sobre las inhabilidades, incompatibilidades y causales de cesación en el cargo de los parlamentarios;

15°.- Calificar la inhabilidad invocada por un parlamentario en los términos del inciso final del artículo 60 y pronunciarse sobre su renuncia al cargo, y

16°.- Resolver sobre la constitucionalidad de los decretos supremos, cualquiera sea el vicio invocado, incluyendo aquellos que fueren dictados en el ejercicio de la potestad reglamentaria autónoma del Presidente de la República cuando se refieran a materias que pudieran estar reservadas a la ley por mandato del artículo 63.

En el caso del número 1°, la Cámara de origen enviará al Tribunal Constitucional el proyecto respectivo dentro de los cinco días siguientes a aquél en que quede totalmente tramitado por el Congreso.

En el caso del número 2°, el Tribunal podrá conocer de la materia a requerimiento del Presidente de la República, de cualquiera de las Cámaras o de diez de sus miembros. Asimismo, podrá requerir al Tribunal toda persona que sea parte en juicio o gestión pendiente ante un tribunal ordinario o especial, o desde la primera actuación del procedimiento penal, cuando sea afectada en el ejercicio de sus derechos fundamentales por lo dispuesto en el respectivo auto acordado.

En el caso del número 3°, el Tribunal sólo podrá conocer de la materia a requerimiento del Presidente de la República, de cualquiera de las Cámaras o de una cuarta parte de sus miembros en ejercicio, siempre que sea formulado antes de la promulgación de la ley o de la remisión de la comunicación que informa la aprobación del tratado por el Congreso Nacional y, en caso alguno, después de quinto día del despacho del proyecto o de la señalada comunicación.

El Tribunal deberá resolver dentro del plazo de diez días contado desde que reciba el requerimiento, a menos que decida prorrogarlo hasta por otros diez días por motivos graves y calificados.

El requerimiento no suspenderá la tramitación del proyecto; pero la parte impugnada de éste no podrá ser promulgada hasta la expiración del plazo referido, salvo que se trate del proyecto de Ley de Presupuestos o del proyecto relativo a la declaración de guerra propuesta por el Presidente de la República.

En el caso del número 4°, la cuestión podrá ser planteada por el Presidente de la República dentro del plazo de diez días cuando la Contraloría rechace por inconstitucional un decreto con fuerza de ley. También podrá ser promovida por cualquiera de las Cámaras o por una cuarta parte de sus miembros en ejercicio en caso de que la Contraloría hubiere tomado razón de un decreto con fuerza de ley que se impugne de inconstitucional. Este requerimiento deberá efectuarse dentro del plazo de treinta días, contado desde la publicación del respectivo decreto con fuerza de ley.

En el caso del número 5°, la cuestión podrá promoverse a requerimiento del Senado o de la Cámara de Diputados, dentro de diez días contados desde la fecha de publicación del decreto que fije el día de la consulta plebiscitaria.

El Tribunal establecerá en su resolución el texto definitivo de la consulta plebiscitaria, cuando ésta fuera procedente.

Si al tiempo de dictarse la sentencia faltaran menos de treinta días para la realización del plebiscito, el Tribunal fijará en ella una nueva fecha comprendida entre los treinta y los sesenta días siguientes al fallo.

En el caso del número 6°, la cuestión podrá ser planteada por cualquiera de las partes o por el juez que conoce del asunto. Corresponderá a cualquiera de las salas del Tribunal declarar, sin ulterior recurso, la admisibilidad de la cuestión siempre que verifique la existencia de una gestión pendiente ante el tribunal ordinario o especial, que la aplicación del precepto legal impugnado pueda resultar decisivo en la resolución de un asunto, que la impugnación esté fundada razonablemente y se cumplan los demás requisitos que establezca la ley. A esta misma sala le corresponderá resolver la suspensión del procedimiento en que se ha originado la acción de inaplicabilidad por inconstitucionalidad.

En el caso del número 7°, una vez resuelta en sentencia previa la declaración de inaplicabilidad de un precepto legal, conforme al número 6° de este artículo, habrá acción pública para requerir al Tribunal la declaración de inconstitucionalidad, sin perjuicio de la facultad de éste para declararla de oficio. Corresponderá a la ley orgánica constitucional respectiva establecer los requisitos de admisibilidad, en el caso de que se ejerza la acción pública, como asimismo regular el procedimiento que deberá seguirse para actuar de oficio.

En los casos del número 8°, la cuestión podrá promoverse por cualquiera de las Cámaras o por una cuarta parte de sus miembros en ejercicio, dentro de los treinta días siguientes a la publicación del texto impugnado o dentro de los sesenta días siguientes a la fecha en que el Presidente de la República debió efectuar la promulgación de la ley. Si el Tribunal acogiera el reclamo, promulgará en su fallo la ley que no lo haya sido o rectificará la promulgación incorrecta.

En el caso del número 11°, el Tribunal sólo podrá conocer de la materia a requerimiento del Senado.

Habrá acción pública para requerir al Tribunal respecto de las atribuciones que se le confieren por los números 10° y 13° de este artículo.

Sin embargo, si en el caso del número 10° la persona afectada fuera el Presidente de la República o el Presidente electo, el requerimiento deberá formularse por la Cámara de Diputados o por la cuarta parte de sus miembros en ejercicio.

En el caso del número 12°, el requerimiento deberá ser deducido por cualquiera de las autoridades o tribunales en conflicto.

En el caso del número 14°, el Tribunal sólo podrá conocer de la materia a requerimiento del Presidente de la República o de no menos de diez parlamentarios en ejercicio.

En el caso del número 16°, el Tribunal sólo podrá conocer de la materia a requerimiento de cualquiera de las Cámaras efectuado dentro de los treinta días siguientes a la publicación o notificación del texto impugnado. En el caso de vicios que no se refieran a decretos que excedan la potestad reglamentaria autónoma del Presidente de la República también podrá una cuarta parte de los miembros en ejercicio deducir dicho requerimiento.

El Tribunal Constitucional podrá apreciar en conciencia los hechos cuando conozca de las atribuciones indicadas en los números 10°, 11° y 13°, como, asimismo, cuando conozca de las causales de cesación en el cargo de parlamentario.

En los casos de los numerales 10°, 13° y en el caso del numeral 2° cuando sea requerido por una parte, corresponderá a una sala del Tribunal pronunciarse sin ulterior recurso, de su admisibilidad.

Artículo 94.- Contra las resoluciones del Tribunal Constitucional no procederá recurso alguno, sin perjuicio de que puede, el mismo Tribunal, conforme a la ley, rectificar los errores de hecho en que hubiere incurrido.

Las disposiciones que el Tribunal declare inconstitucionales no podrán convertirse en ley en el proyecto o decreto con fuerza de ley de que se trate.

En el caso del N° 16° del artículo 93, el decreto supremo impugnado quedará sin efecto de pleno derecho, con el solo mérito de la sentencia del Tribunal que acoja el reclamo. No obstante, el precepto declarado inconstitucional en conformidad a lo dispuesto en los numerales 2, 4 ó 7 del artículo 93, se entenderá derogado desde la publicación en el Diario Oficial de la sentencia que acoja el reclamo, la que no producirá efecto retroactivo.

Las sentencias que declaren la inconstitucionalidad de todo o parte de una ley, de un decreto con fuerza de ley, de un decreto supremo o auto acordado, en su caso, se publicarán en el Diario Oficial dentro de los tres días siguientes a su dictación.

Capítulo IX
SERVICIO ELECTORAL Y JUSTICIA ELECTORAL

Artículo 94 bis.- Un organismo autónomo, con personalidad jurídica y patrimonio propios, denominado Servicio Electoral, ejercerá la administración, supervigilancia y fiscalización de los procesos electorales y plebiscitarios; del cumplimiento de las normas sobre transparencia, límite y control del gasto electoral; de las normas sobre los partidos políticos, y las demás funciones que señale una ley orgánica constitucional.

La dirección superior del Servicio Electoral corresponderá a un Consejo Directivo, el que ejercerá de forma exclusiva las atribuciones que le encomienden la Constitución y las leyes. Dicho Consejo estará integrado por cinco consejeros designados por el Presidente de la República, previo acuerdo del Senado, adoptado por los dos tercios de sus miembros en ejercicio. Los Consejeros durarán diez años en sus cargos, no podrán ser designados para un nuevo período y se renovarán por parcialidades cada dos años.

Los Consejeros solo podrán ser removidos por la Corte Suprema, a requerimiento del Presidente de la República o de un tercio de los miembros en ejercicio de la Cámara de Diputados, por infracción grave a la Constitución o a las leyes, incapacidad, mal comportamiento o negligencia manifiesta en el ejercicio de sus funciones. La Corte conocerá del asunto en Pleno, especialmente convocado al efecto, y para acordar la remoción deberá reunir el voto conforme de la mayoría de sus miembros en ejercicio.

La organización y atribuciones del Servicio Electoral serán establecidas por una ley orgánica constitucional. Su forma de desconcentración, las plantas, remuneraciones y estatuto del personal serán establecidos por una ley.

Artículo 95.- Un tribunal especial, que se denominará Tribunal Calificador de Elecciones, conocerá del escrutinio general y de la calificación de las elecciones de Presidente de la República, de diputados y senadores; resolverá las reclamaciones a que dieren lugar y proclamará a los que resulten elegidos. Dicho Tribunal conocerá, asimismo, de los plebiscitos, y tendrá las demás atribuciones que determine la ley.

Estará constituido por cinco miembros designados en la siguiente forma:

a) Cuatro ministros de la Corte Suprema, designados por ésta, mediante sorteo, en la forma y oportunidad que determine la ley orgánica constitucional respectiva, y

b) Un ciudadano que hubiere ejercido el cargo de Presidente o Vicepresidente de la Cámara de Diputados o del Senado por un período no inferior a los 365 días, designado por la Corte Suprema en la forma señalada en la letra a) precedente, de entre todos aquéllos que reúnan las calidades indicadas.

Las designaciones a que se refiere la letra b) no podrán recaer en personas que sean parlamentario, candidato a cargos de elección popular, Ministro de Estado, ni dirigente de partido político.

Los miembros de este tribunal durarán cuatro años en sus funciones y les serán aplicables las disposiciones de los artículos 58 y 59 de esta Constitución.

El Tribunal Calificador procederá como jurado en la apreciación de los hechos y sentenciará con arreglo a derecho.

Una ley orgánica constitucional regulará la organización y funcionamiento del Tribunal Calificador.

Artículo 96.- Habrá tribunales electorales regionales encargados de conocer el escrutinio general y la calificación de las elecciones que la ley les encomiende, así como de resolver las reclamaciones a que dieren lugar y de proclamar a los candidatos electos. Sus resoluciones serán apelables para ante el Tribunal Calificador de Elecciones en la forma que determine la ley. Asimismo, les corresponderá conocer de la calificación de las elecciones de carácter gremial y de las que tengan lugar en aquellos grupos intermedios que la ley señale.

Estos tribunales estarán constituidos por un ministro de la Corte de Apelaciones respectiva, elegido por ésta, y por dos miembros designados por el Tribunal Calificador de Elecciones de entre personas que hayan ejercido la profesión de abogado o desempeñado la función de ministro o abogado integrante de Corte de Apelaciones por un plazo no inferior a tres años.

Los miembros de estos tribunales durarán cuatro años en sus funciones y tendrán las inhabilidades e incompatibilidades que determine la ley.

Estos tribunales procederán como jurado en la apreciación de los hechos y sentenciarán con arreglo a derecho.

La ley determinará las demás atribuciones de estos tribunales y regulará su organización y funcionamiento.

Artículo 97.- Anualmente, se destinarán en la Ley de Presupuestos de la Nación los fondos necesarios para la organización y funcionamiento de estos tribunales, cuyas plantas, remuneraciones y estatuto del personal serán establecidos por ley.

Capítulo X
CONTRALORÍA GENERAL DE LA REPÚBLICA

Artículo 98.- Un organismo autónomo con el nombre de Contraloría General de la República ejercerá el control de la legalidad de los actos de la Administración, fiscalizará el ingreso y la inversión de los fondos del Fisco, de las municipalidades y de los demás organismos y servicios que determinen las leyes; examinará y juzgará las cuentas de las personas que tengan a su cargo bienes de esas entidades; llevará la contabilidad general de la Nación, y desempeñará las demás funciones que le encomiende la ley orgánica constitucional respectiva.

El Contralor General de la República deberá tener a lo menos diez años de título de abogado, haber cumplido cuarenta años de edad y poseer las demás calidades necesarias para ser ciudadano con derecho a sufragio. Será designado por el Presidente de la República con acuerdo del Senado adoptado por los tres quintos de sus miembros en ejercicio, por un período de ocho años y no podrá ser designado para el período siguiente. Con todo, al cumplir 75 años de edad cesará en el cargo.

Artículo 99.- En el ejercicio de la función de control de legalidad, el Contralor General tomará razón de los decretos y resoluciones que, en conformidad a la ley, deben tramitarse por la Contraloría o representará la ilegalidad de que puedan adolecer; pero deberá darles curso cuando, a pesar de su representación, el Presidente de la República insista con la firma de todos sus Ministros, caso en el cual deberá enviar copia de los respectivos decretos a la Cámara de Diputados. En ningún caso dará curso a los decretos de gastos que excedan el límite señalado en la Constitución y remitirá copia íntegra de los antecedentes a la misma Cámara.

Corresponderá, asimismo, al Contralor General de la República tomar razón de los decretos con fuerza de ley, debiendo representarlos cuando ellos excedan o contravengan la ley delegatoria o sean contrarios a la Constitución.

Si la representación tuviere lugar con respecto a un decreto con fuerza de ley, a un decreto promulgatorio de una ley o de una reforma constitucional por apartarse del texto aprobado, o a un decreto o resolución por ser contrario a la Constitución, el Presidente de la República no tendrá la facultad de insistir, y en caso de no conformarse con la representación de la Contraloría deberá remitir los antecedentes al Tribunal

Constitucional dentro del plazo de diez días, a fin de que éste resuelva la controversia.

En lo demás, la organización, el funcionamiento y las atribuciones de la Contraloría General de la República serán materia de una ley orgánica constitucional.

Artículo 100.- Las Tesorerías del Estado no podrán efectuar ningún pago sino en virtud de un decreto o resolución expedido por autoridad competente, en que se exprese la ley o la parte del presupuesto que autorice aquel gasto. Los pagos se efectuarán considerando, además, el orden cronológico establecido en ella y previa refrendación presupuestaria del documento que ordene el pago.

Capítulo XI
FUERZAS ARMADAS, DE ORDEN Y SEGURIDAD PÚBLICA

Artículo 101.- Las Fuerzas Armadas dependientes del Ministerio encargado de la Defensa Nacional están constituidas única y exclusivamente por el Ejército, la Armada y la Fuerza Aérea. Existen para la defensa de la patria y son esenciales para la seguridad nacional.

Las Fuerzas de Orden y Seguridad Pública están integradas sólo por Carabineros e Investigaciones. Constituyen la fuerza pública y existen para dar eficacia al derecho, garantizar el orden público y la seguridad pública interior, en la forma que lo determinen sus respectivas leyes orgánicas. Dependen del Ministerio encargado de la Seguridad Pública.

Las Fuerzas Armadas y Carabineros, como cuerpos armados, son esencialmente obedientes y no deliberantes. Las fuerzas dependientes de los Ministerios encargados de la Defensa Nacional y de la Seguridad Pública son, además, profesionales, jerarquizadas y disciplinadas.

Artículo 102.- La incorporación a las plantas y dotaciones de las Fuerzas Armadas y de Carabineros sólo podrá hacerse a través de sus propias Escuelas, con excepción de los escalafones profesionales y de empleados civiles que determine la ley.

Artículo 103.- Ninguna persona, grupo u organización podrá poseer o tener armas u otros elementos similares que señale una ley aprobada con quórum calificado, sin autorización otorgada en conformidad a ésta.

Una ley determinará el Ministerio o los órganos de su dependencia que ejercerán la supervigilancia y el control de las armas. Asimismo, establecerá los órganos públicos encargados de fiscalizar el cumplimiento de las normas relativas a dicho control.

Artículo 104.- Los Comandantes en Jefe del Ejército, de la Armada y de la Fuerza Aérea, y el General Director de Carabineros serán designados por el Presidente de la República de entre los cinco oficiales generales de mayor antigüedad, que reúnan las calidades que los respectivos estatutos institucionales exijan para tales cargos; durarán cuatro años en sus funciones, no podrán ser nombrados para un nuevo período y gozarán de inamovilidad en su cargo.

El Presidente de la República, mediante decreto fundado e informando previamente a la Cámara de Diputados y al Senado, podrá llamar a retiro a los Comandantes en Jefe del Ejército, de la Armada y de la Fuerza Aérea y al General Director de Carabineros, en su caso, antes de completar su respectivo período.

Artículo 105.- Los nombramientos, ascensos y retiros de los oficiales de las Fuerzas Armadas y Carabineros, se efectuarán por decreto supremo, en conformidad a la ley orgánica constitucional correspondiente, la que determinará las normas básicas respectivas, así como las normas básicas referidas a la carrera profesional, incorporación a sus plantas, previsión, antigüedad, mando, sucesión de mando y presupuesto de las Fuerzas Armadas y Carabineros.

El ingreso, los nombramientos, ascensos y retiros en Investigaciones se efectuarán en conformidad a su ley orgánica.

Capítulo XII
CONSEJO DE SEGURIDAD NACIONAL

Artículo 106.- Habrá un Consejo de Seguridad Nacional encargado de asesorar al Presidente de la República en las materias vinculadas a la seguridad nacional y de ejercer las demás funciones que esta Constitución le encomienda. Será presidido por el Jefe del Estado y estará integrado por los Presidentes del Senado, de la Cámara de Diputados y de la Corte Suprema, por los Comandantes en Jefe de las Fuerzas Armadas, por el General Director de Carabineros y por el Contralor General de la República.

En los casos que el Presidente de la República lo determine, podrán estar presentes en sus sesiones los ministros encargados del gobierno interior, de la defensa nacional, de la seguridad pública, de las relaciones exteriores y de la economía y finanzas del país.

Artículo 107.- El Consejo de Seguridad Nacional se reunirá cuando sea convocado por el Presidente de la República y requerirá como quórum para sesionar el de la mayoría absoluta de sus integrantes.

El Consejo no adoptará acuerdos sino para dictar el reglamento a que se refiere el inciso final de la presente disposición. En sus sesiones, cualquiera de sus integrantes podrá expresar su opinión frente a algún hecho, acto o materia que diga relación con las bases de la institucionalidad o la seguridad nacional.

Las actas del Consejo serán públicas, a menos que la mayoría de sus miembros determine lo contrario.

Un reglamento dictado por el propio Consejo establecerá las demás disposiciones concernientes a su organización, funcionamiento y publicidad de sus debates.

Capítulo XIII
BANCO CENTRAL

Artículo 108.- Existirá un organismo autónomo, con patrimonio propio, de carácter técnico, denominado Banco Central, cuya composición, organización, funciones y atribuciones determinará una ley orgánica constitucional.

Artículo 109.- El Banco Central sólo podrá efectuar operaciones con instituciones financieras, sean públicas o privadas. De manera alguna podrá otorgar a ellas su garantía, ni adquirir documentos emitidos por el Estado, sus organismos o empresas.

Ningún gasto público o préstamo podrá financiarse con créditos directos o indirectos del Banco Central.

Con todo, en caso de guerra exterior o de peligro de ella, que calificará el Consejo de Seguridad Nacional, el Banco Central podrá obtener, otorgar o financiar créditos al Estado y entidades públicas o privadas.

El Banco Central no podrá adoptar ningún acuerdo que signifique de una manera directa o indirecta establecer normas o requisitos diferentes o discriminatorios en relación a personas, instituciones o entidades que realicen operaciones de la misma naturaleza.

Capítulo XIV
GOBIERNO Y ADMINISTRACIÓN INTERIOR DEL ESTADO

Artículo 110.- Para el gobierno y administración interior del Estado, el territorio de la República se divide en regiones y éstas en provincias. Para los efectos de la administración local, las provincias se dividirán en comunas.

La creación, supresión y denominación de regiones, provincias y comunas; la modificación de sus límites, así como la fijación de las capitales de las regiones y provincias, serán materia de ley orgánica constitucional.

Gobierno y Administración Regional

Artículo 111.- La administración superior de cada región reside en un gobierno regional, que tendrá por objeto el desarrollo social, cultural y económico de la región.

El gobierno regional estará constituido por un gobernador regional y el consejo regional. Para el ejercicio de sus funciones, el gobierno regional gozará de personalidad jurídica de derecho público y tendrá patrimonio propio.

El gobernador regional será el órgano ejecutivo del gobierno regional, correspondiéndole presidir el consejo y ejercer las funciones y atribuciones que la ley orgánica constitucional determine, en coordinación con los demás órganos y servicios públicos creados para el cumplimiento de la función administrativa. Asimismo, le corresponderá la coordinación, supervigilancia o fiscalización de los servicios públicos que dependan o se relacionen con el gobierno regional.

El gobernador regional será elegido por sufragio universal en votación directa. Será electo el candidato a gobernador regional que obtuviere la mayoría de los sufragios válidamente emitidos y siempre que dicha mayoría sea equivalente, al menos, al cuarenta por ciento de los votos válidamente emitidos, en conformidad a lo que disponga la ley orgánica constitucional respectiva. Durará en el ejercicio de sus funciones por el término de cuatro años, pudiendo ser reelegido consecutivamente sólo para el período siguiente.

Si a la elección del gobernador regional se presentaren más de dos candidatos y ninguno de ellos obtuviere al menos cuarenta por ciento de los sufragios válidamente emitidos, se procederá a una segunda votación que se circunscribirá a los candidatos que hayan obtenido las dos más altas mayorías relativas y en ella resultará electo aquel de los candidatos que obtenga el mayor número de sufragios. Esta nueva votación se verificará en la forma que determine la ley.

Para los efectos de lo dispuesto en los dos incisos precedentes, los votos en blanco y los nulos se considerarán como no emitidos.

La ley orgánica constitucional respectiva establecerá las causales de inhabilidad, incompatibilidad, subrogación, cesación y vacancia del cargo de gobernador regional, sin perjuicio de lo dispuesto en los artículos 124 y 125.

Artículo 112.- Derogado.

Artículo 113.- El consejo regional será un órgano de carácter normativo, resolutivo y fiscalizador, dentro del ámbito propio de competencia del gobierno regional, encargado de hacer efectiva la participación de la ciudadanía regional y ejercer las atribuciones que la ley orgánica constitucional respectiva le encomiende.

El consejo regional estará integrado por consejeros elegidos por sufragio universal en votación directa, de conformidad con la ley orgánica constitucional respectiva. Durarán cuatro años en sus cargos y podrán ser reelegidos. La misma ley establecerá la organización del consejo regional, determinará el número de consejeros que lo integrarán y su forma de reemplazo, cuidando siempre que tanto la población como el territorio de la región estén equitativamente representados.

El consejo regional podrá fiscalizar los actos del gobierno regional. Para ejercer esta atribución el consejo regional, con el voto conforme de un tercio de los consejeros regionales presentes, podrá adoptar acuerdos o sugerir observaciones que se transmitirán por escrito al gobernador regional, quien deberá dar respuesta fundada dentro de treinta días.

Las demás atribuciones fiscalizadoras del consejo regional y su ejercicio serán determinadas por la ley orgánica constitucional respectiva.

Sin perjuicio de lo anterior, cualquier consejero regional podrá requerir del gobernador regional o delegado presidencial regional la información necesaria al efecto, quienes deberán contestar fundamente dentro del plazo señalado en el inciso tercero.

Cesará en su cargo el consejero regional que durante su ejercicio perdiere alguno de los requisitos de elegibilidad o incurriere en alguna de las inhabilidades, incompatibilidades, incapacidades u otras causales de cesación que la ley orgánica constitucional establezca.

Lo señalado en los incisos precedentes respecto del consejo regional y de los consejeros regionales será aplicable, en lo que corresponda, a los territorios especiales a que se refiere el artículo 126 bis.

Inciso Suprimido.

La ley orgánica constitucional determinará las funciones y atribuciones del presidente del consejo regional.

Corresponderá al consejo regional aprobar el proyecto de presupuesto de la respectiva región considerando, para tal efecto, los recursos asignados a ésta en la Ley de Presupuestos, sus recursos propios y los que provengan de los convenios de programación.

Los Senadores y Diputados que representen a las circunscripciones y distritos de la región podrán, cuando lo estimen conveniente, asistir a las sesiones del consejo regional y tomar parte en sus debates, sin derecho a voto.

Artículo 114.- La ley orgánica constitucional respectiva determinará la forma y el modo en que el Presidente de la República transferirá a uno o más gobiernos regionales, en carácter temporal o definitivo, una o más competencias de los ministerios y servicios públicos creados para el cumplimiento de la función administrativa, en materias de ordenamiento territorial, fomento de las actividades productivas y desarrollo social y cultural.

Artículo 115.- Para el gobierno y administración interior del Estado a que se refiere el presente capítulo se observará como principio básico la búsqueda de un desarrollo territorial armónico y equitativo. Las leyes que se dicten al efecto deberán velar por el cumplimiento y aplicación de dicho principio, incorporando asimismo criterios de solidaridad entre las regiones, como al interior de ellas, en lo referente a la distribución de los recursos públicos.

Sin perjuicio de los recursos que para su funcionamiento se asignen a los gobiernos regionales en la Ley de Presupuestos de la Nación y de aquellos que provengan de lo dispuesto en el N° 20° del artículo 19, dicha ley contemplará una proporción del total de los gastos de inversión pública que determine, con la denominación de fondo nacional de desarrollo regional.

La Ley de Presupuestos de la Nación contemplará, asimismo, gastos correspondientes a inversiones sectoriales de asignación regional cuya distribución entre regiones responderá a criterios de equidad y eficiencia, tomando en consideración los programas nacionales de inversión correspondientes. La asignación de tales gastos al interior de cada región corresponderá al gobierno regional.

A iniciativa de los gobiernos regionales o de uno o más ministerios podrán celebrarse convenios anuales o plurianuales de programación de inversión pública entre gobiernos regionales, entre éstos y uno o más ministerios o entre gobiernos regionales y municipalidades, cuyo cumplimiento será obligatorio. La ley orgánica constitucional respectiva establecerá las normas generales que regularán la suscripción, ejecución y exigibilidad de los referidos convenios.

La ley podrá autorizar a los gobiernos regionales y a las empresas públicas para asociarse con personas naturales o jurídicas a fin de propiciar actividades e iniciativas sin fines de lucro que contribuyan al desarrollo regional. Las entidades que al efecto se constituyan se regularán por las normas comunes aplicables a los particulares.

Lo dispuesto en el inciso anterior se entenderá sin perjuicio de lo establecido en el número 21° del artículo 19.

Artículo 115 bis.- En cada región existirá una delegación presidencial regional, a cargo de un delegado presidencial regional, el que ejercerá las funciones y atribuciones del Presidente de la República en la región, en conformidad a la ley. El delegado presidencial regional será el representante natural e inmediato, en el territorio de su jurisdicción, del Presidente de la República y será nombrado y removido libremente por él. El delegado presidencial regional ejercerá sus funciones con arreglo a las leyes y a las órdenes e instrucciones del Presidente de la República.

Al delegado presidencial regional le corresponderá la coordinación, supervigilancia o fiscalización de los servicios públicos creados por ley para el cumplimiento de las funciones administrativas que operen en la región que dependan o se relacionen con el Presidente de la República a través de un Ministerio.

Gobierno y Administración Provincial

Artículo 116.- En cada provincia existirá una delegación presidencial provincial, que será un órgano territorialmente desconcentrado del delegado presidencial regional, y estará a cargo de un delegado presidencial provincial, quien será nombrado y removido libremente por el Presidente de la República. En la provincia asiento de la capital regional, el delegado presidencial regional ejercerá las funciones y atribuciones del delegado presidencial provincial.

Corresponde al delegado presidencial provincial ejercer, de acuerdo a las instrucciones del delegado presidencial regional, la supervigilancia de los servicios públicos existentes en la provincia. La ley determinará las atribuciones que podrá delegarle el delegado presidencial regional y las demás que le corresponden.

Artículo 117.- Los delegados presidenciales provinciales, en los casos y forma que determine la ley, podrán designar encargados para el ejercicio de sus facultades en una o más localidades.

Administración Comunal

Artículo 118.- La administración local de cada comuna o agrupación de comunas que determine la ley reside en una municipalidad, la que estará constituida por el alcalde, que es su máxima autoridad, y por el concejo.

La ley orgánica constitucional respectiva establecerá las modalidades y formas que deberá asumir la participación de la comunidad local en las actividades municipales.

Los alcaldes, en los casos y formas que determine la ley orgánica constitucional respectiva, podrán designar delegados para el ejercicio de sus facultades en una o más localidades.

Las municipalidades son corporaciones autónomas de derecho público, con personalidad jurídica y patrimonio propio, cuya finalidad es satisfacer las necesidades de la comunidad local y asegurar su participación en el progreso económico, social y cultural de la comuna.

Una ley orgánica constitucional determinará las funciones y atribuciones de las municipalidades. Dicha ley señalará, además, las materias de competencia municipal que el alcalde, con acuerdo del concejo o a requerimiento de los 2/3 de los concejales en ejercicio, o de la proporción de ciudadanos que establezca la ley, someterá a consulta no vinculante o a plebiscito, así como las oportunidades, forma de la convocatoria y efectos.

Las municipalidades podrán asociarse entre ellas en conformidad a la ley orgánica constitucional respectiva, pudiendo dichas asociaciones gozar de personalidad jurídica de derecho privado. Asimismo, podrán constituir o integrar corporaciones o fundaciones de derecho privado sin fines de lucro cuyo objeto sea la promoción y difusión del arte, la cultura y el deporte, o el fomento de obras de desarrollo comunal y productivo. La participación municipal en ellas se regirá por la citada ley orgánica constitucional.

Las municipalidades podrán establecer en el ámbito de las comunas o agrupación de comunas, de conformidad con la ley orgánica constitucional respectiva, territorios denominados unidades vecinales, con el objeto de propender a un desarrollo equilibrado y a una adecuada canalización de la participación ciudadana.

Los servicios públicos deberán coordinarse con el municipio cuando desarrollen su labor en el territorio comunal respectivo, en conformidad con la ley.

La ley determinará la forma y el modo en que los ministerios, servicios públicos y gobiernos regionales podrán transferir competencias a las municipalidades, como asimismo el carácter provisorio o definitivo de la transferencia.

Artículo 119.- En cada municipalidad habrá un concejo integrado por concejales elegidos por sufragio universal en conformidad a la ley orgánica constitucional de municipalidades. Durarán cuatro años en sus cargos y podrán ser reelegidos. La misma ley determinará el número de concejales y la forma de elegir al alcalde.

El concejo será un órgano encargado de hacer efectiva la participación de la comunidad local, ejercerá funciones normativas, resolutivas y fiscalizadoras y otras atribuciones que se le encomienden, en la forma que determine la ley orgánica constitucional respectiva.

La ley orgánica de municipalidades determinará las normas sobre organización y funcionamiento del concejo y las materias en que la consulta del alcalde al concejo será obligatoria y aquellas en que necesariamente se requerirá el acuerdo de éste. En todo caso, será necesario dicho acuerdo para la aprobación del plan comunal de desarrollo, del presupuesto municipal y de los proyectos de inversión respectivos.

Artículo 120.- La ley orgánica constitucional respectiva regulará la administración transitoria de las comunas que se creen, el procedimiento de instalación de las nuevas municipalidades, de traspaso del personal municipal y de los servicios y los resguardos necesarios para cautelar el uso y disposición de los bienes que se encuentren situados en los territorios de las nuevas comunas.

Asimismo, la ley orgánica constitucional de municipalidades establecerá los procedimientos que deberán observarse en caso de supresión o fusión de una o más comunas.

Artículo 121.- Las municipalidades, para el cumplimiento de sus funciones, podrán crear o suprimir empleos y fijar remuneraciones, como también establecer los órganos o unidades que la ley orgánica constitucional respectiva permita.

Estas facultades se ejercerán dentro de los límites y requisitos que, a iniciativa exclusiva del Presidente de la República, determine la ley orgánica constitucional de municipalidades.

Artículo 122.- Las municipalidades gozarán de autonomía para la administración de sus finanzas. La Ley de Presupuestos de la Nación podrá asignarles recursos para atender sus gastos, sin perjuicio de los ingresos que directamente se les confieran por la ley o se les otorguen por los gobiernos regionales respectivos. Una ley orgánica constitucional contemplará un mecanismo de redistribución solidaria de los ingresos propios entre las municipalidades del país con la denominación de fondo común municipal. Las normas de distribución de este fondo serán materia de ley.

DISPOSICIONES GENERALES

Artículo 123.- La ley establecerá fórmulas de coordinación para la administración de todos o algunos de los municipios, con respecto a los problemas que les sean comunes, así como entre los municipios y los demás servicios públicos.

Sin perjuicio de lo dispuesto en el inciso anterior, la ley orgánica constitucional respectiva regulará la administración de las áreas metropolitanas, y establecerá las condiciones y formalidades que permitan conferir dicha calidad a determinados territorios

Artículo 124.- Para ser elegido gobernador regional, consejero regional, alcalde o concejal y para ser designado delegado presidencial regional o delegado presidencial provincial, se requerirá ser ciudadano con derecho a sufragio, tener los demás requisitos de idoneidad que la ley señale, en su caso, y residir en la región a lo menos en los últimos dos años anteriores a su designación o elección.

Los cargos de gobernador regional, consejero regional, alcalde, concejal, delegado presidencial regional y delegado presidencial provincial serán incompatibles entre sí.

El cargo de gobernador regional es incompatible con todo otro empleo o comisión retribuidos con fondos del Fisco, de las municipalidades, de las entidades fiscales autónomas, semifiscales o de las empresas del Estado o en las que el Fisco tenga intervención por aportes de capital, y con toda otra función o comisión de la misma naturaleza. Se exceptúan los empleos docentes y las funciones o comisiones de igual carácter de la enseñanza superior, media y especial, dentro de los límites que fije la ley. Asimismo, el cargo de gobernador regional es incompatible con las funciones de directores o consejeros, aun cuando sean ad honorem, en las entidades fiscales autónomas, semifiscales o en las empresas estatales, o en las que el Estado tenga participación por aporte de capital.

Por el solo hecho de su proclamación por el Tribunal Calificador de Elecciones, el gobernador regional electo cesará en todo otro cargo, empleo o comisión que desempeñe.

Ningún gobernador regional, desde el momento de su proclamación por el Tribunal Calificador de Elecciones, puede ser nombrado para un empleo, función o comisión de los referidos en los incisos precedentes. Sin perjuicio de lo anterior, esta disposición no rige en caso de guerra exterior; pero sólo los cargos conferidos en estado de guerra son compatibles con las funciones de gobernador regional.

Ningún gobernador regional, delegado presidencial regional o delegado presidencial provincial, desde el día de su elección o designación, según el caso, puede ser acusado o privado de su libertad, salvo el caso de delito flagrante, si el Tribunal de Alzada de la jurisdicción respectiva, en pleno, no autoriza previamente la acusación declarando haber lugar a la formación de causa. De esta resolución podrá apelarse ante la Corte Suprema.

En caso de ser arrestado algún gobernador regional, delegado presidencial regional o delegado presidencial provincial por delito flagrante, será puesto inmediatamente a disposición del Tribunal de Alzada respectivo, con la información sumaria correspondiente. El Tribunal procederá, entonces, conforme a lo dispuesto en el inciso anterior.

Desde el momento en que se declare, por resolución firme, haber lugar a formación de causa, queda el gobernador regional, delegado presidencial regional o delegado presidencial provincial imputado suspendido de su cargo y sujeto al juez competente.

Artículo 125.- Las leyes orgánicas constitucionales respectivas establecerán las causales de cesación en los cargos de gobernador regional, de alcalde, consejero regional y concejal.

Con todo, cesarán en sus cargos las autoridades mencionadas que hayan infringido gravemente las normas sobre transparencia, límites y control del gasto electoral, desde la fecha que lo declare por sentencia firme el Tribunal Calificador de Elecciones, a requerimiento del Consejo Directivo del Servicio Electoral. Una ley orgánica constitucional señalará los casos en que existe una infracción grave.

Asimismo, quien perdiere el cargo de gobernador regional, de alcalde, consejero regional o concejal, de acuerdo a lo establecido en el inciso anterior, no podrá optar a ninguna función o empleo público por el término de tres años, ni podrá ser candidato a cargos de elección popular en los dos actos electorales inmediatamente siguientes a su cesación.

Artículo 126.- La ley determinará la forma de resolver las cuestiones de competencia que pudieren suscitarse entre las autoridades nacionales, regionales, provinciales y comunales.

Asimismo, establecerá el modo de dirimir las discrepancias que se produzcan entre el gobernador regional y el consejo regional, así como entre el alcalde y el concejo.

DISPOSICIONES ESPECIALES

Artículo 126 bis.- Son territorios especiales los correspondientes a Isla de Pascua y al Archipiélago Juan Fernández. El Gobierno y Administración de estos territorios se regirá por los estatutos especiales que establezcan las leyes orgánicas constitucionales respectivas.

Los derechos a residir, permanecer y trasladarse hacia y desde cualquier lugar de la República, garantizados en el numeral 7º del artículo 19, se ejercerán en dichos territorios en la forma que determinen las leyes especiales que regulen su ejercicio, las que deberán ser de quórum calificado.

CAPÍTULO **XV**
REFORMA DE LA CONSTITUCIÓN Y DEL PROCEDIMIENTO PARA ELABORAR UNA NUEVA CONSTITUCIÓN DE LA REPÚBLICA

Artículo 127.- Los proyectos de reforma de la Constitución podrán ser iniciados por mensaje del Presidente de la República o por moción de cualquiera de los miembros del Congreso Nacional, con las limitaciones señaladas en el inciso primero del artículo 65.

El proyecto de reforma necesitará para ser aprobado en cada Cámara el voto conforme de las tres quintas partes de los diputados y senadores en ejercicio. Si la reforma recayere sobre los capítulos I, III, VIII, XI, XII o XV, necesitará, en cada Cámara, la aprobación de las dos terceras partes de los diputados y senadores en ejercicio.

En lo no previsto en este Capítulo, serán aplicables a la tramitación de los proyectos de reforma constitucional las normas sobre formación de la ley, debiendo respetarse siempre los quórums señalados en el inciso anterior.

Artículo 128.- El proyecto que aprueben ambas Cámaras pasará al Presidente de la República.

Si el Presidente de la República rechazare totalmente un proyecto de reforma aprobado por ambas Cámaras y éstas insistieren en su totalidad por las dos terceras partes de los miembros en ejercicio de cada Cámara, el Presidente deberá promulgar dicho proyecto, a menos que consulte a la ciudadanía mediante plebiscito.

Si el Presidente observare parcialmente un proyecto de reforma aprobado por ambas Cámaras, las observaciones se entenderán aprobadas con el voto conforme de las tres quintas o dos terceras partes de los miembros en ejercicio de cada Cámara, según corresponda de acuerdo con el artículo anterior, y se devolverá al Presidente para su promulgación.

En caso de que las Cámaras no aprueben todas o algunas de las observaciones del Presidente, no habrá reforma constitucional sobre los puntos en discrepancia, a menos que ambas Cámaras insistieren por los dos tercios de sus miembros en ejercicio en la parte del proyecto aprobado por ellas. En este último caso, se devolverá al Presidente la parte del proyecto que haya sido objeto de insistencia para su promulgación, salvo que éste consulte a la ciudadanía para que se pronuncie mediante un plebiscito, respecto de las cuestiones en desacuerdo.

La ley orgánica constitucional relativa al Congreso regulará en lo demás lo concerniente a los vetos de los proyectos de reforma y a su tramitación en el Congreso.

Artículo 129.- La convocatoria a plebiscito deberá efectuarse dentro de los treinta días siguientes a aquel en que ambas Cámaras insistan en el proyecto aprobado por ellas, y se ordenará mediante decreto supremo que fijará la fecha de la votación plebiscitaria, la que se celebrará ciento veinte días después de la publicación de dicho decreto si ese día correspondiere a un domingo. Si así no fuere, ella se realizará el domingo inmediatamente siguiente. Transcurrido este plazo sin que el Presidente convoque a plebiscito, se promulgará el proyecto que hubiere aprobado el Congreso.

El decreto de convocatoria contendrá, según corresponda, el proyecto aprobado por ambas Cámaras y vetado totalmente por el Presidente de la República, o las cuestiones del proyecto en las cuales el Congreso haya insistido. En este último caso, cada una de las cuestiones en desacuerdo deberá ser votada separadamente en el plebiscito.

El Tribunal Calificador comunicará al Presidente de la República el resultado del plebiscito, y especificará el texto del proyecto aprobado por la ciudadanía, el que deberá ser promulgado como reforma constitucional dentro de los cinco días siguientes a dicha comunicación.

Una vez promulgado el proyecto y desde la fecha de su vigencia, sus disposiciones formarán parte de la Constitución y se tendrán por incorporadas a ésta.

DEL PROCEDIMIENTO PARA ELABORAR UNA NUEVA CONSTITUCIÓN POLÍTICA DE LA REPÚBLICA

Artículo 130. Del Plebiscito Nacional.- Tres días después de la entrada en vigencia de este artículo, el Presidente de la República convocará mediante un decreto supremo exento a un plebiscito nacional para el día 26 de abril de 2020.

En el plebiscito señalado, la ciudadanía dispondrá de dos cédulas electorales. La primera contendrá la siguiente pregunta: «¿Quiere usted una Nueva Constitución?». Bajo la cuestión planteada habrá dos rayas horizontales, una al lado de la otra. La primera línea tendrá en su parte inferior la expresión «Apruebo» y la segunda, la expresión «Rechazo», a fin de que el elector pueda marcar su preferencia sobre una de las alternativas.

La segunda cédula contendrá la pregunta: «¿Qué tipo de órgano debiera redactar la Nueva Constitución?». Bajo la cuestión planteada habrá dos rayas horizontales, una al lado de la otra. La primera de ellas tendrá en su parte inferior la expresión «Convención Mixta Constitucional» y la segunda, la expresión «Convención Constitucional». Bajo la expresión «Convención Mixta Constitucional» se incorporará la oración: «Integrada en partes iguales por miembros elegidos popularmente y parlamentarios o parlamentarias en ejercicio». Bajo la expresión «Convención Constitucional» se incorporará la oración: «Integrada exclusivamente por miembros elegidos popularmente», a fin de que el elector pueda marcar su preferencia sobre una de las alternativas.

A efecto de este plebiscito, se aplicarán las disposiciones pertinentes contenidas en los siguientes cuerpos legales, en su texto vigente al 1 de enero de 2020:

a) Decreto con fuerza de ley N° 2, del año 2017, del Ministerio Secretaría General de la Presidencia, que fija el texto refundido, coordinado y sistematizado de la ley N° 18.700, orgánica constitucional sobre Votaciones Populares y Escrutinios, en los siguientes pasajes: Párrafo V, Párrafo VI, con excepción del inciso sexto del artículo 32 e incisos segundo a cuarto del artículo 33, Párrafo VII, VIII, IX, X y XI del Título I; Título II al X inclusive; Título XII y XIII;

b) Decreto con fuerza de ley N° 5, del año 2017, del Ministerio Secretaría General de la Presidencia, que fija el texto refundido, coordinado y sistematizado de la ley N° 18.556, orgánica constitucional sobre Sistema de Inscripciones Electorales y Servicio Electoral;

c) Decreto con fuerza de ley N° 4, del año 2017, del Ministerio Secretaría General de la Presidencia, que fija el texto refundido, coordinado y sistematizado de la ley N° 18.603, orgánica constitucional de Partidos Políticos, en los siguientes pasajes: Título I, V, VI, IX y X.

Los canales de televisión de libre recepción deberán destinar gratuitamente treinta minutos diarios de sus transmisiones a propaganda electoral sobre este plebiscito, debiendo dar expresión a las dos opciones contempladas en cada cédula, conforme a un acuerdo que adoptará el Consejo Nacional de Televisión y que será publicado en el Diario Oficial, dentro del plazo de treinta días contado desde la publicación de la convocatoria al plebiscito nacional, respetando una estricta igualdad de promoción de las opciones plebiscitadas. De este acuerdo podrá reclamarse ante el Tribunal Calificador de Elecciones dentro del plazo de tres días contado desde la publicación del mismo. El Tribunal Calificador de Elecciones resolverá la reclamación sumariamente dentro del plazo de cinco días contado desde la fecha de su respectiva interposición.

El Tribunal Calificador de Elecciones conocerá del escrutinio general y proclamará aprobadas las cuestiones que hayan obtenido más de la mitad de los sufragios válidamente emitidos. Para estos efectos, los votos nulos y blancos se considerarán como no emitidos. El proceso de calificación del plebiscito nacional deberá quedar concluido dentro de los treinta días siguientes a la fecha de éste. La sentencia de proclamación del plebiscito será comunicada dentro de los tres días siguientes de su dictación al Presidente de la República y al Congreso Nacional.

Si la ciudadanía hubiere aprobado elaborar una Nueva Constitución, el Presidente de la República deberá convocar, mediante decreto supremo exento, dentro de los cinco días siguientes a la comunicación a que alude el inciso anterior, a elección de los miembros de la Convención Mixta Constitucional o Convención Constitucional, según corresponda. Esta elección se llevará a cabo el mismo día que se verifiquen las elecciones de alcaldes, concejales y gobernadores regionales correspondientes al año 2020.

Artículo 131. De la Convención.- Para todos los efectos de este epígrafe, se entenderá que la voz «Convención» sin más, hace referencia a la Convención Mixta Constitucional y a la Convención Constitucional, sin distinción alguna.

A los integrantes de la Convención se les llamará Convencionales Constituyentes.

Además de lo establecido en los artículos 139, 140 y 141 de la Constitución, a la elección de Convencionales Constituyentes a la que hace referencia el inciso final del artículo 130, serán aplicables las disposiciones pertinentes a la elección de diputados, contenidas en los siguientes cuerpos legales, en su texto vigente al 25 de junio del año 2020:

a) Decreto con fuerza de ley N° 2, del año 2017, del Ministerio Secretaría General de la Presidencia, que fija el texto refundido, coordinado y sistematizado de la ley N° 18.700, orgánica constitucional sobre Votaciones Populares y Escrutinios;

b) Decreto con fuerza de ley N° 5, del año 2017, del Ministerio Secretaría General de la Presidencia, que fija el texto refundido, coordinado y sistematizado de la ley N° 18.556, orgánica constitucional sobre Sistema de Inscripciones Electorales y Servicio Electoral;

c) Decreto con fuerza de ley N° 4, del año 2017, del Ministerio Secretaría General de la Presidencia, que fija el texto refundido, coordinado y sistematizado de la ley N° 18.603, orgánica constitucional de Partidos Políticos;

d) Decreto con fuerza de ley N° 3, del año 2017, del Ministerio Secretaría General de la Presidencia, que fija el texto refundido, coordinado y sistematizado de la ley N° 19.884, sobre Transparencia, Límite y Control del Gasto Electoral.

El proceso de calificación de la elección de Convencionales Constituyentes deberá quedar concluido dentro de los treinta días siguientes a la fecha de ésta. La sentencia de proclamación será comunicada dentro de los tres días siguientes de su dictación al Presidente de la República y al Congreso Nacional.

Artículo 132. De los requisitos e incompatibilidades de los candidatos.- Podrán ser candidatos a la Convención aquellos ciudadanos que reúnan las condiciones contempladas en el artículo 13 de la Constitución.

No será aplicable a los candidatos a esta elección ningún otro requisito, inhabilidad o prohibición, salvo las establecidas en este epígrafe y con excepción de las normas sobre afiliación e independencia de las candidaturas establecidas en el artículo 5, incisos cuarto y sexto, del decreto con fuerza de ley N° 2, del año 2017, del Ministerio Secretaría General de la Presidencia, que fija el texto refundido, coordinado y sistematizado de la ley N° 18.700, orgánica constitucional sobre Votaciones Populares y Escrutinios.

Los Ministros de Estado, los intendentes, los gobernadores, los alcaldes, los consejeros regionales, los concejales, los subsecretarios, los secretarios regionales ministeriales, los jefes de servicio, los miembros del Consejo del Banco Central, los miembros del Consejo del Servicio Electoral, los miembros y funcionarios de los diferentes escalafones del Poder Judicial, del Ministerio Público, de la Contraloría General de la República, así como los del Tribunal Constitucional, del Tribunal de Defensa de la Libre

Competencia, del Tribunal de Contratación Pública, del Tribunal Calificador de Elecciones y de los tribunales electorales regionales; los consejeros del Consejo para la Transparencia, y los miembros activos de las Fuerzas Armadas y de Orden y Seguridad Pública, que declaren sus candidaturas a miembros de la Convención, cesarán en sus cargos por el solo ministerio de la Constitución, desde el momento en que sus candidaturas sean inscritas en el Registro Especial a que hace referencia el inciso primero del artículo 21 del decreto con fuerza de ley N° 2, del año 2017, del Ministerio Secretaría General de la Presidencia, que fija el texto refundido, coordinado y sistematizado de la ley N° 18.700. Lo dispuesto precedentemente le será aplicable a los senadores y diputados solo respecto de la Convención Constitucional.

Las personas que desempeñen un cargo directivo de naturaleza gremial o vecinal deberán suspender dichas funciones desde el momento que sus candidaturas sean inscritas en el Registro Especial mencionado en el inciso anterior.

Artículo 133. Del funcionamiento de la Convención.- Dentro de los tres días siguientes a la recepción de la comunicación a que hace referencia el inciso final del artículo 131, el Presidente de la República convocará, mediante decreto supremo exento, a la primera sesión de instalación de la Convención, señalando además, el lugar de la convocatoria. En caso de no señalarlo, se instalará en la sede del Congreso Nacional. Dicha instalación deberá realizarse dentro de los quince días posteriores a la fecha de publicación del decreto.

En su primera sesión, la Convención deberá elegir a un Presidente y a un Vicepresidente por mayoría absoluta de sus miembros en ejercicio.

La Convención deberá aprobar las normas y el reglamento de votación de las mismas por un quórum de dos tercios de sus miembros en ejercicio.

La Convención no podrá alterar los quórum ni procedimientos para su funcionamiento y para la adopción de acuerdos.

La Convención deberá constituir una secretaría técnica, la que será conformada por personas de comprobada idoneidad académica o profesional.

Corresponderá al Presidente de la República, o a los órganos que éste determine, prestar el apoyo técnico, administrativo y financiero que sea necesario para la instalación y funcionamiento de la Convención.

Artículo 134. Del estatuto de los Convencionales Constituyentes.- A los integrantes de la Convención les será aplicable lo establecido en los artículos 51, con excepción de los incisos primero y segundo; 58, 59, 60 y 61.

A contar de la proclamación del Tribunal Calificador de Elecciones, los funcionarios públicos, con excepción de los mencionados en el inciso tercero del artículo 132, así como los trabajadores de las empresas del Estado, podrán hacer uso de un permiso sin goce de remuneraciones mientras sirvan a la Convención, en cuyo caso no les serán aplicables lo señalado en el inciso primero del artículo 58 de la Constitución.

Los Convencionales Constituyentes estarán afectos a las normas de la ley N° 20.880, sobre probidad en la función pública y prevención de los conflictos de interés, aplicables a los diputados, y a la ley N° 20.730, que regula el lobby y las gestiones que representen intereses particulares ante las autoridades y funcionarios.

Serán compatibles los cargos de parlamentario e integrantes de la Convención Mixta Constitucional. Los diputados y senadores que integren esta convención quedarán eximidos de su obligación de asistir a las sesiones de sala y comisión del Congreso durante el período en que ésta se mantenga en funcionamiento. El Congreso Nacional podrá incorporar medidas de organización para un adecuado trabajo legislativo mientras la Convención Mixta Constitucional se encuentre en funcionamiento.

Los integrantes de la Convención, con excepción de los parlamentarios que la integren, recibirán una retribución mensual de 50 unidades tributarias mensuales, además de las asignaciones que se establezcan en el Reglamento de la Convención. Dichas asignaciones serán administradas por un comité externo que determine el mismo Reglamento.

Artículo 135. Disposiciones especiales.- La Convención no podrá intervenir ni ejercer ninguna otra función o atribución de otros órganos o autoridades establecidas en esta Constitución o en las leyes.

Mientras no entre en vigencia la Nueva Constitución en la forma establecida en este epígrafe, esta Constitución seguirá plenamente vigente, sin que pueda la Convención negarle autoridad o modificarla.

En conformidad al artículo 5º, inciso primero, de la Constitución, mientras la Convención esté en funciones la soberanía reside esencialmente en la Nación y es ejercida por el pueblo a través de los plebiscitos y elecciones periódicas que la Constitución y las leyes determinan y, también, por las autoridades que esta Constitución establece. Le quedará prohibido a la Convención, a cualquiera de sus integrantes o a una fracción de ellos, atribuirse el ejercicio de la soberanía, asumiendo otras atribuciones que las que expresamente le reconoce esta Constitución.

El texto de Nueva Constitución que se someta a plebiscito deberá respetar el carácter de República del Estado de Chile, su régimen democrático, las sentencias judiciales firmes y ejecutoriadas y los tratados internacionales ratificados por Chile y que se encuentren vigentes.

Artículo 136. De la reclamación.- Se podrá reclamar de una infracción a las reglas de procedimiento aplicables a la Convención, contenidas en este epígrafe y de aquellas de procedimiento que emanen de los acuerdos de carácter general de la propia Convención. En ningún caso se podrá reclamar sobre el contenido de los textos en elaboración.

Conocerán de esta reclamación cinco ministros de la Corte Suprema, elegidos por sorteo por la misma Corte para cada cuestión planteada.

La reclamación deberá ser suscrita por al menos un cuarto de los miembros en ejercicio de la Convención y se interpondrá ante la Corte Suprema, dentro del plazo de cinco días desde que se tomó conocimiento del vicio alegado.

La reclamación deberá indicar el vicio que se reclama, el que deberá ser esencial, y el perjuicio que causa.

El procedimiento para el conocimiento y resolución de las reclamaciones será establecido en un Auto Acordado que adoptará la Corte Suprema, el que no podrá ser objeto del control establecido en artículo 93 número 2 de la Constitución.

La sentencia que acoja la reclamación solo podrá anular el acto. En todo caso, deberá resolverse dentro de los diez días siguientes desde que se entró al conocimiento del asunto. Contra las resoluciones de que trata este artículo no se admitirá acción ni recurso alguno.

Ninguna autoridad, ni tribunal, podrán conocer acciones, reclamos o recursos vinculados con las tareas que la Constitución le asigna a la Convención, fuera de lo establecido en este artículo.

No podrá interponerse la reclamación a la que se refiere este artículo respecto del inciso final del artículo 135 de la Constitución.

Artículo 137. Prórroga del plazo de funcionamiento de la Convención.- La Convención deberá redactar y aprobar una propuesta de texto de Nueva Constitución en el plazo máximo de nueve meses, contado desde su instalación, el que podrá prorrogarse, por una sola vez, por tres meses.

La mencionada prórroga podrá ser solicitada por quien ejerza la Presidencia de la Convención o por un tercio de sus miembros, con una anticipación no superior a quince días ni posterior a los cinco días previos al vencimiento del plazo de nueve meses. Presentada la solicitud, se citará inmediatamente a sesión especial, en la cual la Presidencia deberá dar cuenta pública de los avances en la elaboración de la propuesta de texto de Nueva Constitución, con lo cual se entenderá prorrogado el plazo sin más trámite. De todas estas circunstancias deberá quedar constancia en el acta respectiva. El plazo de prórroga comenzará a correr el día siguiente a aquel en que venza el plazo original.

Una vez redactada y aprobada la propuesta de texto de Nueva Constitución por la Convención, o vencido el plazo o su prórroga, la Convención se disolverá de pleno derecho.

Artículo 138. De las normas transitorias.- La Convención podrá establecer disposiciones especiales de entrada en vigencia de alguna de las normas o capítulos de la Nueva Constitución.

La Nueva Constitución no podrá poner término anticipado al período de las autoridades electas en votación popular, salvo que aquellas instituciones que integran sean suprimidas u objeto de una modificación sustancial.

La Nueva Constitución deberá establecer el modo en que las otras autoridades que esta Constitución establece cesarán o continuarán en sus funciones.

Artículo 139. De la integración de la Convención Mixta Constitucional.- La Convención Mixta Constitucional estará integrada por 172 miembros, de los cuales 86 corresponderán a ciudadanos electos especialmente para estos efectos y 86 parlamentarios que serán elegidos por el Congreso Pleno, conformado por todos los senadores y diputados en ejercicio, los que podrán presentar listas o pactos electorales, y se elegirán de acuerdo al sistema establecido en el artículo 121 del decreto con fuerza de ley N° 2, del año 2017, del Ministerio Secretaría General de la Presidencia, que fija el texto refundido, coordinado y sistematizado de la ley N° 18.700, orgánica constitucional sobre Votaciones Populares y Escrutinios, en lo que refiere a la elección de diputados.

Artículo 140. Del sistema electoral de la Convención Mixta Constitucional.- En el caso de los Convencionales Constituyentes no parlamentarios, estos serán elegidos de acuerdo a las reglas consagradas en el artículo 121 del decreto con fuerza de ley N° 2, del año 2017, del Ministerio Secretaría General de la Presidencia, que fija el texto refundido, coordinado y sistematizado de la ley N° 18.700, orgánica constitucional sobre Votaciones Populares y Escrutinios, en su texto vigente al 25 de junio del 2020 y serán aplicables los artículos 187 y 188 del mismo cuerpo legal, con las siguientes modificaciones:

Distrito 1° que elegirá 2 Convencionales Constituyentes;
Distrito 2° que elegirá 2 Convencionales Constituyentes;
Distrito 3° que elegirá 3 Convencionales Constituyentes;
Distrito 4° que elegirá 3 Convencionales Constituyentes;
Distrito 5° que elegirá 4 Convencionales Constituyentes;
Distrito 6° que elegirá 4 Convencionales Constituyentes;
Distrito 7° que elegirá 4 Convencionales Constituyentes;
Distrito 8° que elegirá 4 Convencionales Constituyentes;
Distrito 9° que elegirá 4 Convencionales Constituyentes;

Distrito 10° que elegirá 4 Convencionales Constituyentes;
Distrito 11° que elegirá 3 Convencionales Constituyentes;
Distrito 12° que elegirá 4 Convencionales Constituyentes;
Distrito 13° que elegirá 3 Convencionales Constituyentes;
Distrito 14° que elegirá 3 Convencionales Constituyentes;
Distrito 15° que elegirá 3 Convencionales Constituyentes;
Distrito 16° que elegirá 2 Convencionales Constituyentes;
Distrito 17° que elegirá 4 Convencionales Constituyentes;
Distrito 18° que elegirá 2 Convencionales Constituyentes;
Distrito 19° que elegirá 3 Convencionales Constituyentes;
Distrito 20° que elegirá 4 Convencionales Constituyentes;
Distrito 21° que elegirá 3 Convencionales Constituyentes;
Distrito 22° que elegirá 2 Convencionales Constituyentes;
Distrito 23° que elegirá 4 Convencionales Constituyentes;
Distrito 24° que elegirá 3 Convencionales Constituyentes;
Distrito 25° que elegirá 2 Convencionales Constituyentes;
Distrito 26° que elegirá 3 Convencionales Constituyentes;
Distrito 27° que elegirá 2 Convencionales Constituyentes; y
Distrito 28° que elegirá 2 Convencionales Constituyentes.

Artículo 141. De la integración de la Convención Constitucional.-
La Convención Constitucional estará integrada por 155 ciudadanos electos especialmente para estos efectos. Para ello, se considerarán los distritos electorales establecidos en los artículos 187 y 188, y el sistema electoral descrito en el artículo 121, todos del decreto con fuerza de ley N° 2, del año 2017, del Ministerio Secretaría General de la Presidencia, que fija el texto refundido, coordinado y sistematizado de la ley N° 18.700, orgánica constitucional sobre Votaciones Populares y Escrutinios, en lo que se refiere a la elección de diputados, a su texto vigente al 25 de junio del 2020.

Los integrantes de la Convención Constitucional no podrán ser candidatos a cargos de elección popular mientras ejercen sus funciones y hasta un año después de que cesen en sus cargos en la Convención.

Artículo 142. Del Plebiscito Constitucional.- Comunicada al Presidente de la República la propuesta de texto constitucional aprobada por la Convención, éste deberá convocar dentro de los tres días siguientes a dicha comunicación, mediante decreto supremo exento, a un plebiscito nacional constitucional para que la ciudadanía apruebe o rechace la propuesta.

El sufragio en este plebiscito será obligatorio para quienes tengan domicilio electoral en Chile.

El ciudadano que no sufragare será penado con una multa a beneficio municipal de 0,5 a 3 unidades tributarias mensuales.

No incurrirá en esta sanción el ciudadano que haya dejado de cumplir su obligación por enfermedad, ausencia del país, encontrarse el día del plebiscito en un lugar situado a más de doscientos kilómetros de aquél en que se encontrare registrado su domicilio electoral o por otro impedimento grave, debidamente comprobado ante el juez competente, quien apreciará la prueba de acuerdo a las reglas de la sana crítica.

Las personas que durante la realización del plebiscito nacional constitucional desempeñen funciones que encomienda el decreto con fuerza de ley N° 2, del año 2017, del Ministerio Secretaría General de la Presidencia, que fija el texto refundido, coordinado y sistematizado de la ley N° 18.700, orgánica constitucional sobre Votaciones Populares y Escrutinios, se eximirán de la sanción establecida en el presente artículo remitiendo al juez competente un certificado que acredite esta circunstancia.

El conocimiento de la infracción señalada corresponderá al juez de policía local de la comuna donde se cometieron tales infracciones, de acuerdo con el procedimiento establecido en la ley N° 18.287.

En el plebiscito señalado, la ciudadanía dispondrá de una cédula electoral que contendrá la siguiente pregunta, según corresponda a la Convención que haya propuesto el texto: «¿Aprueba usted el texto de Nueva Constitución propuesto por la Convención Mixta Constitucional?» o «¿Aprueba usted el texto de Nueva Constitución propuesto por la Convención Constitucional?». Bajo la cuestión planteada habrá dos rayas horizontales, una al lado de la otra. La primera de ellas, tendrá en su parte inferior la expresión

«Apruebo» y la segunda, la palabra «Rechazo», a fin de que el elector pueda marcar su preferencia sobre una de las alternativas.

Este plebiscito deberá celebrarse sesenta días después de la publicación en el Diario Oficial del decreto supremo a que hace referencia el inciso primero, si ese día fuese domingo, o el domingo inmediatamente siguiente. Con todo, si en conformidad a las reglas anteriores la fecha del plebiscito se encuentra en el lapso entre sesenta días antes o después de una votación popular de aquellas a que hacen referencia los artículos 26, 47 y 49 de la Constitución, el día del plebiscito se retrasará hasta el domingo posterior inmediatamente siguiente. Si, como resultado de la aplicación de la regla precedente, el plebiscito cayere en el mes de enero o febrero, el plebiscito se celebrará el primer domingo del mes de marzo.

El proceso de calificación del plebiscito nacional deberá quedar concluido dentro de los treinta días siguientes a la fecha de éste. La sentencia de proclamación del plebiscito será comunicada dentro de los tres días siguientes de su dictación al Presidente de la República y al Congreso Nacional.

Si la cuestión planteada a la ciudadanía en el plebiscito nacional constitucional fuere aprobada, el Presidente de la República deberá, dentro de los cinco días siguientes a la comunicación de la sentencia referida en el inciso anterior, convocar al Congreso Pleno para que, en un acto público y solemne, se promulgue y se jure o prometa respetar y acatar la Nueva Constitución Política de la República. Dicho texto será publicado en el Diario Oficial dentro de los diez días siguientes a su promulgación y entrará en vigencia en dicha fecha. A partir de esta fecha, quedará derogada la presente Constitución Política de la República, cuyo texto refundido, coordinado y sistematizado se encuentra establecido en el decreto supremo N° 100, de 17 de septiembre de 2005.

La Constitución deberá imprimirse y repartirse gratuitamente a todos los establecimientos educacionales, públicos o privados; bibliotecas municipales, universidades y órganos del Estado. Los jueces y magistrados de los tribunales superiores de justicia deberán recibir un ejemplar de la Constitución.

Si la cuestión planteada a la ciudadanía en el plebiscito ratificatorio fuere rechazada, continuará vigente la presente Constitución.

Artículo 143. Remisión.- Al plebiscito constitucional le será aplicable lo dispuesto en los incisos cuarto a sexto del artículo 130.

DISPOSICIONES TRANSITORIAS

PRIMERA.- Mientras se dictan las disposiciones que den cumplimiento a lo prescrito en el inciso tercero del número 1º del artículo 19 de esta Constitución, continuarán rigiendo los preceptos legales actualmente en vigor.

SEGUNDA.- Mientras se dicta el nuevo Código de Minería, que deberá regular, entre otras materias, la forma, condiciones y efectos de las concesiones mineras a que se refieren los incisos séptimo al décimo del número 24º del artículo 19 de esta Constitución Política, los titulares de derechos mineros seguirán regidos por la legislación que estuviere en vigor al momento en que entre en vigencia esta Constitución, en calidad de concesionarios.

Los derechos mineros a que se refiere el inciso anterior subsistirán bajo el imperio del nuevo Código, pero en cuanto a sus goces y cargas y en lo tocante a su extinción, prevalecerán las disposiciones de dicho nuevo Código de Minería. Este nuevo Código deberá otorgar plazo a los concesionarios para cumplir los nuevos requisitos que se establezcan para merecer amparo legal.

En el lapso que medie entre el momento en que se ponga en vigencia esta Constitución y aquél en que entre en vigor el nuevo Código de Minería, la constitución de derechos mineros con el carácter de concesión señalado en los incisos séptimo al décimo del número 24º del artículo 19 de esta Constitución, continuará regida por la legislación actual, al igual que las concesiones mismas que se otorguen.

TERCERA.- La gran minería del cobre y las empresas consideradas como tal, nacionalizadas en virtud de lo prescrito en la disposición 17a. transitoria de la Constitución Política de 1925, continuarán rigiéndose por las normas constitucionales vigentes a la fecha de promulgación de esta Constitución.

CUARTA.- Se entenderá que las leyes actualmente en vigor sobre materias que conforme a esta Constitución deben ser objeto de leyes orgánicas constitucionales o aprobadas con quórum calificado, cumplen estos requisitos y seguirán aplicándose en lo que no sean contrarias a la Constitución, mientras no se dicten los correspondientes cuerpos legales.

QUINTA.- No obstante lo dispuesto en el número 6º del artículo 32, mantendrán su vigencia los preceptos legales que a la fecha de promulgación de esta Constitución hubieren reglado materias no comprendidas en el artículo 63, mientras ellas no sean expresamente derogadas por ley.

SEXTA.- Sin perjuicio de lo dispuesto en el inciso tercero del número 20º del artículo 19, mantendrán su vigencia las disposiciones legales que hayan establecido tributos de afectación a un destino determinado, mientras no sean expresamente derogadas.

SÉPTIMA.- El indulto particular será siempre procedente respecto de los delitos a que se refiere el artículo 9º cometidos antes del 11 de marzo de 1990. Una copia del Decreto respectivo se remitirá, en carácter reservado, al Senado.

OCTAVA.- Las normas del capítulo VII «Ministerio Público», regirán al momento de entrar en vigencia la ley orgánica constitucional del Ministerio Público. Esta ley podrá establecer fechas diferentes para la entrada en vigor de sus disposiciones, como también determinar su aplicación gradual en las diversas materias y regiones del país.

El capítulo VII «Ministerio Público», la ley orgánica constitucional del Ministerio Público y las leyes que, complementando dichas normas, modifiquen el Código Orgánico de Tribunales y el Código de Procedimiento Penal, se aplicarán exclusivamente a los hechos acaecidos con posterioridad a la entrada en vigencia de tales disposiciones.

NOVENA.- No obstante lo dispuesto en el artículo 87, en la quina y en cada una de las ternas que se formen para proveer por primera vez los cargos de Fiscal Nacional y de fiscales regionales, la Corte Suprema y las Cortes de Apelaciones podrán incluir, respectivamente, a un miembro activo del Poder Judicial.

DÉCIMA.- Las atribuciones otorgadas a las municipalidades en el artículo 121, relativas a la modificación de la estructura orgánica, de personal y de remuneraciones, serán aplicables cuando se regulen en la ley respectiva las modalidades, requisitos y limitaciones para el ejercicio de estas nuevas competencias.

DECIMOPRIMERA.- En el año siguiente a la fecha de publicación de la presente ley de reforma constitucional no podrán figurar en las nóminas para integrar la Corte Suprema quienes hayan desempeñado los cargos de Presidente de la República, diputado, senador, Ministro de Estado, intendente, gobernador o alcalde.

DECIMOSEGUNDA.- El mandato del Presidente de la República en ejercicio será de seis años, no pudiendo ser reelegido para el período siguiente.

DECIMOTERCERA.- El Senado estará integrado únicamente por senadores electos en conformidad con el artículo 49 de la Constitución Política de la República y la Ley Orgánica Constitucional sobre Votaciones Populares y Escrutinios actualmente vigentes.

Las modificaciones a la Ley Orgánica Constitucional sobre Votaciones Populares y Escrutinios que digan relación con el número de senadores y diputados, las circunscripciones y distritos existentes, y el sistema electoral vigente, requerirán del voto conforme de las tres quintas partes de los diputados y senadores en ejercicio.

DECIMOCUARTA.- El reemplazo de los actuales Ministros y el nombramiento de los nuevos integrantes del Tribunal Constitucional, se efectuará conforme a las reglas siguientes:

Los actuales Ministros nombrados por el Presidente de la República, el Senado, la Corte Suprema y el Consejo de Seguridad Nacional se mantendrán en funciones hasta el término del período por el cual fueron nombrados o hasta que cesen en sus cargos.

El reemplazo de los Ministros designados por el Consejo de Seguridad Nacional corresponderá al Presidente de la República.

El Senado nombrará tres Ministros del Tribunal Constitucional, dos directamente y el tercero previa propuesta de la Cámara de Diputados. Este último durará en el cargo hasta el mismo día en que cese el actualmente nombrado por el Senado o quién lo reemplace en conformidad al inciso séptimo de este artículo, y podrá ser reelegido.

Los actuales Ministros de la Corte Suprema que lo sean a su vez del Tribunal Constitucional, quedarán suspendidos temporalmente en el ejercicio de sus cargos en dicha Corte, seis meses después que se publique la presente reforma constitucional y sin afectar sus derechos funcionarios. Reasumirán esos cargos al término del período por el cual fueron nombrados en el Tribunal Constitucional o cuando cesen en este último por cualquier motivo.

La Corte Suprema nominará, en conformidad a la letra c) del Artículo 92, los abogados indicados en la medida que se vayan generando las vacantes correspondientes. No obstante, el primero de ellos será nombrado por tres años, el segundo por seis años y el tercero por nueve años. El que haya sido nombrado por tres años podrá ser reelegido.

Si alguno de los actuales Ministros no contemplados en el inciso anterior cesare en su cargo, se reemplazará por la autoridad indicada en las letras a) y b) del artículo 92, según corresponda, y su período durará por lo que reste a su antecesor, pudiendo éstos ser reelegidos.

Los Ministros nombrados en conformidad a esta disposición deberán ser designados con anterioridad al 11 de diciembre de 2005 y entrarán en funciones el 1 de enero de 2006.

DECIMOQUINTA.- Los tratados internacionales aprobados por el Congreso Nacional con anterioridad a la entrada en vigor de la presente reforma constitucional, que versen sobre materias que conforme a la Constitución deben ser aprobadas por la mayoría absoluta o las cuatro séptimas partes de los diputados y senadores en ejercicio, se entenderá que han cumplido con estos requisitos.

Las contiendas de competencia actualmente trabadas ante la Corte Suprema y las que lo sean hasta la entrada en vigor de las modificaciones al Capítulo VIII, continuarán radicadas en dicho órgano hasta su total tramitación.

Los procesos iniciados, de oficio o a petición de parte, o que se iniciaren en la Corte Suprema para declarar la inaplicabilidad de un precepto legal por ser contrario a la Constitución, con anterioridad a la aplicación de las reformas al Capítulo VIII, seguirán siendo de conocimiento y resolución de esa Corte hasta su completo término.

DECIMOSEXTA.- Las reformas introducidas al Capítulo VIII entran en vigor seis meses después de la publicación de la presente reforma constitucional con la excepción de lo regulado en la disposición decimocuarta.

DECIMOSÉPTIMA.- Las Fuerzas de Orden y Seguridad Pública seguirán siendo dependientes del Ministerio encargado de la Defensa Nacional hasta que se dicte la nueva ley que cree el Ministerio encargado de la Seguridad Pública.

DECIMOCTAVA.- Las modificaciones dispuestas en el artículo 57, N° 2, comenzarán a regir después de la próxima elección general de parlamentarios.

DECIMONOVENA.- No obstante, la modificación al Artículo 16 N° 2 de esta Constitución, también se suspenderá el derecho de sufragio de las personas procesadas por hechos anteriores al 16 de Junio de 2005, por delitos que merezcan pena aflictiva o por delito que la ley califique como conducta terrorista.

VIGÉSIMA.- En tanto no se creen los tribunales especiales a que alude el párrafo cuarto del número 16° del Artículo 19, las reclamaciones motivadas por la conducta ética de los profesionales que no pertenezcan a colegios profesionales, serán conocidas por los tribunales ordinarios.

VIGESIMOPRIMERA.- La reforma introducida en el numeral 10° del artículo 19, que establece la obligatoriedad del segundo nivel de transición y el deber del Estado de financiar un sistema gratuito a partir del nivel medio menor, destinado a asegurar el acceso a éste y sus niveles superiores, entrará en vigencia gradualmente, en la forma que disponga la ley.

VIGESIMOSEGUNDA.- Mientras no entren en vigencia los estatutos especiales a que se refiere el artículo 126 bis, los territorios especiales de Isla de Pascua y Archipiélago Juan Fernández continuarán rigiéndose por las normas comunes en materia de división político-administrativa y de gobierno y administración interior del Estado.

VIGESIMOTERCERA.- Las reformas introducidas a los artículos 15 y 18 sobre voluntariedad del voto e incorporación al registro electoral por el solo ministerio de la ley, regirán al momento de entrar en vigencia la respectiva ley orgánica constitucional a que se refiere el inciso segundo del artículo 18 que se introduce mediante dichas reformas.

VIGESIMOCUARTA.- El Estado de Chile podrá reconocer la jurisdicción de la Corte Penal Internacional en los términos previstos en el tratado aprobado en la ciudad de Roma, el 17 de julio de 1998, por la Conferencia Diplomática de Plenipotenciarios de las Naciones Unidas sobre el establecimiento de dicha Corte.

Al efectuar ese reconocimiento, Chile reafirma su facultad preferente para ejercer su jurisdicción penal en relación con la jurisdicción de la Corte. Esta última será subsidiaria de la primera, en los términos previstos en el Estatuto de Roma que creó la Corte Penal Internacional.

La cooperación y asistencia entre las autoridades nacionales competentes y la Corte Penal Internacional, así como los procedimientos judiciales y administrativos a que hubiere lugar, se sujetarán a lo que disponga la ley chilena.

La jurisdicción de la Corte Penal Internacional, en los términos previstos en su Estatuto, sólo se podrá ejercer respecto de los crímenes de su competencia cuyo principio de ejecución sea posterior a la entrada en vigor en Chile del Estatuto de Roma.

VIGESIMOQUINTA.- La modificación introducida en el inciso cuarto del artículo 60, entrará en vigencia transcurridos ciento ochenta días a contar de la publicación de esta ley en el Diario Oficial.

VIGESIMOSEXTA.- Prorrógase el mandato de los consejeros regionales en ejercicio a la fecha de publicación de la presente reforma constitucional, y el de sus respectivos suplentes, hasta el 11 de marzo del año 2014.

La primera elección por sufragio universal en votación directa de los consejeros regionales a que se refiere el inciso segundo del artículo 113 se realizará en conjunto con las elecciones de Presidente de la República y Parlamentarios, el día 17 de noviembre del año 2013.

Para este efecto, las adecuaciones a la ley orgánica constitucional respectiva deberán entrar en vigencia antes del 20 de julio del año 2013.

VIGESIMOSÉPTIMA.- No obstante lo dispuesto en el artículo 94 bis, los actuales consejeros del Consejo Directivo del Servicio Electoral cesarán en sus cargos según los períodos por los cuales fueron nombrados. Los nuevos consejeros que corresponda designar el año 2017 durarán en sus cargos seis y ocho años cada uno, conforme a lo que señale el Presidente de la República en su propuesta. Asimismo, los nuevos nombramientos que corresponda efectuar el año 2021 durarán en sus cargos seis, ocho y diez años cada uno, conforme a lo que señale el Presidente de la República en su propuesta. En ambos casos, el Jefe de Estado formulará su proposición en un solo acto y el Senado se pronunciará sobre el conjunto de la propuesta.

Quienes están actualmente en funciones no podrán ser propuestos para un nuevo período, si con dicha prórroga superan el plazo total de diez años en el desempeño del cargo.

VIGESIMOCTAVA.- La primera elección por sufragio universal en votación directa de los gobernadores regionales se verificará en la oportunidad que señale la ley orgánica constitucional a que aluden los incisos cuarto y quinto del artículo 111 y una vez promulgada la ley que establezca un nuevo procedimiento de transferencia de las competencias a las que se refiere el artículo 114.

El período establecido en el inciso segundo del artículo 113 podrá ser adecuado por la ley orgánica constitucional señalada en los incisos cuarto y quinto del artículo 111 para que los períodos de ejercicio de gobernadores regionales y consejeros regionales coincidan. Esta modificación requerirá, para su aprobación, del voto favorable de las tres quintas partes de los diputados y senadores en ejercicio.

Una vez que asuman los gobernadores regionales electos, los presidentes de los consejos regionales cesarán de pleno derecho en sus funciones, las que serán asumidas por el respectivo gobernador regional.

Los gobernadores regionales electos, desde que asuman, tendrán las funciones y atribuciones que las leyes otorgan expresamente al intendente en tanto órgano ejecutivo del gobierno regional. Las restantes funciones y atribuciones que las leyes entregan al intendente se entenderán referidas al delegado presidencial regional que corresponda. Asimismo, las funciones y atribuciones que las leyes entregan al gobernador se entenderán atribuidas al delegado presidencial provincial.

Mientras no asuman los primeros gobernadores regionales electos, a los cargos de intendentes y gobernadores les serán aplicables las disposiciones constitucionales vigentes previas a la publicación de la presente reforma constitucional.

En la edición oficial, después del articulado de la Constitución, se registra lo que sigue: Anótese, tómese razón y publíquese.- RICARDO LAGOS ESCOBAR, Presidente de la República.- Eduardo Dockendorff Vallejos, Ministro Secretario General de la Presidencia.-Francisco Vidal Salinas, Ministro del

Interior.- Ignacio Walker Prieto, Ministro de Relaciones Exteriores.- Jaime Ravinet de la Fuente, Ministro de Defensa Nacional.- Jorge Rodríguez Grossi, Ministro de Economía, Fomento y Reconstrucción y Presidente de la Comisión Nacional de Energía.- Nicolás Eyzaguirre Guzmán, Ministro de Hacienda.- Sergio Bitar Chacra, Ministro de Educación.- Luis Bates Hidalgo, Ministro de Justicia.- Jaime Estévez Valencia, Ministro de Obras Públicas y de Transportes y Telecomunicaciones.- Jaime Campos Quiroga, Ministro de Agricultura.- Yerko Ljubetic Godoy, Ministro del Trabajo y Previsión Social.- Pedro García Aspillaga, Ministro de Salud.- Alfonso Dulanto Rencoret, Ministro de Minería.- Sonia Tschorne Berestescky, Ministra de Vivienda y Urbanismo y de Bienes Nacionales.- Osvaldo Puccio Huidobro, Ministro Secretario General de Gobierno.- Yasna Provoste Campillay, Ministra de Planificación.

Lo que transcribo a Ud. para su conocimiento.- Saluda atentamente a Ud., Rodrigo Egaña Baraona, Subsecretario General de la Presidencia.

ÍNDICE ANALÍTICO DE LA CONSTITUCIÓN POLÍTICA

Desarrollo Territorial

Descentralización

Detención

Dignidad

N

LEYES Y NORMAS
COMPLEMENTARIAS

1. Ley Nº 17.997, Orgánica Constitucional del Tribunal Constitucional

Publicada en el Diario Oficial el 19 de mayo de 1981
(Versión actualizada con la última modificación de
la Ley Nº 20.381, del 28 de octubre de 2009)

Capítulo I
DE LA ORGANIZACIÓN, COMPETENCIA Y FUNCIONAMIENTO DEL TRIBUNAL CONSTITUCIONAL

Título I
De la Organización del Tribunal Constitucional

Artículo 1º.- El Tribunal Constitucional regulado por el Capítulo VIII de la Constitución Política y por esta ley, es un órgano del Estado, autónomo e independiente de toda otra autoridad o poder.

Artículo 2º.- El plazo de duración en sus cargos de los miembros del Tribunal se contará a partir del día de su incorporación, en conformidad con lo dispuesto en el artículo 10º de la presente ley.

Los miembros del Tribunal, al término de su período, no podrán ser reelegidos, salvo aquel que habiendo sido elegido como reemplazante, haya ejercido el cargo por un período menor a cinco años y tenga menos de 75 años de edad.

El Tribunal tendrá el tratamiento de «Excelencia» y cada uno de sus miembros el de «Señor Ministro».

Artículo 3º.- El Tribunal sólo podrá ejercer su jurisdicción a requerimiento de las personas y los órganos constitucionales legitimados de conformidad con el artículo 93 de la Constitución Política de la República o de oficio, en los casos señalados en la Constitución Política de la República y en esta ley.

Reclamada su intervención en forma legal y en asuntos de su competencia, no podrá excusarse de ejercer su autoridad ni aún por falta de ley que resuelva el asunto sometido a su decisión.

Artículo 4º.- Son públicos los actos y resoluciones del Tribunal, así como sus fundamentos y los procedimientos que utilice. Sin embargo, el Tribunal, por resolución fundada acordada por los dos tercios de sus miembros, podrá decretar reservados o secretos determinados documentos o actuaciones, incluidos los documentos agregados a un proceso, con sujeción a lo prescrito en el artículo 8º, inciso segundo, de la Constitución.

Artículo 5º.- Los ministros del Tribunal deberán elegir de entre ellos un Presidente por mayoría absoluta de votos. Si ninguno de los candidatos obtiene el quórum necesario para ser elegido, se realizará una nueva votación, circunscrita a quienes hayan obtenido las dos primeras mayorías en la anterior. El Presidente durará dos años en sus funciones y no podrá ser reelegido dos veces consecutivas.

Artículo 6º.- Los Ministros del Tribunal tendrán la precedencia correspondiente a la antigüedad de su nombramiento o de su primer nombramiento, cuando proceda.

En caso que la antigüedad sea la misma se atenderá para ello al orden que determine el Tribunal, en votación especialmente convocada al efecto. Con todo, el Ministro que haya desempeñado el cargo de Presidente en el período anterior tendrá la primera precedencia en el siguiente.

El Presidente será subrogado por el Ministro que lo siga en el orden de precedencia que se halle presente y así sucesivamente.

Del mismo modo será subrogado el Presidente de cada sala.

Artículo 7º.- En caso que el Presidente del Tribunal cese en su cargo antes de cumplir su período, se procederá a elegir un reemplazante por el tiempo que falte.

Artículo 8º.- Son atribuciones del Presidente:

a) Presidir las sesiones y audiencias del Tribunal y dirigirse en su nombre a las autoridades, organismos, entidades o personas a que hubiere lugar;

b) Distribuir de modo equitativo entre las dos salas del Tribunal, las causas que a ellas les corresponda conocer, tomando en consideración la naturaleza, complejidad y cantidad de los asuntos que estén actualmente sometidos al conocimiento de las salas;

c) Formar las tablas que correspondan al pleno y a las salas de conformidad con lo previsto en el artículo 29 y designar, en los asuntos de que conozca el pleno, al Ministro que corresponda para la redacción del fallo;

d) Atender el despacho de la cuenta diaria y dictar los decretos y providencias de mera sustanciación de los asuntos que conozca el Tribunal;

e) Abrir y cerrar las sesiones del Tribunal, anticipar o prorrogar sus audiencias en caso que así lo requiera algún asunto urgente y convocarlo extraordinariamente cuando fuere necesario;

f) Declarar concluido el debate y someter a votación las materias discutidas; y

g) Dirimir los empates, para cuyo efecto su voto será decisorio, salvo en los asuntos a que se refieren los números 6° y 7° del artículo 93 de la Constitución Política, y

h) Rendir anualmente una cuenta pública del funcionamiento del Tribunal.

Artículo 8° bis.- El Ministro que, conforme a lo dispuesto en el artículo 25 B de esta ley, presida la sala que no integre el Presidente del Tribunal, tendrá respecto a las sesiones que ella celebre las atribuciones que señala el artículo 8°, en lo que corresponda.

Artículo 9°.- El Tribunal designará un secretario, que deberá ser abogado, quien, como Ministro de Fe Pública, autorizará todas las providencias y demás actuaciones del Tribunal, desempeñará las demás funciones que en tal carácter le correspondan y las que se le encomienden.

Producida la subrogación del Secretario por un Relator, de acuerdo a lo previsto en el artículo 87, el Oficial Primero más antiguo, previo juramento o promesa, podrá autorizar las providencias y demás actuaciones del Tribunal.

Artículo 10.- El Presidente y los Ministros prestarán juramento o promesa de guardar la Constitución y las leyes de la República, ante el Secretario del Tribunal.

El Secretario y el Relator prestará su juramento o promesa ante el Presidente.

Del juramento o promesa se dejará constancia en un libro especial en el que, además, se estampará el acta de la constitución del Tribunal y todo cambio que en él se produzca.

En forma previa al juramento o promesa, el Presidente y los Ministros prestarán una declaración jurada en la cual acrediten que no se encuentran afectos a ninguna causal de inhabilidad.

Artículo 11.- Las decisiones, decretos e informes que los miembros del Tribunal expidan en los asuntos de que conozcan, no les impondrán responsabilidad.

Artículo 12.- Los Ministros están eximidos de toda obligación de servicio personal que las leyes impongan a los ciudadanos chilenos.

Los Ministros no están obligados a concurrir al llamamiento judicial, sino conforme a lo dispuesto por los artículos 361 y 389 del Código de Procedimiento Civil, y 300 y 301 del Código Procesal Penal.

Artículo 12 bis.- Los ministros no podrán ejercer la profesión de abogado, incluyendo la judicatura, ni podrán celebrar o caucionar contratos con el Estado. Tampoco podrán actuar, ya sea por sí o por interpósita persona, natural o jurídica, o por medio de una sociedad de personas de la que forme parte, como mandatario en cualquier clase de juicio contra el Fisco, o como procurador o agente en gestiones particulares de carácter administrativo, en la provisión de empleos públicos, consejerías, funciones o comisiones de similar naturaleza, ni podrán ser directores de banco o de alguna sociedad anónima, o ejercer cargos de similar importancia en esas actividades.

El cargo de ministro es incompatible con los de diputado y senador, y con todo empleo o comisión retribuido con fondos del Fisco, de las municipalidades, de las entidades fiscales autónomas, semifiscales o de las empresas del Estado o en las que el Fisco tenga intervención por aportes de capital, y con toda otra función o comisión de la misma naturaleza. Se exceptúan los empleos docentes y las funciones o comisiones de igual carácter en establecimientos públicos o privados de la enseñanza superior, media y especial, hasta un máximo de doce horas semanales, fuera de las horas de audiencia. Sin embargo, no se considerarán labores docentes las que correspondan a la dirección superior de una entidad académica, respecto de las cuales regirá la incompatibilidad a que se refiere este inciso.

Asimismo, el cargo de ministro es incompatible con las funciones de directores o consejeros, aun cuando sean ad honores, en las entidades fiscales autónomas, semifiscales o en las empresas estatales, o en las que el Estado tenga participación por aporte de capital.

Artículo 13.- Sin perjuicio de lo dispuesto en el artículo 92 de la Constitución Política, los miembros del Tribunal cesan en sus cargos por las siguientes causales:

1) Renuncia aceptada por el Tribunal;

2) Expiración del plazo de su nombramiento;

3) Haber cumplido 75 años de edad;

4) Impedimento que, de conformidad con las normas constitucionales o legales pertinentes, inhabilite al miembro designado para desempeñar el cargo; y

5) Incompatibilidad sobreviniente en conformidad a lo dispuesto en el inciso segundo del artículo 92 de la Constitución Política.

Respecto de los miembros acusados se estará a lo dispuesto en el artículo 22 de la presente ley.

La cesación en el cargo por las causales señaladas en los números 4) y 5) de este artículo, requerirá el acuerdo de la mayoría de los miembros en ejercicio del Tribunal con exclusión del o de los afectados, adoptado en sesión especialmente convocada al efecto.

Artículo 14.- Si cesare en el cargo algún Ministro, el Presidente del Tribunal comunicará de inmediato este hecho al Presidente de la República, al Senado, a la Cámara de Diputados o a la Corte Suprema, según corresponda, para los efectos de su reemplazo.

Si la cesación en el cargo se produjere pendiente un asunto sometido a conocimiento del Tribunal, continuarán en ello los demás Ministros sin necesidad de nueva vista de la causa, siempre que exista quórum.

Si la cesación se produjere después de acordado el fallo y antes de su expedición, la sentencia se suscribirá por los demás miembros, dejándose constancia del hecho.

Artículo 14 bis.- Los Ministros y los suplentes de ministro del Tribunal Constitucional deberán efectuar una declaración jurada de patrimonio en los mismos términos de los artículos 60 B, 60 C y 60 D de la ley Nº 18.575, Orgánica Constitucional de Bases Generales de la Administración del Estado.

La declaración de patrimonio deberá efectuarse ante el Secretario del Tribunal, quien la mantendrá para su consulta pública.

La no presentación oportuna de la declaración de patrimonio será sancionada con multa de diez a treinta unidades tributarias mensuales. Transcurridos sesenta días desde que la declaración sea exigible, se presumirá incumplimiento del infractor.

El incumplimiento de la obligación de actualizar la declaración de patrimonio se sancionará con multa de cinco a quince unidades tributarias mensuales.

Las sanciones a que se refieren los incisos anteriores serán aplicadas por el Tribunal Constitucional.

El procedimiento se podrá iniciar de oficio por el Tribunal o por denuncia de uno de sus Ministros. La formulación de cargos dará al Ministro afectado el derecho a contestarlos en el plazo de diez días hábiles.

En caso de ser necesario, el período probatorio será de ocho días. Podrán presentarse todos los medios de prueba, los que se apreciarán en conciencia. El Tribunal deberá dictar la resolución final dentro de los diez días siguientes a aquél en que se evacuó la última diligencia.

No obstante lo señalado en los incisos anteriores, el infractor tendrá el plazo fatal de diez días, contado desde la notificación de la resolución que impone la multa, para presentar la declaración omitida o para corregirla. Si así lo hace, la multa se rebajará a la mitad.

Artículo 15.- Cada tres años, en el mes de enero que corresponda, se procederá a la designación de dos suplentes de ministro que reúnan los requisitos para ser nombrado miembro del Tribunal, quienes podrán reemplazar a los ministros e integrar el pleno o cualquiera de las salas sólo en caso que no se alcance el respectivo quórum para sesionar.

Los suplentes de ministro a que se refiere el inciso anterior serán nombrados por el Presidente de la República, con acuerdo del Senado, eligiéndolos de una nómina de siete personas que propondrá el Tribunal Constitucional, previo concurso público de antecedentes, el que deberá fundarse en condiciones objetivas, públicas, transparentes y no discriminatorias. El Tribunal formará la nómina en una misma y única votación pública, en la que cada uno de los ministros tendrá derecho a votar por cinco personas, resultando elegidos quienes obtengan las siete primeras mayorías. El Senado adoptará el acuerdo por los dos tercios de sus miembros en ejercicio, en sesión especialmente convocada al efecto, debiendo pronunciarse respecto de la propuesta como una unidad. Si el Senado no aprobare la proposición del Presidente de la República, el Tribunal Constitucional deberá presentar una nueva lista, en conformidad a las disposiciones del presente inciso, dentro de los sesenta días siguientes al rechazo, proponiendo dos nuevos nombres en sustitución de los rechazados, repitiéndose este procedimiento hasta que se aprueben los nombramientos.

Los suplentes de ministro concurrirán a integrar el pleno o las salas de acuerdo al orden de precedencia que se establezca por sorteo público. La resolución del Presidente del Tribunal que designe a un suplente de ministro para integrar el pleno o las salas deberá ser fundada y publicarse en la página web del Tribunal.

Los suplentes de ministro tendrán las mismas prohibiciones, obligaciones e inhabilidades que los ministros y regirán para ellos las mismas causales de implicancia que afectan a estos. Sin embargo, no cesarán en sus funciones al cumplir 75 años de edad ni se les aplicará la incompatibilidad con funciones docentes a que se refiere el artículo 12 bis.

Los suplentes de ministro deberán destinar a lo menos media jornada a las tareas de integración y a las demás que les encomiende el Tribunal y recibirán una remuneración mensual equivalente al cincuenta por ciento de la de un ministro.

Artículo 16.- El Tribunal funcionará en la capital de la República o en el lugar que, excepcionalmente, el mismo determine.

El Tribunal, mediante auto acordado, establecerá sus sesiones ordinarias y horarios de audiencia.

Artículo 17.- Los acuerdos del Tribunal se regirán, en lo pertinente, por las normas del párrafo 2º del Título V del Código Orgánico de Tribunales, en lo que no sean contrarias a las de esta ley y los votos se emitirán en orden inverso a la precedencia establecida en al artículo 6º. El último voto será el del Presidente.

En la situación prevista en el inciso segundo del artículo 86 del Código Orgánico de Tribunales, y para el caso de no resultar mayoría para decidir la exclusión, prevalecerá la opinión que cuente con el voto del Presidente. Si ninguna de ellas contare con dicho voto, la exclusión será resuelta por éste, mediante resolución fundada.

Artículo 18.- En ningún caso se podrá promover cuestión de jurisdicción o competencia del Tribunal.

Sólo éste, de oficio, podrá conocer y resolver su falta de jurisdicción o competencia.

Artículo 19.- Será motivo de implicancia respecto de los asuntos a que se refieren los números 1° a 16, inclusive, del artículo 93 de la Constitución Política, el hecho de haber emitido opinión con publicidad o dictamen sobre el asunto concreto actualmente sometido a conocimiento del Tribunal.

También serán motivo de implicancia respecto de los asuntos a que se refieren los números 10°, 13° y 14° del mismo artículo 93, los establecidos en los números 2 y 4 al 7, inclusive, del artículo 195 del Código Orgánico de Tribunales, en cuanto procedan.

Tan pronto llegue a conocimiento de un Ministro la existencia de una causal de implicancia que lo afecte, lo estampará en el expediente y el Tribunal, con exclusión de él, deberá resolver. Si la acepta, el Ministro implicado se obtendrá del conocimiento del asunto.

Las implicancias podrán ser promovidas por el Ministro afectado, por cualquiera de los demás Ministros, y por los órganos constitucionales interesados que se hayan hecho parte.

Los Ministros no son recusables.

Será, además, causal de implicancia la existencia actual de relaciones laborales, comerciales o societarias de un Ministro con el abogado o procurador que actúe en alguno de los procesos que se sustancian ante el Tribunal.

Lo dispuesto en este artículo se aplica, en lo pertinente, al Secretario y a los relatores del Tribunal.

Artículo 20.- Un Ministro de la Corte de Apelaciones de Santiago, según el turno que ella fije, conocerá en primera instancia de las causas civiles en los que sean parte o tengan interés los miembros del Tribunal.

Artículo 21.- Ningún miembro del Tribunal, desde el día de su designación, puede ser acusado privado de su libertad, salvo el caso de delito flagrante, si la Corte de Apelaciones de Santiago, en pleno, no declara previamente haber lugar a formación de causa. La resolución podrá apelarse ante la Corte Suprema.

En caso de ser arrestado algún miembro del Tribunal por delito flagrante, será puesto inmediatamente a disposición de la Corte de Apelaciones de Santiago con la información sumaria correspondiente. El Tribunal procederá, entonces, conforme a lo dispuesto en el inciso anterior.

Artículo 22.- Desde que se declare por resolución firme haber lugar a la formación de causa por crimen o simple delito contra un miembro del Tribunal, queda éste suspendido de su cargo y sujeto al Juez competente.

En tal caso serán aplicables las normas del artículo 15 de la presente ley.

Artículo 23.- Si la Corte declara no haber lugar a la formación de causa, por resolución ejecutoriada, el Tribunal ante quien penda el proceso sobreseerá definitivamente al miembro afectado.

Artículo 24.- Corresponden al Tribunal las facultades disciplinarias establecidas en los artículos 542, 543, 544 y 546 del Código Orgánico de Tribunales, en lo que no sean contrarias a esta ley.

Artículo 25.- Para los efectos de los delitos previstos en el párrafo 1º del Título VI del Libro Segundo del Código Penal, el Tribunal se considera Tribunal Superior de Justicia y sus integrantes miembros de dichos Tribunales.

Artículo 25 A.- El Tribunal, en sesiones especialmente convocadas al efecto, podrá dictar autos acordados sobre materias que no sean propias del dominio legal y que tengan como objetivo la buena administración y funcionamiento del Tribunal.

Título II
De la Competencia y Funcionamiento del Tribunal Constitucional

Artículo 25 B.- El Tribunal funcionará en pleno o dividido en dos salas. En el primer caso, el quórum para sesionar será de, a lo menos, ocho miembros, y en el segundo de, a lo menos, cuatro. Cada sala, en caso de necesidad, podrá integrarse con Ministros de la otra sala.

En el mes de diciembre de cada año, en una sesión pública especialmente convocada al efecto, una comisión formada por el Presidente del Tribunal y los dos Ministros más antiguos del mismo, designará a los Ministros que integrarán las dos salas del Tribunal a partir del mes de marzo siguiente. La sala que integre el Presidente del Tribunal será presidida por éste, y la otra, por el Ministro más antiguo presente que forme parte de ella.

Las sesiones ordinarias se suspenderán en el mes de febrero de cada año.

Las sesiones extraordinarias se celebrarán cuando las convoque el Presidente del Tribunal o de la sala respectiva, de propia iniciativa o a solicitud de tres o más de los miembros del Tribunal, tratándose de sesiones extraordinarias del pleno, o a solicitud de dos o más de los miembros de la sala respectiva, tratándose de sesiones extraordinarias de sala.

Cada sala representará al Tribunal en los asuntos de que conozca.

Artículo 25 C.- Corresponderá al pleno del Tribunal:

1º Ejercer el control de constitucionalidad de las leyes que interpreten algún precepto de la Constitución, de las leyes orgánicas constitucionales y de las normas de un tratado que versen sobre materias propias de estas últimas, antes de su promulgación.

2º Resolver las cuestiones sobre constitucionalidad de los autos acordados dictados por la Corte Suprema, las Cortes de Apelaciones y el Tribunal Calificador de Elecciones.

3º Resolver las cuestiones sobre constitucionalidad que se susciten durante la tramitación de los proyectos de ley o de reforma constitucional y de los tratados sometidos a la aprobación del Congreso.

4º Resolver las cuestiones que se susciten sobre la constitucionalidad de un decreto con fuerza de ley.

5º Resolver las cuestiones que se susciten sobre constitucionalidad con relación a la convocatoria a un plebiscito, sin perjuicio de las atribuciones que correspondan al Tribunal Calificador de Elecciones.

6° Resolver la inaplicabilidad de un precepto legal cuya aplicación en cualquier gestión que se siga ante un tribunal ordinario o especial, resulte contraria a la Constitución.

7° Pronunciarse sobre la admisibilidad de la cuestión de inconstitucionalidad de un precepto legal declarado inaplicable.

8° Resolver sobre la inconstitucionalidad de un precepto legal declarado inaplicable en conformidad a lo dispuesto en el numeral 6° de este artículo.

9° Resolver los reclamos en caso de que el Presidente de la República no promulgue una ley cuando deba hacerlo o promulgue un texto diverso del que constitucionalmente corresponda.

10° Resolver sobre la constitucionalidad de un decreto o resolución del Presidente de la República que la Contraloría General de la República haya representado por estimarlo inconstitucional, cuando sea requerido por el Presidente en conformidad al artículo 99 de la Constitución Política.

11° Resolver sobre la constitucionalidad de los decretos supremos, cualquiera sea el vicio invocado, incluyendo aquellos dictados en el ejercicio de la potestad reglamentaria autónoma del Presidente de la República, cuando se refieran a materias que pudieran estar reservadas a la ley por mandato del artículo 63 de la Constitución Política de la República.

12° Declarar la inconstitucionalidad de las organizaciones y de los movimientos o partidos políticos, como asimismo, la responsabilidad de las personas que hubieran tenido participación en los hechos que motivaron la declaración de inconstitucionalidad, en conformidad a lo dispuesto en los párrafos sexto, séptimo y octavo del número 15°, del artículo 19, de la Constitución Política. Sin embargo, si la persona afectada fuera el Presidente de la República o el Presidente electo, la referida declaración requerirá, además, el acuerdo del Senado adoptado por la mayoría de sus miembros en ejercicio.

13° Informar al Senado en los casos a que se refiere el artículo 53, número 7°, de la Constitución Política.

14° Resolver sobre las inhabilidades constitucionales o legales que afecten a una persona para ser designada Ministro de Estado, permanecer en dicho cargo o desempeñar simultáneamente otras funciones.

15° Determinar la admisibilidad y pronunciarse sobre las inhabilidades, incompatibilidades y causales de cesación en el cargo de los parlamentarios.

16° Calificar la inhabilidad invocada por un parlamentario en los términos del inciso final del artículo 60 de la Constitución Política de la República y pronunciarse sobre su renuncia al cargo.

17° Ejercer las demás atribuciones que le confieran la Constitución Política y la presente ley.

Artículo 25 D.- Corresponderá a las salas del Tribunal:

1° Pronunciarse sobre las admisibilidades que no sean de competencia del pleno.

2° Resolver las contiendas de competencia que se susciten entre las autoridades políticas o administrativas y los tribunales de justicia, que no correspondan al Senado.

3° Resolver la suspensión del procedimiento en que se ha originado la acción de inaplicabilidad por inconstitucionalidad.

4° Ejercer las demás atribuciones que le confieran la Constitución y la presente ley.

Capítulo II
DEL PROCEDIMIENTO DEL TRIBUNAL CONSTITUCIONAL

Título I
Normas Generales de Procedimiento

Artículo 26.- A las disposiciones de este capítulo se someterá la tramitación de las causas y asuntos que se sustancien en el Tribunal.

Artículo 27.- El procedimiento ante el Tribunal será escrito y los requerimientos que se presenten y las actuaciones que se realicen se harán en papel simple.

Artículo 28.- El Tribunal podrá disponer la acumulación de aquellos asuntos o causas con otros conexos que justifiquen la unidad de tramitación y decisión.

Artículo 29.- El Tribunal deberá resolver los asuntos sometidos a su conocimiento guardando el orden de su antigüedad, sin perjuicio de la preferencia que, por motivos justificados y mediante resolución fundada, se haya otorgado a alguno de ellos.

Cuando el Tribunal decida hacer uso de la prórroga de plazo a que se refiere el inciso quinto del artículo 93 de la Constitución Política o ampliar plazos prorrogables fijados por esta ley o por el Tribunal, deberá expresarlo en resolución fundada que se pronunciará antes del vencimiento de los plazos referidos.

Artículo 30.- El Tribunal podrá decretar las medidas que estime del caso tendientes a la más adecuada sustanciación y resolución del asunto que conozca.

Podrá requerir, asimismo, de cualquier poder, órgano público o autoridad; organización y movimiento o partido político, según corresponda, los antecedentes que estime convenientes y éstos estarán obligados a proporcionárselos oportunamente.

Artículo 30 bis.- Sin perjuicio de las normas especiales contenidas en esta ley que autorizan al Tribunal, en pleno o representado por una de sus salas, para decretar medidas cautelares, como la suspensión del procedimiento, el Tribunal podrá, por resolución fundada, a petición de parte o de oficio, decretarlas desde que sea acogido a tramitación el respectivo requerimiento, aun antes de su declaración de admisibilidad, en los casos en que dicha declaración proceda. De la misma forma, podrá dejarlas sin efecto y concederlas nuevamente, de oficio o a petición de parte, cuantas veces sea necesario, de acuerdo al mérito del proceso.

Artículo 31.- Las sentencias del Tribunal deberán cumplir, en lo pertinente, con los requisitos indicados en los números 1º a 6º, inclusive, del artículo 170 del Código de Procedimiento Civil.

Los Ministros que discrepen de la opinión mayoritaria del Tribunal deberán hacer constar en el fallo su disidencia.

Artículo 31 bis.- Las sentencias del Tribunal se publicarán íntegramente en su página web, o en otro medio electrónico análogo, sin perjuicio de las publicaciones que ordenan la Constitución y esta ley en el Diario Oficial. El envío de ambas publicaciones deberá ser simultáneo.

Las sentencias recaídas en las cuestiones de constitucionalidad promovidas en virtud de los números 2°, 4°, 7° y 16° del artículo 93 de la Constitución se publicarán en el Diario Oficial in extenso. Las restantes que deban publicarse lo serán en extracto, que contendrá a lo menos la parte resolutiva del fallo.

También se publicarán en la página web del Tribunal, al menos, las resoluciones que pongan término al proceso o hagan imposible su prosecución, el listado de causas ingresadas y fecha del ingreso, las tablas de las salas y del pleno, la designación de relator, de la sala que deba resolver sobre la admisibilidad del requerimiento y de ministro redactor y las actas de sesiones y los acuerdos del pleno.

La publicación de resoluciones en el Diario Oficial deberá practicarse dentro de los tres días siguientes a su dictación.

Artículo 32.- Contra las resoluciones del Tribunal no procederá recurso alguno. El Tribunal, de oficio o a petición de parte, podrá modificar sus resoluciones sólo si se hubiere incurrido en algún error de hecho que así lo exija.

La modificación a petición de parte deberá solicitarse dentro de siete días contados desde la notificación de la respectiva resolución. El Tribunal se pronunciará de plano sobre esta solicitud.

Artículo 32 A.- En los casos en que la cuestión que se somete al Tribunal sea promovida mediante acción pública, o por la parte en el juicio o gestión judicial en que se solicita la inaplicabilidad de un precepto legal o la inconstitucionalidad de un auto acordado, las personas naturales o jurídicas que lo promuevan deberán señalar en su primera presentación al Tribunal un domicilio conocido dentro de la provincia de Santiago. La presentación será patrocinada y suscrita por un abogado habilitado para ejercer la profesión.

Las resoluciones que se dicten en los procesos indicados en el inciso anterior se notificarán por carta certificada a la parte o a quien la represente.

Las sentencias definitivas se notificarán personalmente o, si ello no es posible, por cédula, en el domicilio que haya señalado la parte en el expediente. En ambos casos la notificación se practicará por un Ministro de Fe designado por el Tribunal.

Las comunicaciones a que se refiere esta ley, que deban hacerse a los órganos constitucionales interesados o que sean parte en el proceso, se efectuarán mediante oficio.

De dichas actuaciones o diligencias se dejará constancia en el expediente respectivo.

La fecha de las notificaciones efectuadas por carta certificada y mediante las comunicaciones a que se refiere esta ley será, para todos los efectos legales, la del tercer día siguiente a su expedición.

En el caso de la Cámara de Diputados y del Senado los oficios se dirigirán a los respectivos Presidentes, quienes estarán obligados a dar cuenta a la sala en la primera sesión que se celebre. Se entenderán oficialmente recibidos y producirán sus efectos una vez que se haya dado cuenta de los mismos. En el caso del Presidente de la República, los oficios se dirigirán por intermedio del Ministerio Secretaría General de la Presidencia y se entenderán oficialmente recibidos y producirán sus efectos una vez ingresados a la Oficina de Partes de dicho Ministerio.

Con todo, el Tribunal podrá autorizar otras formas de notificación que, en la primera comparecencia, le sean solicitadas por alguno de los órganos o personas que intervengan ante él. La forma particular de notificación que se autorice sólo será aplicable al peticionario y, en cualquier caso, deberá dejarse constancia de la actuación en el respectivo expediente el mismo día en que se realice.

Artículo 32 B.- El Tribunal oirá alegatos en la vista de la causa en los casos a que se refieren los números 2º, 6º, 8º, 9º, 10º, 11º, 14º y 15º del artículo 25 C.

En los demás casos, el Tribunal podrá disponer que se oigan alegatos.

La duración, forma y condiciones de los alegatos serán establecidas por el Tribunal, mediante auto acordado.

En los casos en que se oigan alegatos la relación será pública.

Artículo 32 C.- Son órganos y personas legitimadas aquellos que, de conformidad con el artículo 93 de la Constitución Política de la República, están habilitados para promover ante el Tribunal cada una de las cuestiones y materias de su competencia.

Son órganos constitucionales interesados aquellos que, de conformidad a esta ley, pueden intervenir en cada una de las cuestiones que se promuevan ante el Tribunal, sea en defensa del ejercicio de sus potestades, sea en defensa del orden jurídico vigente.

Son parte en los procesos seguidos ante el Tribunal el o los órganos y la o las personas que, estando constitucionalmente legitimadas, han promovido una cuestión ante él, y las demás partes de una gestión o juicio pendiente en que se ha promovido una cuestión de inaplicabilidad de un precepto legal o de inconstitucionalidad de un auto acordado. También podrán serlo los órganos constitucionales interesados que, teniendo derecho a intervenir en una cuestión, expresen su voluntad de ser tenidos como parte dentro del mismo plazo que se les confiera para formular observaciones y presentar antecedentes.

Artículo 33.- Serán aplicables, además, en cuanto corresponda, las normas contenidas en los Títulos II, V y VII del Libro Primero del Código de Procedimiento Civil, en lo que no sean contrarias a esta ley.

Con todo, los plazos de días establecidos en esta ley serán de días corridos y no se suspenderán durante los feriados. En ningún caso el vencimiento de un plazo fijado para una actuación o resolución del Tribunal, le impedirá decretarla o dictarla con posterioridad.

En los casos en que la presente ley fija plazos al Tribunal para admitir a tramitación un asunto, pronunciarse sobre la admisibilidad del mismo y dictar sentencia, los mismos se contarán desde que se dé cuenta de éste en la sala o el pleno, según corresponda, o desde que la causa quede en estado de dictarse sentencia, en su caso.

Artículo 33 A.- Mientras no sea declarada su admisibilidad, las cuestiones promovidas ante el Tribunal por los órganos o personas legitimados podrán ser retiradas por quien las haya promovido y se tendrán como no presentadas.

El retiro de las firmas por parte de parlamentarios que hayan promovido una cuestión ante el Tribunal producirá el efecto previsto en el inciso anterior, siempre que se efectúe antes de que se dé cuenta de ella al pleno o a la sala, según corresponda, y que, por el número de firmas retiradas, el requerimiento deje de cumplir con el quórum requerido por la Constitución Política de la República.

Declarada su admisibilidad, dichos órganos y personas podrán expresar al Tribunal su voluntad de desistirse. En tal caso, se dará traslado del desistimiento a las partes y se comunicará a los órganos constitucionales interesados, confiriéndoles un plazo de cinco días para que formulen las observaciones que estimen pertinentes.

El desistimiento será resuelto y producirá los efectos previstos en las normas pertinentes del Título XV del Libro Primero del Código de Procedimiento Civil, en lo que sea aplicable.

Artículo 33 B.- El abandono del procedimiento sólo procederá en las cuestiones de inaplicabilidad a que se refiere el número 6° del artículo 93 de la Constitución Política de la República que hayan sido promovidas por una de las partes en el juicio o gestión pendiente en que el precepto impugnado habrá de aplicarse.

El procedimiento se entenderá abandonado cuando todas las partes del proceso hayan cesado en su prosecución durante tres meses, contados desde la fecha de la última resolución recaída en alguna gestión útil para darle curso progresivo.

El abandono no podrá hacerse valer por la parte que haya promovido la cuestión de inconstitucionalidad. Si renovado el procedimiento, las demás partes realizan cualquier gestión que no tenga por objeto alegar su abandono, se considerará que renuncian a este derecho.

Una vez alegado el abandono, el Tribunal dará traslado a las demás partes y lo comunicará a los órganos constitucionales interesados, confiriéndoles un plazo de cinco días para formular las observaciones que estimen pertinentes.

El abandono del procedimiento declarado por el Tribunal producirá los efectos previstos en el Título XVI del Libro Primero del Código de Procedimiento Civil.

TÍTULO II
Normas Especiales de Procedimiento

Párrafo 1
Control Obligatorio de Constitucionalidad

Artículo 34.- En el caso del número 1° del artículo 93 de la Constitución, corresponderá al Presidente de la Cámara de origen enviar al Tribunal los proyectos de las leyes que interpreten algún precepto de la Constitución, de las leyes orgánicas constitucionales y de los tratados que contengan normas sobre materias propias de estas últimas.

El plazo de cinco días a que se refiere el inciso segundo del artículo 93 de la Constitución, se contará desde que quede totalmente tramitado por el Congreso el proyecto o el tratado respectivo, lo que certificará el Secretario de la Cámara de origen.

Si durante la discusión del proyecto o del tratado se hubiere suscitado cuestión de constitucionalidad de uno o más de sus preceptos, deberán enviarse al Tribunal, además, la actas de las sesiones, de sala o comisión, o el oficio del Presidente de la República, en su caso, donde conste la cuestión de constitucionalidad debatida o representada.

Artículo 35.- Una vez recibida la comunicación por el Tribunal, el Presidente ordenará traer los autos en relación y el asunto quedará en estado de tabla.

Oída la relación, el Tribunal resolverá sobre la constitucionalidad del proyecto o de las normas respectivas del tratado, dentro del plazo de treinta días, prorrogable hasta por otros quince, en casos calificados y por resolución fundada.

Resuelto por el Tribunal que el proyecto respectivo es constitucional, y no habiéndose producido en la etapa de discusión de dicho proyecto la situación prevista en el inciso final del artículo anterior, el Tribunal así lo declarará y su Presidente lo comunicará a la Cámara de origen.

En todo caso la resolución deberá ser fundada si se tratare de una ley interpretativa de la Constitución.

Si el Tribunal encontrare que el proyecto es constitucional y se hubiere producido la situación prevista en el inciso final del artículo anterior, el Tribunal deberá declarar la constitucionalidad del proyecto fundándola respecto de los preceptos que, durante su tramitación, hubieren sido cuestionados.

Si el Tribunal resolviere que uno o más preceptos del proyecto son inconstitucionales deberá declararlo así mediante resolución fundada, cuyo texto íntegro se remitirá a la Cámara de origen.

Si el Tribunal resuelve que uno o más preceptos de un tratado son inconstitucionales, deberá declararlo así por resolución fundada cuyo texto íntegro se remitirá a la Cámara de origen. La inconstitucionalidad total impedirá que el Presidente de la República ratifique y promulgue el tratado. La inconstitucionalidad parcial facultará al Presidente de la República para decidir si el tratado se ratifica y promulga sin las normas objetadas, en caso de ser ello procedente conforme a las normas del propio tratado y a las normas generales del derecho internacional.

Artículo 36.- Ejercido el control de constitucionalidad por el Tribunal, la Cámara de origen enviará el proyecto al Presidente de la República para su promulgación, con exclusión de aquellos preceptos que hubieren sido declarados inconstitucionales por el Tribunal.

En el caso de un tratado internacional respecto del cual se ha declarado su inconstitucionalidad parcial, se comunicará el acuerdo aprobado por el Congreso Nacional, con el quórum correspondiente, y las normas cuya inconstitucionalidad se haya dispuesto, para que el Presidente de la República decida si hará uso de la facultad señalada en el inciso final del artículo anterior.

Artículo 37.- Habiéndose pronunciado el Tribunal sobre la constitu-cionalidad de las normas de un tratado o de un proyecto ley orgánica constitucional o de ley que interprete algún precepto de la Constitución Política, en los términos señalados en los artículos anteriores, no se ad-mitirá a tramitación en el Tribunal ningún requerimiento para resolver cuestiones sobre constitucionalidad de dichos proyectos o de uno o más de sus preceptos.

Resuelto por el Tribunal que un precepto legal es constitucional, no podrá declararse inaplicable por el mismo vicio materia del proceso y de la sentencia respectiva.

PÁRRAFO 2°
CUESTIONES DE CONSTITUCIONALIDAD SOBRE AUTOS ACORDADOS.

Artículo 37 A.- En el caso del número 2° del artículo 93 de la Consti-tución Política de la República, son órganos legitimados el Presidente de la República, cualquiera de las Cámaras o diez de sus miembros en ejercicio; y personas legitimadas las que sean parte en una gestión o juicio pendiente ante un tribunal ordinario o especial, o desde la primera actuación en un procedimiento penal, que sean afectadas en el ejercicio de sus derechos fundamentales por lo dispuesto en un auto acordado.

El requerimiento deberá formularse en la forma señalada en el inciso primero del artículo 39 y a él se acompañará el respectivo auto acordado, con indicación concreta de la parte impugnada y de la impugnación. Si lo interpone una persona legitimada deberá, además, mencionar con preci-sión la manera en que lo dispuesto en el auto acordado afecta el ejercicio de sus derechos fundamentales.

La interposición del requerimiento no suspenderá la aplicación del auto acordado impugnado.

Artículo 37 B.- Presentado el requerimiento, la sala que corresponda examinará si cumple con los requisitos señalados en el artículo anterior y, en caso de no cumplirlos, no será acogido a tramitación y se tendrá por no presentado, para todos los efectos legales. La resolución que no acoja a tramitación el requerimiento será fundada y deberá dictarse dentro del plazo de tres días, contado desde la presentación del mismo.

No obstante, tratándose de defectos de forma o de la omisión de antecedentes que debían acompañarse, el Tribunal, en la misma resolución a que se refiere el inciso anterior, otorgará a los interesados un plazo de tres días para que subsanen aquéllos o completen éstos. Si así no lo hacen, el requerimiento se tendrá por no presentado, para todos los efectos legales.

Artículo 37 C.- Dentro del plazo de cinco días, contado desde que el requerimiento sea acogido a tramitación, el Tribunal se pronunciará sobre la admisibilidad o inadmisibilidad del mismo. Si el requirente pide alegar acerca de la admisibilidad, y en virtud de lo dispuesto en el artículo 32 B el Tribunal acoge la solicitud, dará traslado de esta cuestión, por tres días, al tribunal que haya dictado el auto acordado impugnado y a los órganos y las personas legitimados.

Procederá declarar la inadmisibilidad de la cuestión de inconstitucionalidad, en los siguientes casos:

1º Cuando el requerimiento no es formulado por una persona u órgano legitimado;

2º Cuando se promueva respecto de un auto acordado o de una de sus disposiciones, que hayan sido declarados constitucionales en una sentencia previa dictada de conformidad a este Párrafo y se invoque el mismo vicio materia de dicha sentencia;

3º Cuando no exista gestión, juicio o proceso penal pendiente, en los casos en que sea promovida por una parte o persona constitucionalmente legitimada, y

4º Cuando no se indique la manera en que el auto acordado afecta el ejercicio de los derechos constitucionales del requirente, en los casos en que sea promovida por una parte o persona constitucionalmente legitimada.

Declarada la inadmisibilidad por resolución fundada, ésta será notificada a quien haya recurrido y el requerimiento se tendrá por no presentado, para todos los efectos legales.

Artículo 37 D.- Declarada la admisibilidad del requerimiento, se comunicará a la Corte Suprema, a la Corte de Apelaciones o al Tribunal Calificador de Elecciones que haya dictado el auto acordado impugnado y, cuando corresponda, se comunicará al tribunal de la gestión o juicio pendiente y se notificará a las partes de éste, enviándoles copia del requerimiento, para que, en el plazo de diez días, hagan llegar al Tribunal las observaciones y los antecedentes que estimen pertinentes.

Declarada la admisibilidad, la resolución se notificará a quien haya requerido.

La resolución que declare la admisibilidad o inadmisibilidad del requerimiento no será susceptible de recurso alguno.

Artículo 37 E.- Una vez evacuadas las diligencias anteriores, o vencidos los plazos para ello, el Tribunal procederá conforme a lo dispuesto en el artículo 43. El plazo para dictar sentencia será de treinta días, contado desde que concluya la tramitación de la causa, término que podrá ser prorrogado hasta por otros quince días, por resolución fundada del Tribunal.

Artículo 37 F.- Excepcionalmente y por razones fundadas, el Tribunal podrá declarar la inconstitucionalidad de las normas cuestionadas basado únicamente en fundamentos constitucionales distintos a aquellos que han sido invocados por las partes en la litis. En este caso, deberá advertirles acerca del uso de ese posible precepto constitucional no invocado y permitirles así referirse a ello. Dicha advertencia podrá efectuarse en cualquier etapa del juicio, incluyendo la audiencia de la vista de la causa, cuando proceda, y también como medida para mejor resolver.

Artículo 37 G.- La sentencia que declare la inconstitucionalidad de todo o parte de un auto acordado, deberá publicarse en el Diario Oficial dentro de los tres días siguientes a su dictación. Desde dicha publicación, el auto acordado, o la parte de él que hubiere sido declarada inconstitucional, se entenderá derogado, lo que no producirá efecto retroactivo.

Artículo 37 H.- Habiéndose pronunciado el Tribunal sobre la constitucionalidad de un auto acordado, no se admitirá a tramitación ningún requerimiento para resolver sobre cuestiones de constitucionalidad del mismo, a menos que se invoque un vicio distinto del hecho valer con anterioridad.

Artículo 37 I.- En el caso del requerimiento deducido por una parte en un juicio o gestión pendiente ante un tribunal ordinario o especial, el Tribunal impondrá las costas a la persona natural o jurídica que haya solicitado su intervención, si el requerimiento es rechazado en la sentencia final. Con todo, el Tribunal podrá eximirla de ellas cuando el requirente haya tenido motivo plausible para deducir su acción, sobre lo cual hará declaración expresa en su resolución.

Para los efectos de las costas, se aplicará lo dispuesto en el artículo 47 Y de esta ley.

PÁRRAFO 3

CUESTIONES DE CONSTITUCIONALIDAD SOBRE PROYECTOS DE LEY, DE REFORMA
CONSTITUCIONAL Y TRATADOS EN TRAMITACIÓN LEGISLATIVA

Artículo 38.- En el caso del número 3º del artículo 93 de la Constitución Política de la República, son órganos legitimados el Presidente de la República, cualquiera de las Cámaras, o una cuarta parte de sus miembros en ejercicio.

El requerimiento del Presidente de la República deberá llevar, también, la firma del Ministro de Estado correspondiente.

Cuando el requirente fuera alguna de las Cámaras, la comunicación deberá ser firmada por el respectivo Presidente y autorizada por el Secretario.

Si el requerimiento emanare de una cuarta parte de los miembros en ejercicio de una de las Cámaras, podrá formularse por conducto del Secretario de la respectiva Corporación o directamente ante el Tribunal. En uno y otro caso, deberán firmar los parlamentarios ocurrentes y autorizarse su firma por el Secretario señalado o por el del Tribunal Constitucional. Siempre deberá acreditarse que los firmantes constituyen a lo menos el número de parlamentarios exigidos por la Constitución.

En el respectivo requerimiento deberá designarse a uno de los parlamentarios firmantes como representante de los requirentes en la tramitación de su reclamación

Artículo 38 bis.- Para los efectos de la oportunidad en que debe formularse el requerimiento, la promulgación se entenderá efectuada por el Presidente de la República cuando ingrese a la oficina de partes de la Contraloría General de la República el respectivo decreto promulgatorio.

En ningún caso se podrán admitir a tramitación requerimientos formulados con posterioridad a ese instante. Tampoco podrán admitirse requerimientos contra tratados si estos se presentan después del quinto día siguiente a la remisión de la comunicación que informa la aprobación del tratado por el Congreso Nacional.

Artículo 39.- El requerimiento deberá contener una exposición clara de los hechos y fundamentos de derecho que le sirven de apoyo. Se señalará en forma precisa la cuestión de constitucionalidad y, en su caso, el vicio o vicios de inconstitucionalidad que se aducen, con indicación de las normas que se estiman transgredidas.

Al requerimiento deberán acompañarse, en su caso, copias íntegras de las actas de sesiones de sala o comisión en las que se hubiere tratado el problema y de los instrumentos, escritos y demás antecedentes invocados.

En todo caso se acompañará el proyecto de ley, de reforma constitucional o tratado, con indicación precisa de la parte impugnada.

Artículo 40.- Recibido el requerimiento por el Tribunal, se comunicará al Presidente de la República la existencia de la reclamación para que se abstenga de promulgar la parte impugnada del respectivo proyecto, salvas las excepciones señaladas en el inciso sexto del artículo 93 de la Constitución Política.

Artículo 41.- Si el requerimiento no cumple con las exigencias establecidas en el artículo 39, no será acogido a tramitación y se tendrá por no presentado, para todos los efectos legales. La resolución que no lo acoja a tramitación deberá ser fundada, se dictará en el plazo de dos días, contado desde que se dé cuenta, y se notificará a quien lo haya formulado.

No obstante, tratándose de defectos de forma o de la omisión de antecedentes que debían acompañarse, el Tribunal, en la misma resolución a que se refiere el inciso anterior, otorgará a los interesados un plazo de tres días para que subsanen aquéllos o completen éstos. Si así no lo hacen, el requerimiento se tendrá por no presentado para todos los efectos legales.

Si así no lo hicieren, el requerimiento se tendrá por no presentado para todos los efectos legales. Si transcurrido el plazo señalado en el inciso anterior no se hubieren subsanado los defectos del requerimiento o no se hubieren completado los antecedentes, el Tribunal comunicará este hecho al Presidente de la República para que proceda a la promulgación de la parte del proyecto que fue materia de la impugnación.

Artículo 41 bis.- Dentro del plazo de cinco días, contado desde que el requerimiento sea acogido a tramitación, el Tribunal se pronunciará sobre la admisibilidad del mismo. Si el requirente pide alegar acerca de la admisibilidad, y en virtud de lo dispuesto en el artículo 32 B el Tribunal así lo dispone, dará traslado de esta cuestión, por dos días, a los órganos legitimados.

Procederá declarar la inadmisibilidad en los siguientes casos:

1º Cuando el requerimiento no es formulado por un órgano legitimado.

2º Cuando la cuestión se promueva con posterioridad a las oportunidades indicadas en el artículo 38 bis.

Declarada la inadmisibilidad por resolución que deberá ser fundada, ésta será notificada a quien haya recurrido y el requerimiento se tendrá por no presentado, para todos los efectos legales.

La resolución que declare la admisibilidad o inadmisibilidad del requerimiento no será susceptible de recurso alguno.

Artículo 42.- El requerimiento se entenderá recibido desde que sea declarado admisible y desde esa fecha comenzará a regir el plazo de diez días para resolverlo, sin perjuicio de la prórroga establecida en el inciso quinto del artículo 93 de la Constitución Política de la República.

Declarado admisible, deberá ponerse en conocimiento de los órganos constitucionales interesados, enviándoles copia de él, quienes dispondrán de cinco días, contados desde la fecha de la comunicación, para hacer llegar al Tribunal las observaciones y los antecedentes que estimen necesarios. Transcurrido dicho plazo, el Tribunal procederá con la respuesta o sin ella. Para este solo efecto, la comunicación se entenderá recibida al momento de su ingreso en las oficinas de partes de la Cámara de Diputados, el Senado y el Ministerio Secretaría General de la Presidencia.

Artículo 43.- Una vez evacuados los trámites o diligencias anteriores, el Presidente ordenará traer los autos en relación y el asunto quedará en estado de tabla.

Oída la relación y producido el acuerdo, se designará Ministro redactor.

Artículo 44.- Excepcionalmente y por razones fundadas, el Tribunal podrá declarar la inconstitucionalidad de las normas cuestionadas basado únicamente en fundamentos constitucionales distintos a aquellos que han sido invocados por las partes en la litis. En este caso, deberá advertirles acerca del uso de ese posible precepto constitucional no invocado y permitirles así referirse a ello. Dicha advertencia podrá efectuarse en cualquier etapa del juicio, incluyendo la audiencia de la vista de la causa, cuando proceda, y también como medida para mejor resolver.

Artículo 45.- Las sentencias se comunicarán al requirente y, en su caso, al Presidente de la República, al Senado, a la Cámara de Diputados y a la Contraloría General de la República, para los fines a que hubiere lugar.

Artículo 45 bis.- Declarado por el Tribunal que un precepto legal impugnado de conformidad a este Párrafo es constitucional, no podrá ser declarado posteriormente inaplicable por el mismo vicio materia del proceso y de la sentencia respectiva.

PÁRRAFO 4

CUESTIONES DE CONSTITUCIONALIDAD SOBRE DECRETOS CON FUERZA DE LEY

Artículo 46.- En el caso del número 4º del artículo 93 de la Constitución Política de la República, son órganos legitimados el Presidente de la República, cualquiera de las Cámaras, o una cuarta parte de sus miembros en ejercicio.

La substanciación de las cuestiones de constitucionalidad sobre decretos con fuerza de ley se regirá por las normas de los artículos siguientes y, en lo que sea pertinente, por las disposiciones del Párrafo 3.

Artículo 46 A.- Para ser acogido a tramitación, el requerimiento deberá cumplir con las exigencias señaladas en el artículo 39 y a él deberá acompañarse el decreto con fuerza de ley impugnado o su respectiva publicación en el Diario Oficial. En caso de ser promovido por el Presidente de la República, deberá adjuntarse el oficio en que conste la representación del Contralor General de la República.

Cuando el requerimiento provenga del Presidente de la República, el plazo a que se refiere el inciso séptimo del artículo 93 de la Constitución se contará desde que se reciba en el Ministerio de origen el oficio de representación del Contralor General de la República.

Si el requerimiento no cumple con las exigencias establecidas en el artículo 39, no será acogido a tramitación y se tendrá por no presentado, para todos los efectos legales. La resolución se dictará en el plazo de tres días, contado desde que se dé cuenta, y se notificará a quien lo haya formulado. En caso que no lo acoja a tramitación deberá ser fundada.

No obstante, tratándose de defectos de forma o de la omisión de antecedentes que debían acompañarse, el Tribunal, en la misma resolución a que se refiere el inciso anterior, otorgará a los interesados un plazo de tres días para que subsanen aquéllos o completen éstos. Si así no lo hacen, el requerimiento se tendrá por no presentado, para todos los efectos legales.

Artículo 46 B.- Dentro del plazo de cinco días, contado desde que el requerimiento sea acogido a tramitación, el Tribunal se pronunciará sobre la admisibilidad del mismo, conforme a las reglas del Párrafo 3. Si el requirente pide alegar acerca de la admisibilidad, y en virtud de lo dispuesto en el artículo 32 B el Tribunal así lo dispone, dará traslado de esta cuestión, por cinco días, a los órganos legitimados.

Procederá declarar la inadmisibilidad en los siguientes casos:

1º Cuando el requerimiento no es formulado por un órgano legitimado.

2º Cuando la cuestión sea promovida extemporáneamente.

3º Cuando la cuestión promovida por una de las Cámaras o una cuarta parte de sus miembros en ejercicio se funde en alegaciones de legalidad.

Artículo 46 C.- Declarada admisible la cuestión, se comunicará a los órganos constitucionales interesados para que, dentro del plazo de diez días, formulen las observaciones y presenten los antecedentes que estimen pertinentes.

El plazo para dictar sentencia será de treinta días, contado desde la declaración de admisibilidad, término que podrá ser prorrogado hasta por otros quince días, por resolución fundada del Tribunal.

Artículo 46 D.- La sentencia que acoja la cuestión promovida por el Presidente de la República será comunicada al Contralor General para que proceda, de inmediato, a tomar razón del decreto con fuerza de ley respectivo.

La sentencia que acoja una cuestión respecto de todo o parte de un decreto con fuerza de ley del cual la Contraloría General haya tomado razón, será publicada en la forma y plazo que señala el artículo 31 bis. A partir de la fecha de publicación, la norma respectiva se entenderá derogada, sin efecto retroactivo.

PÁRRAFO 5
CUESTIONES DE CONSTITUCIONALIDAD SOBRE CONVOCATORIAS A PLEBISCITO

Artículo 47.- En el caso del número 5º del artículo 93 de la Constitución Política de la República, son órganos legitimados la Cámara de Diputados y el Senado.

La cuestión deberá promoverse dentro del plazo de diez días, contado desde la publicación del decreto que fije el día de la consulta plebiscitaria.

La substanciación de las cuestiones de constitucionalidad sobre convocatorias a plebiscito se regirá por las normas del artículo siguiente y, en lo que sea pertinente, por las del Párrafo 4.

Artículo 47 bis.- Para ser acogido a tramitación, el requerimiento deberá cumplir con las exigencias señaladas en el inciso primero del artículo 39 y en el inciso segundo de este artículo, y deberá acompañarse a él la publicación en el Diario Oficial del decreto que fija el día de la consulta plebiscitaria.

El requerimiento deberá indicar, además, si la cuestión se refiere a la procedencia de la consulta plebiscitaria, a su oportunidad o a los términos de la misma, precisando los aspectos específicos de la impugnación y su fundamento.

Procederá declarar la inadmisibilidad de la cuestión si no es formulada por un órgano legitimado, si es promovida extemporáneamente o se refiere a materias de la competencia del Tribunal Calificador de Elecciones.

Si la sentencia resolviere que el plebiscito es procedente, deberá fijar en la misma resolución el texto definitivo de la consulta plebiscitaria, manteniendo la forma dispuesta en el decreto de convocatoria o modificándola, en su caso.

La sentencia deberá publicarse en la forma y plazo establecidos en el artículo 31 bis.

PÁRRAFO 6
CUESTIONES DE INAPLICABILIDAD

Artículo 47 A.- En el caso del número 6° del artículo 93 de la Constitución Política, es órgano legitimado el juez que conoce de una gestión pendiente en que deba aplicarse el precepto legal impugnado, y son personas legitimadas las partes en dicha gestión.

Si la cuestión es promovida por una parte ejerciendo la acción de inaplicabilidad, se deberá acompañar un certificado expedido por el tribunal que conoce de la gestión judicial, en que conste la existencia de ésta, el estado en que se encuentra, la calidad de parte del requirente y el nombre y domicilio de las partes y de sus apoderados.

Si la cuestión es promovida por el tribunal que conoce de la gestión pendiente, el requerimiento deberá formularse por oficio y acompañarse de una copia de las piezas principales del respectivo expediente, indicando el nombre y domicilio de las partes y de sus apoderados.

El tribunal deberá dejar constancia en el expediente de haber recurrido ante el Tribunal Constitucional y notificará de ello a las partes del proceso.

Artículo 47 B.- El requerimiento de inaplicabilidad, sea promovido por el juez que conoce de la gestión pendiente o por una de las partes, deberá contener una exposición clara de los hechos y fundamentos en que se apoya y de cómo ellos producen como resultado la infracción constitucional. Deberá indicar, asimismo, el o los vicios de inconstitucionalidad que se aducen, con indicación precisa de las normas constitucionales que se estiman transgredidas.

Artículo 47 C.- El requerimiento podrá interponerse respecto de cualquier gestión judicial en tramitación, y en cualquier oportunidad procesal en que se advierta que la aplicación de un precepto legal que pueda ser decisivo en la resolución del asunto resulta contraria a la Constitución.

Artículo 47 D.- Para ser acogido a tramitación, el requerimiento deberá cumplir con las exigencias señaladas en los artículos 47 A y 47 B. En caso contrario, por resolución fundada que se dictará en el plazo de tres días, contado desde que se dé cuenta del mismo, no será acogido a tramitación y se tendrá por no presentado, para todos los efectos legales.

No obstante, tratándose de defectos de forma o de la omisión de antecedentes que debían acompañarse, el Tribunal, en la misma resolución a que se refiere el inciso anterior, otorgará a los interesados un plazo de tres días para que subsanen aquéllos o completen éstos. Si así no lo hacen, el requerimiento se tendrá por no presentado, para todos los efectos legales.

Acogido a tramitación, el Tribunal Constitucional lo comunicará al tribunal de la gestión o juicio pendiente, para que conste en el expediente. Si el requirente pide alegar acerca de la admisibilidad, y en virtud de lo dispuesto en el artículo 32 B el Tribunal acoge la solicitud, dará traslado de esta cuestión a las partes, por cinco días.

Tratándose de requerimientos formulados directamente por las partes, en la misma oportunidad señalada en el inciso anterior el Tribunal requerirá al juez que esté conociendo de la gestión judicial en que se promueve la cuestión, el envío de copia de las piezas principales del respectivo expediente.

Artículo 47 E.- Dentro del plazo de cinco días, contado desde que se acoja el requerimiento a tramitación o desde que concluya la vista del incidente, en su caso, la sala que corresponda examinará la admisibilidad de la cuestión de inaplicabilidad.

Artículo 47 F.- Procederá declarar la inadmisibilidad en los siguientes casos:

1° Cuando el requerimiento no es formulado por una persona u órgano legitimado;

2° Cuando la cuestión se promueva respecto de un precepto legal que haya sido declarado conforme a la Constitución por el Tribunal, sea ejerciendo el control preventivo o conociendo de un requerimiento, y se invoque el mismo vicio que fue materia de la sentencia respectiva;

3° Cuando no exista gestión judicial pendiente en tramitación, o se haya puesto término a ella por sentencia ejecutoriada;

4° Cuando se promueva respecto de un precepto que no tenga rango legal;

5° Cuando de los antecedentes de la gestión pendiente en que se promueve la cuestión, aparezca que el precepto legal impugnado no ha de tener aplicación o ella no resultará decisiva en la resolución del asunto, y

6° Cuando carezca de fundamento plausible.

Declarada la inadmisibilidad por resolución que deberá ser fundada, ésta será notificada a quien haya recurrido, al juez que conozca de la gestión judicial pendiente y a las demás partes que intervengan en ella, y el requerimiento se tendrá por no presentado, para todos los efectos legales.

La resolución que declare la admisibilidad o inadmisibilidad del requerimiento no será susceptible de recurso alguno.

Artículo 47 G.- La suspensión del procedimiento en que se ha promovido la cuestión de inaplicabilidad deberá pedirse en el requerimiento o con posterioridad, ante la misma sala que resolvió su admisibilidad. Una vez decretada, se mantendrá hasta que el Tribunal dicte la sentencia y la comunique al juez ordinario o especial que conoce de la gestión pendiente. Pero la sala respectiva, por resolución fundada, podrá dejarla sin efecto en cualquier estado del proceso.

El rechazo de la solicitud a que alude el inciso precedente no obstará a que en el curso de la tramitación del requerimiento la petición pueda ser reiterada, debiendo cada solicitud ser resuelta por la misma sala que conoció de la admisibilidad, la que también será competente para decretar de oficio la suspensión del procedimiento, siempre que haya motivo fundado.

Artículo 47 H.- Declarado admisible el requerimiento, el Tribunal lo comunicará o notificará al tribunal de la gestión pendiente o a las partes de ésta, según corresponda, confiriéndoles un plazo de veinte días para formular sus observaciones y presentar antecedentes.

En la misma oportunidad, el Tribunal pondrá el requerimiento en conocimiento de la Cámara de Diputados, del Senado y del Presidente de la República, en la forma señalada en el artículo 32 A, enviándoles copia de aquél. Los órganos mencionados, si lo estiman pertinente, podrán formular observaciones y presentar antecedentes, dentro del plazo de veinte días.

Artículo 47 I.- Una vez evacuadas las diligencias anteriores, o vencidos los plazos legales para ello, el Tribunal procederá conforme al artículo 43, debiendo el Presidente incluir el asunto en la tabla del pleno, para su decisión.

Terminada la tramitación, el Tribunal dictará sentencia dentro del plazo de treinta días, término que podrá prorrogar hasta por otros quince, en casos calificados y por resolución fundada.

Artículo 47 J.- Excepcionalmente y por razones fundadas, el Tribunal podrá declarar la inconstitucionalidad de las normas cuestionadas basado únicamente en fundamentos constitucionales distintos a aquellos que han sido invocados por las partes en la litis. En este caso, deberá advertirles acerca del uso de ese posible precepto constitucional no invocado y permitirles así referirse a ello. Dicha advertencia podrá efectuarse en cualquier etapa del juicio, incluyendo la audiencia de la vista de la causa, cuando proceda, y también como medida para mejor resolver.

Artículo 47 K.- La sentencia que declare la inaplicabilidad del precepto legal impugnado deberá especificar de qué modo su aplicación en la gestión pendiente de que se trata resulta contraria a la Constitución.

Artículo 47 L.- Resuelta la cuestión de inaplicabilidad por el Tribunal Constitucional, no podrá ser intentada nuevamente, por el mismo vicio, en las sucesivas instancias o grados de la gestión en que se hubiere promovido.

Artículo 47 M.- La sentencia que se pronuncie sobre la cuestión de inaplicabilidad deberá notificarse a la o las partes que formularon el requerimiento y comunicarse al juez o a la sala del tribunal que conoce del asunto, haya o no requerido, y a los órganos señalados en el artículo 47 H. Deberá, además, publicarse en la forma y plazo establecidos en el artículo 31 bis.

Artículo 47 N.- La sentencia que declare la inaplicabilidad sólo producirá efectos en el juicio en que se solicite.
En caso de que la inaplicabilidad haya sido deducida por una parte del juicio o gestión, si el requerimiento es rechazado en la sentencia final, el Tribunal impondrá las costas a la persona natural o jurídica que haya

requerido su intervención. Con todo, podrá eximirla de ellas cuando el requirente haya tenido motivos plausibles para deducir su acción, sobre lo cual hará declaración expresa en su resolución.

Respecto de las costas, se aplicará lo dispuesto en el artículo 47 Y de esta ley.

Párrafo 7
Cuestiones de inconstitucionalidad de un precepto legal declarado inaplicable

Artículo 47 Ñ.- En el caso del número 7° del artículo 93 de la Constitución Política de la República, la cuestión de inconstitucionalidad podrá ser promovida por el Tribunal Constitucional actuando de oficio y por las personas legitimadas a que se refiere el inciso duodécimo del mismo artículo.

Esta cuestión no podrá promoverse respecto de un tratado ni de una o más de sus disposiciones.

Artículo 47 O.- En los casos en que el Tribunal proceda de oficio, así lo declarará en una resolución preliminar fundada, que individualizará la sentencia de inaplicabilidad que le sirve de sustento y las disposiciones constitucionales transgredidas.

Artículo 47 P.- Si la cuestión de inconstitucionalidad es promovida mediante acción pública, la o las personas naturales o jurídicas que la ejerzan deberán fundar razonablemente la petición, indicando precisamente la sentencia de inaplicabilidad previa en que se sustenta y los argumentos constitucionales que le sirven de apoyo.

El requerimiento al que falte alguno de los requisitos señalados en el inciso anterior no será acogido a tramitación y se tendrá por no presentado, para todos los efectos legales. Esta resolución, que será fundada, deberá dictarse dentro del plazo de tres días, desde que se dé cuenta del requerimiento en el Pleno.

No obstante, tratándose de defectos de forma o de la omisión de antecedentes que debían acompañarse, el Tribunal, en la misma resolución a que se refiere el inciso anterior, otorgará a los interesados un plazo de tres días para que subsanen aquéllos o completen éstos. Si así no lo hacen, el requerimiento se tendrá por no presentado, para todos los efectos legales.

Artículo 47 Q.- Dentro del plazo de diez días, contado desde que se acoja el requerimiento a tramitación o desde que concluya la vista del incidente, en su caso, el Tribunal se pronunciará sobre su admisibilidad. Si el requirente pide alegar acerca de la admisibilidad, y en virtud de lo dispuesto en el artículo 32 B el Tribunal así lo dispone, dará traslado a quienes aparezcan como partes en la cuestión de inconstitucionalidad, por diez días.

Artículo 47 R.- Procederá declarar la inadmisibilidad de la cuestión de inconstitucionalidad promovida mediante acción pública, en los siguientes casos:

1º Cuando no exista sentencia previa que haya declarado la inaplicabilidad del precepto legal impugnado, y

2º Cuando la cuestión se funde en un vicio de inconstitucionalidad distinto del que motivó la declaración de inaplicabilidad del precepto impugnado.

Declarada la inadmisibilidad por resolución que deberá ser fundada, se notificará a quien haya recurrido, se comunicará a la Cámara de Diputados, al Senado y al Presidente de la República, y el requerimiento se tendrá por no presentado, para todos los efectos legales.

La resolución que declare la admisibilidad o inadmisibilidad de la cuestión no será susceptible de recurso alguno.

Artículo 47 S.- Declarada la admisibilidad, el Tribunal deberá poner la resolución respectiva y el requerimiento en conocimiento de los órganos individualizados en el artículo anterior, los cuales podrán formular las observaciones y acompañar los antecedentes que estimen pertinentes, dentro del plazo de veinte días.

Artículo 47 T.- Una vez evacuadas las diligencias anteriores, o vencidos los plazos legales para ello, el Tribunal procederá conforme al artículo 43 y el Presidente deberá incluir el asunto en la tabla del Pleno, para su decisión.

Artículo 47 U.- El plazo para dictar sentencia será de treinta días, contados desde que concluya la tramitación de la causa, término que podrá ser prorrogado hasta por otros quince días, por resolución fundada del Tribunal.

Artículo 47 V.- La declaración de inconstitucionalidad de las normas legales cuestionadas deberá fundarse únicamente en la infracción de él o los preceptos constitucionales que fueron considerados transgredidos por la sentencia previa de inaplicabilidad que le sirve de sustento.

Artículo 47 W.- La sentencia que se pronuncie sobre la inconstitucionalidad de todo o parte de un precepto legal, será publicada en la forma y plazo establecidos en el artículo 31 bis. El precepto declarado inconstitucional se entenderá derogado desde la fecha de la publicación en el Diario Oficial, sin efecto retroactivo.

Artículo 47 X.- En caso de que la cuestión de inconstitucionalidad haya sido promovida mediante acción pública, el Tribunal impondrá las costas a la persona natural o jurídica que haya requerido su intervención, si el requerimiento es rechazado en la sentencia final. Con todo, el Tribunal podrá eximirla de ellas cuando el requirente haya tenido motivos plausibles para deducir su acción, sobre lo cual hará declaración expresa en su resolución.

Artículo 47 Y.- La ejecución de la sentencia, en lo relativo a las costas, se efectuará conforme al procedimiento ejecutivo establecido en el Código de Procedimiento Civil y conocerá de ella el Juez de Letras en lo Civil que corresponda, con asiento en la provincia de Santiago.

PÁRRAFO 8
CUESTIONES SOBRE LA PROMULGACIÓN DE UNA LEY

Artículo 48.- En el caso del número 8º del artículo 93 de la Constitución Política de la República, son órganos legitimados el Senado, la

Cámara de Diputados o una cuarta parte de los miembros en ejercicio de cualquiera de las Cámaras.

La cuestión deberá promoverse dentro de los treinta días siguientes a la publicación del texto impugnado o dentro de los sesenta días siguientes a la fecha en que se debió efectuar la promulgación de la ley cuya omisión se reclama.

Para ser acogido a tramitación el requerimiento deberá cumplir con las exigencias señaladas en el inciso primero del artículo 39 y a él deberá acompañarse copia del oficio de la Cámara de origen que comunica al Presidente de la República el texto aprobado por el Congreso Nacional y, en su caso, copia de la publicación en el Diario Oficial. De no ser así, mediante resolución fundada que deberá dictarse dentro del plazo de tres días, contado desde que se dé cuenta del requerimiento, se tendrá por no presentado, para todos los efectos legales.

No obstante, tratándose de defectos de forma o de la omisión de antecedentes que debían acompañarse, el Tribunal, en la misma resolución a que se refiere el inciso anterior, otorgará a los interesados un plazo de tres días para que subsanen aquéllos o completen éstos. Si así no lo hacen, el requerimiento se tendrá por no presentado, para todos los efectos legales.

Artículo 48 bis.- Dentro del plazo de diez días, contado desde que el requerimiento se acoja a tramitación o desde que concluya la vista del incidente, en su caso, el Tribunal se pronunciará sobre su admisibilidad. Si el requirente pide alegar acerca de la admisibilidad, y en virtud de lo dispuesto en el artículo 32 B el Tribunal así lo dispone, dará traslado de esta cuestión al Presidente de la República y al Contralor General de la República, como órganos constitucionales interesados, por el plazo de cinco días.

La declaración de inadmisibilidad procederá cuando la cuestión sea promovida extemporáneamente, cuando no sea formulada por un órgano legitimado y cuando se constate que la promulgación de la ley cuya omisión se alega ha sido efectuada. Esta resolución será fundada.

La resolución que declare la admisibilidad o inadmisibilidad del requerimiento no será susceptible de recurso alguno.

Artículo 48 ter.- Declarado admisible, la resolución respectiva y el requerimiento se pondrán en conocimiento de las partes y los órganos constitucionales interesados para que, dentro del plazo de diez días, presenten los antecedentes y formulen las observaciones que estimen pertinentes.

Artículo 48 quáter.- El Tribunal deberá dictar sentencia en el plazo de quince días, contado desde que concluya la tramitación, prorrogable hasta por otros quince, en casos calificados y por resolución fundada.

La sentencia del Tribunal que, al acoger el reclamo, promulgue la ley o rectifique la promulgación incorrecta, se remitirá a la Contraloría General de la República para el solo efecto de su registro y se publicará en la forma y plazo indicados en el artículo 31 bis.

Esta nueva publicación, en su caso, no afectará la vigencia de la parte no rectificada por la sentencia del Tribunal.

PÁRRAFO 9

CONFLICTOS DE CONSTITUCIONALIDAD SOBRE DECRETOS O RESOLUCIONES REPRESENTADOS POR LA CONTRALORÍA GENERAL DE LA REPÚBLICA

Artículo 49.- En el caso del número 9° del artículo 93 de la Constitución Política de la República, el órgano legitimado es el Presidente de la República y el órgano constitucional interesado, el Contralor General de la República.

La substanciación de las cuestiones de constitucionalidad sobre decretos o resoluciones representados de inconstitucionalidad se regirá, en lo pertinente, por las disposiciones del Párrafo 4 y por las normas de los incisos siguientes.

Para ser acogido a tramitación, el requerimiento deberá cumplir con las exigencias señaladas en el inciso primero del artículo 39 y a él deberá acompañarse el decreto o resolución representado de inconstitucionalidad y el oficio en que conste la representación del Contralor General de la República.

El plazo de diez días a que se refiere el inciso tercero del artículo 99 de la Constitución, se contará desde que se reciba en el Ministerio de origen el oficio de representación del Contralor General de la República.

La sentencia que acoja el reclamo presentado por el Presidente de la República será comunicada al Contralor General para que proceda, de inmediato, a tomar razón del decreto o resolución impugnado.

PÁRRAFO 10
CUESTIONES DE CONSTITUCIONALIDAD SOBRE DECRETOS SUPREMOS

Artículo 50.- En el caso del número 16° del artículo 93 de la Constitución Política de la República, la cuestión podrá fundarse en cualquier vicio que ponga en contradicción el decreto con la Constitución.

Son órganos legitimados el Senado y la Cámara de Diputados y, en caso de que la cuestión se funde en un vicio distinto que exceder el ámbito de la potestad reglamentaria autónoma, también lo son una cuarta parte de los miembros en ejercicio de cualquiera de las Cámaras. Son órganos constitucionales interesados el Presidente de la República y el Contralor General de la República.

En todo caso, la cuestión deberá promoverse dentro de los treinta días siguientes a la publicación o notificación del decreto impugnado.

La substanciación de estas cuestiones se regirá, en lo pertinente, por las disposiciones del Párrafo 4 y por las normas del artículo siguiente.

Artículo 50 bis.- Para ser admitido a tramitación, el requerimiento deberá cumplir con las exigencias señaladas en el inciso primero del artículo 39 y a él deberá acompañarse la publicación del decreto impugnado.

Procederá declarar la inadmisibilidad de la cuestión, en los siguientes casos:

1° Cuando el requerimiento no es formulado por un órgano legitimado;

2° Cuando se promueva extemporáneamente;

3° Cuando se funde en vicios de ilegalidad, y

4° Cuando se alegue exceso de la potestad reglamentaria autónoma y no fuere promovida por una de las Cámaras.

El Tribunal deberá resolver dentro de treinta días, contados desde que quede terminada la tramitación. Podrá prorrogar este plazo hasta por quin-

ce días, mediante resolución fundada, si existen motivos graves y calificados.

La sentencia que acoja el requerimiento deberá publicarse en la forma
y plazo señalados en el artículo 31 bis. Sin embargo, con el solo mérito
de la sentencia que acoja el requerimiento, el decreto quedará sin efecto
de pleno derecho.

PÁRRAFO 11

CONTIENDAS DE COMPETENCIA ENTRE AUTORIDADES POLÍTICAS
O ADMINISTRATIVAS Y TRIBUNALES DE JUSTICIA

Artículo 50 A.- En el caso del número 12° del artículo 93 de la Constitución Política de la República, son órganos legitimados las autoridades
políticas o administrativas y los tribunales de justicia involucrados en la
contienda de competencia.

El órgano o autoridad que se atribuya competencia o falta de ella,
sobre un asunto determinado, deberá presentar su petición por escrito al
Tribunal. En ella deberá indicar con precisión la contienda producida, los
hechos y los fundamentos de derecho que le sirven de sustento.

Artículo 50 B.- Una vez declarada admisible, se dará traslado al o a los
otros órganos en conflicto para que, en el plazo de diez días, hagan llegar
al Tribunal las observaciones y antecedentes que estimen pertinentes.

Artículo 50 C.- El Tribunal podrá, de acuerdo a lo establecido en el
artículo 30 bis, disponer la suspensión del procedimiento en que incida su
decisión si la continuación del mismo puede causar daño irreparable o hacer imposible el cumplimiento de lo que se resuelva, en caso de acogerse
la contienda.

Artículo 50 D.- El Tribunal, evacuados los trámites o diligencias, o
transcurrido el plazo para hacerlo, procederá conforme a lo que establece
el artículo 43.

Artículo 50 E.- La sentencia deberá dictarse en el plazo de veinte días, contado desde que concluya la tramitación.

PÁRRAFO 12
INHABILIDADES E INCOMPATIBILIDADES DE LOS MINISTROS DE ESTADO Y PARLAMENTARIOS

Artículo 51.- La tramitación de las causas a que se refieren los números 13° y 14° del artículo 93 de la Constitución Política, se someterá a las normas establecidas en este párrafo.

Artículo 52.- El requerimiento formulado por el Presidente de la República o diez o más parlamentarios en ejercicio, se arreglará a lo dispuesto en el artículo 38 de esta ley, en cuanto corresponda.

Las personas naturales o jurídicas que no sean órganos constitucionales y que deduzcan la acción pública a que se refiere el inciso decimoquinto del artículo 93 de la Constitución Política, estarán obligadas a afianzar las resultas de su acción a satisfacción del Tribunal, para los efectos de lo dispuesto en los artículos 62 y 71 de esta ley.

Artículo 53.- El requerimiento deberá contener:

1. La individualización de quien deduzca la acción, si se trata de las personas a que se refiere el inciso segundo del artículo anterior;

2. El nombre del Ministro de Estado o parlamentario a quien afecte el requerimiento, con indicación precisa de la causal de inhabilidad, incompatibilidad o cesación en el cargo que se invoca y de la norma constitucional o legal que la establece;

3. La exposición clara de los hechos y fundamentos de derecho en que se apoya.

4. La enunciación precisa, consignada en la conclusión, de las peticiones que se someten al fallo del Tribunal; y

5. La indicación de todas las diligencias probatorias con que se pretenda acreditar los hechos que se invocan, bajo sanción de no admitirse dichas diligencias si así no se hiciere.

En todo caso, la prueba instrumental deberá acompañarse al requerimiento bajo sanción de no admitirse con posterioridad, sin perjuicio de lo dispuesto en el artículo 30 de esta ley.

Artículo 54.- Si el requerimiento no es formulado por una persona u órgano legitimado o no cumple con las exigencias establecidas en los números 1º a 4º, inclusive, del artículo anterior, no será admitido a tramitación y se tendrá por no presentado, para todos los efectos legales. Esta resolución será fundada y deberá dictarse dentro del plazo de tres días, contado desde que se dé cuenta del requerimiento.

No obstante, tratándose de defectos de forma o de la omisión de antecedentes que debían acompañarse, el Tribunal, en la misma resolución a que se refiere el inciso anterior, otorgará a los interesados un plazo de tres días para que subsanen aquéllos o completen éstos. Si así no lo hacen, el requerimiento se tendrá por no presentado, para todos los efectos legales.

Artículo 55.- Admitido a tramitación, el requerimiento se notificará al Ministro o parlamentario afectado, quien dispondrá de diez días para su contestación, la que deberá cumplir con los requisitos exigidos en los números 3º, 4º y 5º del artículo 53º de esta ley.

Artículo 56.- Con la contestación, o sin ella si no se hubiere presentado en tiempo, el Tribunal resolverá sobre si es necesario recibir la causa a prueba.

Artículo 57.- Si el Tribunal estima que es necesario recibir la causa a prueba, dictará una resolución fijando los hechos sobre los cuales debe recaer.

Dentro del término probatorio, que será de 15 días, las partes deberán rendir todas las pruebas que hubieren ofrecido en el requerimiento o en su contestación. La lista de testigos deberá presentarse dentro de los tres primeros días del probatorio.

Cuando haya de rendirse prueba ante el Tribunal, las diligencias probatorias podrán practicarse ante el Ministro que el Tribunal comisione al efecto.

Artículo 58.- Una vez evacuados los trámites o diligencias anteriores, se estará a lo dispuesto en el artículo 43 de la presente ley.

Artículo 59.- Las sentencias se notificarán a quienes figuren como partes en la causa y se comunicarán a los órganos constitucionales interesados para los fines a que hubiere lugar.

Artículo 60.- Todas las resoluciones que dicte el Tribunal se notificarán por carta certificada, dirigida al domicilio que el requirente deberá señalar en su primera presentación.

Con todo, la resolución a que se refiere el artículo 55 de esta ley se notificará personalmente al Ministro o parlamentario afectado haciéndole entrega de copia íntegra del requerimiento y de la resolución que en éste haya recaído. La notificación será practicada por el Ministro de Fe que designe el Tribunal. De la misma manera se notificará la sentencia a que se refiere el artículo precedente.

En caso que la notificación no pudiera practicarse personalmente, el Tribunal dispondrá la forma de efectuarla.

Artículo 61.- Serán aplicables, además, en cuanto corresponda, las normas contenidas en los Títulos II, V y VII de Libro I del Código de Procedimiento Civil, en lo que no sean contrarias a esta ley.

Artículo 62.- En las causas a que se refieren los números 13° y 14° del artículo 93 de la Constitución Política, el Tribunal impondrá las costas a quien haya requerido su intervención si dicho requerimiento fuere rechazado en la sentencia final. Con todo, el Tribunal podrá eximirlo de ellas cuando aparezca que ha tenido motivos plausibles para formular el requerimiento, sobre lo cual hará declaración expresa en su resolución. La regulación de tales costas se hará discrecionalmente por el propio Tribunal.

La ejecución de la sentencia, en lo relativo a las costas, se efectuará conforme al procedimiento ejecutivo establecido en el Código de Procedimiento Civil y conocerá de ella el Juez de Letras Civil que corresponda, con asiento en la Provincia de Santiago.

PÁRRAFO 13

DECLARACIÓN DE INCONSTITUCIONALIDAD DE ORGANIZACIONES, MOVIMIENTOS O PARTIDOS POLÍTICOS

Artículo 63.-. El proceso para que el Tribunal Constitucional declare la inconstitucionalidad de las organizaciones, movimientos o partidos políticos, como asimismo, la responsabilidad de las personas naturales que hubieren tenido participación en los hechos que motivaron la declaración a que se refiere el número 10° del artículo 93 de la Constitución Política, se iniciará por requerimiento de quien ejerza la correspondiente acción pública. Será aplicable a estos casos lo dispuesto en el artículo 52 de la presente ley.

Artículo 64.- El requerimiento deberá contener:
1.- La individualización del requirente;
2.- La individualización del partido político, organización, movimiento, y de su representante legal, cuando corresponda, o persona afectada;
3.- La relación de los objetivos, actos o conductas que se consideren inconstitucionales de acuerdo a lo previsto en los incisos sexto y séptimo del número 15° del artículo 19 de la Constitución Política, que se imputen a los partidos políticos, organizaciones, movimientos o personas afectadas, y
4.- La indicación de todas las diligencias probatorias con que se pretende acreditar los hechos que se invocan.

Respecto de la prueba instrumental se estará a lo dispuesto en el inciso final del artículo 53° de la presente ley.

Artículo 65.- La sala que corresponda examinará si el requerimiento reúne los requisitos establecidos en el artículo anterior. Si no los reuniere, o si los objetivos, actos o conductas imputados no correspondieren a alguno de los previstos en los incisos sexto o séptimo del número 15° del artículo 19 de la Constitución Política, el Tribunal no le dará curso, mediante resolución fundada. En caso contrario, dispondrá que se notifique al afectado en la forma dispuesta en el inciso segundo del artículo 60 y en el artículo 72 de esta ley.

Si el afectado no fuere habido por cualquier causa, el Tribunal dispondrá que la notificación se practique en la forma que estime adecuada, mediante resolución fundada.

Artículo 66.- Practicada la notificación, el afectado dispondrá de diez días para contestar el requerimiento. En la contestación, el afectado señalará domicilio dentro del radio urbano donde funciona el tribunal, y deberá cumplir con los requisitos indicados en los números 3°, 4° y 5° del artículo 53.

Artículo 67.- Con la contestación del requerimiento, o sin ella si no se hubiere evacuado en tiempo, el Tribunal dispondrá que se practiquen aquellas diligencias propuestas en el requerimiento y en la contestación, siempre que las estime pertinentes.

Artículo 68.- El término para recibir las pruebas ofrecidas por las partes será de quince días, renovable por una sola vez mediante resolución fundada del Tribunal.

Para la recepción de la prueba se aplicará, en lo pertinente, lo dispuesto en el artículo 57 de esta ley.

Artículo 69.- Vencido el término a que se refiere el artículo anterior, el Secretario certificará el hecho en el expediente. Dentro de cinco días contados desde la referida certificación, el Tribunal, si creyere necesario esclarecer algún punto dudoso, mandará practicar las diligencias conducentes.

Una vez evacuados los trámites o diligencias anteriores, se estará a lo dispuesto en el artículo 43° de la presente ley.

Artículo 70.- El Tribunal fallará dentro de treinta días contados desde que el proceso se encuentre en estado de sentencia. En el mismo fallo que declare la inconstitucionalidad de una organización, movimiento o partido político podrá declararse también la responsabilidad de personas naturales que hubieren tenido participación en los hechos que motiven aquella declaración, sin perjuicio de que la participación de otras personas naturales pueda determinarse en procesos posteriores. En todo caso, la persona natural deberá ser debidamente emplazada como tal.

El fallo se notificará personalmente o, si el afectado no fuere habido por cualquier causa, en la forma que el Tribunal lo determine mediante resolución fundada. Tratándose de organizaciones, movimientos o partidos políticos, se estará a lo dispuesto en el artículo 72.

En caso que se condenare al afectado, la sentencia se comunicará, además, al Servicio de Registro Civil e Identificación, a la Contraloría General de la República y al órgano electoral correspondiente. En todo caso el fallo se publicará en extracto en el Diario Oficial.

Tratándose de las causas de este párrafo, se aplicará el artículo 61 de esta ley.

Artículo 71.- En materia de costas se estará a lo dispuesto en el artículo 62 de esta ley.

Artículo 72.- En el caso de partidos políticos, organizaciones y movimientos que cuenten con personalidad jurídica, la notificación se practicará en la forma establecida en los incisos segundo y tercero del artículo 60 de esta ley a su representante legal, quien deberá estar debidamente individualizado en el requerimiento. En los demás casos la notificación se practicará en la forma que el Tribunal lo disponga mediante resolución fundada.

PÁRRAFO 14
RENUNCIA DE PARLAMENTARIOS

Artículo 72 A.- En el caso del número 15° del artículo 93 de la Constitución Política de la República, la renuncia del parlamentario deberá presentarse ante el Presidente de la Cámara a la que pertenece, quien la remitirá al Tribunal en el plazo de cinco días desde que le fue presentada.

Artículo 72 B.- El Presidente de la República, el Senado, la Cámara de Diputados o diez o más parlamentarios en ejercicio de la Cámara a la que pertenece el renunciante, podrán oponerse fundadamente a la renuncia. En tal caso, se dará traslado a la Cámara a la que pertenezca el parlamentario renunciado y a él mismo, para que en el plazo de diez días hagan llegar las observaciones y antecedentes que estimen necesarios.

Artículo 72 C.- El Tribunal resolverá si es preciso recibir prueba. En caso de que lo estime necesario, se aplicará lo dispuesto en el artículo 57. El Tribunal apreciará la prueba en conciencia.

Artículo 72 D.- Una vez evacuados los trámites o diligencias anteriores, se estará a lo dispuesto en el artículo 43.

Artículo 72 E.- El plazo para dictar sentencia será de veinte días, contado desde que concluya la tramitación de la causa, término que podrá ser prorrogado hasta por otros veinte días, por resolución fundada del Tribunal.

Artículo 72 F.- Pendiente la sentencia, la renuncia no producirá efecto alguno.

Párrafo 15

De los informes

Artículo 73.- En el caso del número 11º del artículo 93 de la Constitución Política, la petición de informe se arreglará a lo dispuesto en el artículo 38 de esta ley.

Dicha petición deberá contener una exposición clara de los hechos y fundamentos de derecho que le sirven de apoyo. Se señalará en forma precisa la causal de inhabilidad que se aduce o, en su caso, los motivos que originan la dimisión.

Deberá acompañarse copia íntegra de las actas de sesiones en las que se hubiere tratado el problema y de todos los instrumentos, escritos y demás antecedentes que se hubieren presentado o invocado durante la discusión del asunto.

El Tribunal deberá informar dentro del plazo improrrogable de quince días contado desde que reciba la petición de informe.

Capítulo III
PLANTA, REMUNERACIONES Y ESTATUTO DEL PERSONAL

Artículo 74.- La planta de personal del Tribunal estará constituida por los siguientes cargos:

Diez Ministros.

Dos Suplentes de ministro.

Un Secretario Abogado.

Dos Relatores Abogados.

Ocho Abogados Asistentes.

Un Jefe de Presupuestos.

Un Relacionador Público.

Un Bibliotecario.

Un Documentalista.

Un Jefe de Gabinete de la Presidencia.

Un Secretario de la Presidencia.

Dos Oficiales Primeros.

Dos Oficiales Segundos.

Un Mayordomo.

Dos Oficiales de Sala.

Dos Auxiliares de Servicios.

Siete Secretarias.

Un Chofer.

La provisión de los nuevos cargos creados en la planta señalada en el inciso anterior se hará, previo acuerdo del Pleno, cuando las necesidades del Tribunal así lo justifiquen.

El Tribunal podrá acordar la contratación, sobre la base de honorarios, o con sujeción a las normas del Código del Trabajo, de profesionales, técnicos o expertos en determinadas materias, para ejecutar tareas específicas en sus actividades, dentro de sus disponibilidades presupuestarias.

Artículo 75.- Sin perjuicio de lo establecido en el artículo anterior, el Tribunal podrá ampliar la planta de su personal, por acuerdo de la mayoría de sus miembros y sólo en la medida que sea estrictamente necesario para su normal funcionamiento, en la siguiente forma:
- Hasta dos Relatores Abogados;
- Hasta en dos Abogados Asistentes;
- Hasta cinco Oficiales Segundo;
- Hasta un Oficial de Sala;
- Hasta cinco Auxiliares de Servicios Menores;
- Hasta en cuatro Secretarias.

Artículo 76.- El nombramiento de los funcionarios se hará por el Tribunal previo concurso de antecedentes o de oposición.

El Presidente cursará los nombramientos por resolución que enviará a la Contraloría General de la República para el solo efecto de su registro. De la misma manera se procederá con todas las resoluciones relacionadas con el personal.

Artículo 77.- La renta mensual de los Ministros del Tribunal corresponderá a la remuneración de un Ministro de Estado, incluidas todas las asignaciones que a éstos correspondan.

La remuneración de los Ministros del Tribunal tendrá el carácter de renta para todo efecto legal, en los mismos términos y modalidades que lo sean las remuneraciones de los Ministros de Estado, y estará afecta a las incompatibilidades, prohibiciones e inhabilidades señaladas en el artículo 1º de la ley Nº 19.863.

Artículo 78.- Las remuneraciones del personal de la Planta del Tribunal serán fijadas por éste y no podrán ser superiores a las que correspondan al cargo de sus similares de la Corte Suprema.

Artículo 79.- Las Remuneraciones que perciban los funcionarios del Tribunal son incompatibles con toda otra remuneración que se pague con fondos fiscales, semifiscales o municipales, con excepción de los empleos, funciones o comisiones de la enseñanza universitaria, superior, media, básica y especial.

Artículo 80.- La Ley de Presupuestos de la Nación deberá consultar anualmente, en forma global, los recursos necesarios para el funcionamiento del Tribunal. Para estos efectos, el Presidente del Tribunal comunicará al Ministerio de Hacienda sus necesidades presupuestarias dentro de los plazos y de acuerdo a las modalidades establecidas para el Sector Público.

Artículo 81.- El Presupuesto de la Nación deberá considerar como mínimo, para el funcionamiento del Tribunal, la cantidad destinada al efecto en el año anterior, expresada en moneda del mismo valor. Esta norma no incluye las cantidades destinadas a la adquisición de bienes de capital que no sean necesarias en el nuevo presupuesto.

Artículo 82.- El Tribunal, en el mes de Enero de cada año, a proposición de su Presidente, considerando la suma global que le corresponda de conformidad con los artículos precedentes y las disponibilidades sobrantes del año anterior, formará el presupuesto efectivo del ejercicio correspondiente, de acuerdo a la clasificación común para el Sector Público. Dicho presupuesto tendrá el carácter de interno. Los pagos que acuerde se ajustarán al presupuesto mencionado, sin perjuicio de que el Tribunal pueda hacer los traspasos que crea convenientes.

El Tribunal mantendrá una cuenta corriente bancaria a su nombre contra la cual girarán conjuntamente el Presidente y el Secretario.

Artículo 83.- En el mes de marzo de cada año el Presidente del Tribunal rendirá una cuenta pública que incluirá una reseña de sus actividades institucionales de orden jurisdiccional y administrativo desarrolladas en el año anterior, la cuenta de su gestión financiera, los informes de auditoría y todo otro antecedente e información que se considere necesario.

Artículo 83 A.- En la segunda quincena del mes de enero de cada año, el Presidente y el Secretario Abogado presentarán la rendición de cuenta de los gastos del ejercicio anterior ante el Tribunal, la que será comunicada a la Contraloría General de la República para el solo efecto de su incorporación en el Balance General de la Nación y se incluirá resumidamente en la cuenta pública del Tribunal.

Sin perjuicio de lo anterior, el Tribunal, a proposición del Presidente, podrá contratar la ejecución de auditorías de su gestión financiera y patrimonial, por entidades externas, mediante licitación pública o privada.

Artículo 84.- Los funcionarios que incurran en faltas a sus deberes o prohibiciones podrán ser sancionados disciplinariamente por el Tribunal con alguna de las siguientes medidas, sin perjuicio de la responsabilidad civil o penal que pueda derivar del mismo hecho: amonestación, censura por escrito, multa de hasta un mes de remuneración, suspensión de hasta dos meses sin goce de remuneración y remoción.

Las sanciones disciplinarias indicadas se aplicarán previa investigación sumaria simple en la que deberán recibirse los descargos que el afectado pueda hacer valer en su defensa y una vez resueltas, no serán susceptibles de reclamación o recurso alguno.

Artículo 85.- Está prohibido a los funcionarios del Tribunal intervenir en toda clase de actividades de índole, política, con la sola excepción de la de ejercitar el derecho a sufragio.

Artículo 86.- Los funcionarios del Tribunal estarán sujetos a la autoridad inmediata del Secretario o del Relator que lo subrogue, en su caso.

Artículo 87.- En caso de ausencia o impedimento, el Secretario será subrogado por el Relator, y si hubiere más de uno, por el que corresponda según el orden de antigüedad de su nombramiento, sin perjuicio de lo señalado en el artículo 9°. El subrogante prestará el mismo juramento que el Secretario para el desempeño de este cargo, ante el Presidente del Tribunal.

Artículo 88.- En defecto de las normas de esta ley, serán aplicables al personal las disposiciones relativas al régimen de empleados del Poder Judicial.

Artículo 89.- No se aplicarán al Tribunal Constitucional las disposiciones que rigen la acción de la Contraloría General de la República ni las que norman la Administración Financiera del Estado.

Artículo 90.- El Tribunal, por acuerdo de la mayoría de sus miembros, y cuando sus necesidades de funcionamiento así lo aconsejen podrá proceder a la declaración de vacancia de los cargos que estime conveniente. Igual declaración procederá respecto de los funcionarios que hubieren obtenido una deficiente calificación de su desempeño. Dicha facultad podrá ejercerse respecto a todo el personal, excluidos los Ministros.

Los funcionarios a quienes se les declare la vacancia de sus cargos tendrán derecho a una indemnización equivalente al total de las remuneraciones devengadas en el último mes, por cada año de servicio en la institución, con un máximo de nueve. Dicha indemnización no será imponible ni constituirá renta para ningún efecto legal.

La remuneración que servirá de base para el cálculo de la indemnización será el promedio de la remuneración imponible mensual de los últimos 12 meses anteriores al cese, actualizada según el índice de precios al consumidor determinado por el Instituto Nacional de Estadísticas o por el sistema de reajustabilidad que lo sustituya, con un límite máximo de noventa unidades de fomento.

La indemnización será incompatible con cualquier otro beneficio de naturaleza homologable que se origine en una causal similar de otorgamiento.

Los funcionarios que cesen en sus cargos y que perciban la indemnización no podrán ser nombrados ni contratados, aun sobre la base de honorarios, en el Tribunal Constitucional, durante los 5 años siguientes al término de su relación laboral, a menos que previamente devuelvan la totalidad del beneficio percibido, expresada en unidades de fomento, más el interés corriente para operaciones reajustables.

DISPOSICIONES TRANSITORIAS

Artículo 1° transitorio.- Los procesos iniciados, de oficio o a petición de parte, o que se inicien en la Corte Suprema, para declarar la inaplicabilidad de un precepto legal por ser contrario a la Constitución, con anterioridad a la aplicación de las reformas al Capítulo VIII de la Constitución Política, seguirán siendo de conocimiento o de resolución de esa Corte hasta su completo término.

Los recursos de inaplicabilidad resueltos por la Corte Suprema o que se hubieren tenido por desistidos o abandonados, con anterioridad al 26 de febrero del año 2006, no podrán presentarse ante el Tribunal Constitucional en ejercicio de la facultad que concede el artículo 93, N° 6°, de la Constitución Política.

Artículo 2° transitorio.- La entrada en vigencia de esta ley no obstará a la validez de los procesos iniciados ante el Tribunal a partir del 26 de febrero de 2006, ni alterará los efectos de las sentencias que les hayan puesto término.

Respecto de los procesos que a la fecha de entrada en vigencia de esta ley se encuentren pendientes ante el Tribunal, se aplicará lo dispuesto en el artículo 24 de la Ley sobre el Efecto Retroactivo de las Leyes.

Artículo 3° transitorio.- Derogado

Artículo 4° transitorio.- Derogado

2. Ley Nº 18.918, Orgánica Constitucional del Congreso Nacional

Publicada en el Diario Oficial el 5 de febrero de 1990
(Versión actualizada con la última modificación de
la Ley Nº 20.979, del 17 de diciembre de 2016)

Título I
DISPOSICIONES GENERALES

Artículo 1º.- La composición, generación, atribuciones y funcionamiento de la Cámara de Diputados, del Senado y del Congreso Nacional, se regirán por la Constitución Política y las leyes orgánicas constitucionales que correspondan.

Artículo 2º.- Quedarán sujetas a las normas de esta ley la tramitación interna de los proyectos de ley y de reforma constitucional; la aprobación o rechazo de los tratados internacionales; la calificación de las urgencias; las observaciones o vetos del Presidente de la República; las acusaciones que formule la Cámara de Diputados y su conocimiento por el Senado, y el funcionamiento y las atribuciones de las comisiones investigadoras.

Las disposiciones sobre nombramiento, promoción, deberes, derechos, responsabilidad, cesación de funciones y, en general, todas las normas estatutarias relativas al personal del Senado y de la Cámara de Diputados, incluidos los requisitos para servir los cargos, se establecerán en un reglamento interno de cada Cámara, a proposición de la Comisión de Régimen Interior del Senado y de Régimen Interno de la Cámara de Diputados, respectivamente, aprobado con las formalidades que rigen, dentro de cada Corporación, para la tramitación de un proyecto de ley. En el caso de la Biblioteca del Congreso Nacional, del Consejo Resolutivo de Asignaciones Parlamentarias, del Comité de Auditoría Parlamentaria y de los servicios comunes, dichos reglamentos serán aprobados con las formalidades que rigen la tramitación de un proyecto de ley, a propuesta de la Comisión de

Biblioteca o de la Comisión Bicameral en su caso. En todos estos reglamentos se dispondrá que el ingreso al servicio se efectúe siempre previo concurso público.

Cualquier materia no tratada específicamente en los reglamentos internos indicados en el inciso anterior, se regirá supletoriamente por las disposiciones aplicables al personal de la Administración Pública.

Una Comisión Bicameral integrada por cuatro Senadores y cuatro Diputados tendrá a su cargo la supervigilancia de la administración de los servicios comunes. Su quórum para sesionar será de cuatro miembros, de los cuales dos deberán ser Senadores y dos Diputados, y adoptará sus acuerdos por mayoría absoluta. Actuará como Secretario de la Comisión Bicameral el Secretario de la Comisión de Régimen Interior del Senado. La Comisión de Biblioteca estará compuesta por los Presidentes de ambas Corporaciones. Actuará como Secretario de ella el Director de ese Servicio.

Cada Cámara deberá tener una Comisión de Régimen encargada de la supervigilancia del orden administrativo e interno de los servicios de la respectiva Corporación. La Comisión de Biblioteca tendrá a su cargo la supervigilancia de la Biblioteca del Congreso Nacional.

Estas Comisiones tendrán las demás atribuciones que les confieren la ley y los Reglamentos de cada Cámara.

A los Secretarios de la Cámara de Diputados y del Senado les corresponderá la administración del personal y de los distintos servicios de la respectiva Corporación, en su calidad de jefes superiores de Servicio. Iguales facultades y atribuciones corresponderán al Director de la Biblioteca del Congreso Nacional, con respecto a ese Servicio.

Fíjase la siguiente planta para el personal del Senado:

Categorías	Nº funcionarios
A	1
B	1
C	4
D	18
E	15
F	12

Categorías	N° funcionarios
G	15
H	18
I	13
J	22
K	30
L	24
M	5
N	21
O	16
P	5
Q	–
TOTAL	220

Fíjase la siguiente Planta para el personal de la Cámara de Diputados:

Categorías	N° funcionarios
A	1
B	2
C	3
D	14
E	11
F	21
G	16
H	19
I	27
J	33
K	30
L	33
M	23
N	33
O	21
P	6
Q	1
TOTAL	284

Fíjase la siguiente planta para el personal de la Biblioteca del Congreso Nacional:

Categorías	N° funcionarios
A	1
B	1
C	5
D	–
E	10
F	2
G	15
H	17
I	24
J	11
K	11
L	15
M	5
N	3
O	3
P	2
Q	–
TOTAL	125

En los sistemas de remuneraciones se establecerá un trato igualitario entre el personal de ambas Cámaras, de modo que, a funciones análogas, que importen responsabilidades semejantes y se ejerzan en condiciones similares, les sean asignadas iguales retribuciones económicas.

Las remuneraciones e ingresos que perciban los funcionarios serán imponibles en conformidad a la ley. En todo caso, el monto máximo de imponibilidad será el establecido en el artículo 5° del decreto ley N° 3.501, de 1980.

Las resoluciones relativas a la carrera funcionaria del personal del Congreso Nacional se enviarán a la Contraloría General de la República para el solo efecto de su registro.

Artículo 3°.- Para el ejercicio de las facultades y atribuciones que les corresponden, la Cámara de Diputados y el Senado tendrán sus propias Secretarías y los demás servicios que requieran para su organización y funcionamiento.

El Congreso Nacional dispondrá, como servicios comunes, además de la Biblioteca del Congreso Nacional, de un Consejo Resolutivo de Asignaciones Parlamentarias, de un Comité de Auditoría Parlamentaria y de los demás servicios que de consuno acuerden crear ambas Cámaras.

Al crearse un servicio común, el mismo acuerdo establecerá su forma de administración, y las funciones que le correspondan serán ejercidas por personal a contrata, hasta que se fije la respectiva planta de personal.

Artículo 3° A.- Cada Cámara podrá acordar autónomamente, previo informe favorable de la Comisión de Régimen respectiva, la forma de contratar de conformidad a las normas del Código del Trabajo y sus disposiciones complementarias a quienes prestarán servicios a los comités parlamentarios y a los diputados o senadores, durante el desempeño de sus cargos y en labores que digan relación con el ejercicio de la función parlamentaria.

Con todo, dichos trabajadores deberán cumplir las normas de probidad que establezca el reglamento a que se refiere el inciso cuarto, debiendo incluirse en los contratos respectivos una cláusula que así lo disponga.

Sin perjuicio de las causales previstas en los artículos 159 y 160 del Código del Trabajo, la relación laboral a que se refiere el inciso primero terminará siempre por la pérdida de confianza del comité o parlamentario para quien prestaba sus servicios, así como por la cesación en el cargo del parlamentario para el que fue contratado. Deberá pagarse al trabajador, al momento del término, una indemnización que en cuanto a su monto y límites quedará sujeta a lo previsto en el inciso segundo del artículo 163 de dicho Código.

Cada Cámara, a propuesta de la Comisión de Régimen respectiva, dictará un reglamento que establecerá los rangos mínimos y máximos a que se someterá el régimen de remuneraciones de las personas contratadas de conformidad al inciso primero, garantizando la sujeción de éste a criterios de objetividad, transparencia y no discriminación arbitraria. Asimismo, regulará las formalidades para invocar alguna de las causales de cesación a que se refiere el inciso tercero y, en general, toda otra norma para la adecuada aplicación de este artículo.

El reglamento a que se refiere el inciso anterior, determinará los casos en que se podrá contratar sobre la base de honorarios la prestación de los servicios a que se refiere el inciso primero.

Artículo 4°.- Cada Cámara tendrá la facultad privativa de dictar sus propias normas reglamentarias para regular su organización y funcionamiento interno.

Las Cámaras establecerán en sus reglamentos las disposiciones que cautelen el acceso del público a la información, de conformidad al artículo sexto de la ley N° 20.285.

Los referidos reglamentos deberán señalar las autoridades u organismos internos encargados de responder las consultas que se formulen y el procedimiento a que se sujetarán los reclamos. Sin perjuicio de las causales establecidas en esta ley, se podrá denegar la entrega de información en virtud de las señaladas en los artículos 21 y 22 de Ley de Transparencia de la Función Pública y Acceso a la Información de la Administración del Estado, contenida en el artículo primero de la ley N° 20.285.

Las reclamaciones se resolverán en única instancia por la Comisión de Ética y Transparencia del Senado o de la Cámara de Diputados, según corresponda. Lo dispuesto en los artículos 24 a 30 y 33 de la Ley de Transparencia de la Función Pública y de Acceso a la Información de la Administración del Estado no se aplicará al Congreso Nacional ni a sus servicios comunes.

Corresponderá a la Comisión de Biblioteca o, en su caso, a la Comisión Bicameral a que se refiere el inciso cuarto del artículo 2°, resolver, en única instancia, los reclamos que se formulen por estas materias en contra de la Biblioteca del Congreso Nacional o de los demás servicios comunes.

Artículo 5°.- El Congreso Nacional deberá instalarse el día 11 de marzo siguiente a una elección de senadores y diputados.

Se entenderá instalado el Congreso Nacional luego de la investidura de la mayoría de los miembros de cada Cámara y de que hayan sido elegidos los integrantes de las respectivas mesas.

La investidura de los senadores o diputados se hará mediante juramento o promesa, de acuerdo con el procedimiento que establezcan los reglamentos de las Cámaras, y desde ese momento se considerarán en ejercicio.

Cada Cámara, una vez instalada, dará inicio a sus actividades de acuerdo con el calendario de sesiones que fije.

El cuadrienio que se inicia con la instalación del Congreso Nacional constituirá un período legislativo.

La primera sesión de cada período legislativo será la siguiente a la de instalación.

Para los efectos de lo dispuesto en el inciso sexto del artículo 51 de la Constitución Política de la República, corresponderá al Presidente de cada Corporación verificar el cumplimiento de los requisitos para desempeñar el cargo de diputado o senador, según corresponda.

Artículo 5° A.- Los diputados y senadores ejercerán sus funciones con pleno respeto de los principios de probidad y transparencia, en los términos que señalen la Constitución Política, esta ley orgánica constitucional y los reglamentos de ambas Cámaras.

El principio de probidad consiste en observar una conducta parlamentaria intachable y un desempeño honesto y leal de la función, con preeminencia del interés general sobre el particular.

El principio de transparencia consiste en permitir y promover el conocimiento y publicidad de los actos y resoluciones que adopten los diputados y senadores en el ejercicio de sus funciones en la Sala y en las comisiones, así como las Cámaras y sus órganos internos, y de sus fundamentos y de los procedimientos que utilicen.

Las sesiones de las Cámaras, los documentos y registros de las mismas, las actas de sus debates, la asistencia y las votaciones serán públicas.

Serán públicos los acuerdos adoptados por las comisiones, así como los antecedentes considerados en sus sesiones y la asistencia de los parlamentarios e invitados a las sesiones de las mismas. Al término de cada sesión de comisión se informará resumidamente de lo anterior. La misma regla se aplicará a los comités parlamentarios.

Los informes de comisión serán públicos desde que queden a disposición de la respectiva Sala. Dichos informes darán cuenta de los asistentes a sus sesiones, de sus debates, de los antecedentes y documentos considerados, de los acuerdos alcanzados y sus fundamentos esenciales y del resultado de las votaciones, debidamente individualizadas.

Las sesiones de comisión se realizarán sin la asistencia de público, salvo acuerdo en contrario adoptado por la mayoría absoluta de sus miembros.

Los materiales de registro de las secretarías de las comisiones y de los comités parlamentarios, tales como grabaciones, apuntes u otros instrumentos de apoyo a esa labor, no serán públicos.

Cuando la publicidad de las sesiones y de los antecedentes considerados por la Sala y las comisiones afectaren el debido cumplimiento de las funciones de dichos órganos, los derechos de las personas, la seguridad de la Nación o el interés nacional, el Presidente de la respectiva Corporación o comisión, con el voto favorable de los dos tercios de los senadores o diputados en ejercicio, en el primer caso, o de los dos tercios de los integrantes de la comisión, en el segundo, podrá declarar el secreto dejando constancia de los fundamentos de tal declaración. En todo caso, no serán públicas las sesiones y votaciones del Senado en que se resuelvan rehabilitaciones de ciudadanía.

Las sesiones, documentos, antecedentes, actas y votaciones serán siempre secretos cuando se refieran a asuntos cuya discusión, en esa calidad, haya solicitado el Presidente de la República, en conformidad con el número 15º del artículo 32 de la Constitución Política de la República.

Cada Cámara deberá tener una Comisión de Ética y Transparencia Parlamentaria encargada de velar, de oficio o a petición de un parlamentario, por el respeto de los principios de probidad, transparencia y acceso a la información pública, y de conocer y sancionar las faltas a la ética parlamentaria de los miembros de sus respectivas Corporaciones. Cada Cámara elegirá a los integrantes de estas comisiones por los tres quintos de sus miembros en ejercicio. No podrán formar parte de ellas los miembros de la Mesa de cada Corporación. La comparecencia ante dichas comisiones será obligatoria para el senador o diputado que hubiere sido citado, previo acuerdo adoptado por los dos tercios de sus integrantes, en sesión especialmente convocada al efecto. Los reglamentos de cada Cámara deberán establecer el procedimiento mediante el cual se elegirá a sus integrantes, los tipos de amonestación y el monto de las multas que podrán imponer y el quórum para sesionar y adoptar sus acuerdos y resoluciones, los que serán públicos cuando tengan el carácter de definitivos o así lo acuerde la comisión.

Artículo 5º B.- Los miembros de cada una de las Cámaras no podrán promover ni votar ningún asunto que interese directa o personalmente a ellos o a sus cónyuges, ascendientes, descendientes o colaterales hasta el tercer grado de consanguinidad y el segundo de afinidad, inclusive, o a las personas ligadas a ellos por adopción. Con todo, podrán participar en el debate advirtiendo previamente el interés que ellas, o las personas mencionadas, tengan en el asunto.

No regirá este impedimento en asuntos de índole general que interesen al gremio, profesión, industria o comercio a que pertenezcan, en elecciones o en aquellas materias que importen el ejercicio de alguna de las atribuciones exclusivas de la respectiva Cámara.

Artículo 5º F.- Es deber de los parlamentarios asistir a las sesiones de la Cámara y de las comisiones a que pertenezcan.

Artículo 6º.- Cada período de sesiones del Congreso se extenderá entre el 11 de marzo de cada año y el 10 de marzo del año siguiente.

Las reuniones que celebren el Senado, la Cámara de Diputados o el Congreso Pleno se denominarán sesiones.

Artículo 7º.- En los casos en que la Constitución no establezca mayorías especiales, las resoluciones de las Cámaras se adoptarán por mayoría absoluta de sus miembros presentes.

En el cómputo de los quórum y mayorías no se considerarán como senadores y diputados en ejercicio los que se encuentren suspendidos por efecto de lo dispuesto en el artículo 61, inciso final, de la Constitución Política, y los que estén ausentes del país con permiso constitucional.

Artículo 8º.- Los organismos de la Administración del Estado, las personas jurídicas creadas por ley o las empresas en que el Estado tenga representación o aportes de capital mayoritario, remitirán al Congreso Nacional sus memorias, boletines y otras publicaciones que contengan hechos relevantes concernientes a sus actividades.

En el caso de las empresas en que el Estado tenga representación o aportes de capital mayoritario, la remisión de dichos antecedentes será responsabilidad del Ministerio por intermedio del cual éstas se relacionen o vinculen con el Presidente de la República.

Artículo 9º.- Los organismos de la Administración del Estado y las entidades en que el Estado participe o tenga representación en virtud de una ley que lo autoriza, que no formen parte de su Administración y no desarrollen actividades empresariales, deberán proporcionar los informes y antecedentes específicos que les sean solicitados por las comisiones o por los parlamentarios debidamente individualizados en sesión de Sala, o de comisión. Estas peticiones podrán formularse también cuando la Cámara respectiva no celebre sesión, pero en tal caso ellas se insertarán íntegramente en el Diario o en el Boletín correspondiente a la sesión ordinaria siguiente a su petición.

Dichos informes y antecedentes serán proporcionados por el servicio, organismo o entidad por medio del Ministro del que dependa o mediante el cual se encuentre vinculado con el Gobierno, manteniéndose los respectivos documentos en reserva o secreto. El Ministro sólo los proporcionará a la comisión respectiva o a la Cámara que corresponda, en su caso, en la sesión secreta que para estos efectos se celebre.

Quedarán exceptuados de la obligación señalada en los incisos primero y tercero, los organismos de la Administración del Estado que ejerzan potestades fiscalizadoras, respecto de los documentos y antecedentes que contengan información cuya revelación, aun de manera reservada o secreta, afecte o pueda afectar el desarrollo de una investigación en curso.

Artículo 9° A.- Las empresas públicas creadas por ley, las empresas del Estado y las sociedades en que éste tenga aporte, participación accionaria superior al cincuenta por ciento o mayoría en el directorio, cualquiera sea el estatuto por el que se rijan, incluso aquellas que de acuerdo a su ley orgánica deban ser expresamente mencionadas para quedar obligadas al cumplimiento de ciertas disposiciones, deberán proporcionar los informes y antecedentes específicos que les sean solicitados por las comisiones de las cámaras o por los parlamentarios debidamente individualizados en sesión de Sala, o de comisión. Estas peticiones podrán formularse también, cuando la Cámara respectiva no celebre sesión, pero en tal caso ellas se insertarán íntegramente en el Diario o en el Boletín correspondiente a la sesión ordinaria siguiente a su petición.

Con todo, no estarán obligadas a entregar los informes y antecedentes cuando éstos:

a) Se refieran a hechos o antecedentes que tengan el carácter de reservado, de conformidad a lo dispuesto en el inciso tercero del artículo 10 de la ley N° 18.045 sobre Mercado de Valores; o

b) Contengan información sujeta al deber de reserva establecido en el artículo 43 y en el inciso tercero del artículo 54 de la ley N° 18.046, sobre Sociedades Anónimas; o

c) Sean documentos, datos o informaciones que una ley de quórum calificado haya declarado reservados o secretos, de acuerdo a las causales señaladas en el artículo 8° de la Constitución Política.

Para invocar cualquiera de estas causales, será necesario un acuerdo previo adoptado por las tres cuartas partes de los miembros en ejercicio del órgano colegiado encargado de la administración de la empresa o sociedad, o de todos los administradores cuando aquella no corresponda a un órgano colegiado.

Si las comisiones o los parlamentarios insisten en su petición, la empresa o sociedad estará obligada a proporcionar los antecedentes o informes solicitados, salvo que requiera a la Contraloría General de la República para que, previo informe de la Superintendencia de Valores y Seguros, resuelva que concurre alguna de las causales señaladas precedentemente.

Para los casos en que el informe emitido por la Superintendencia de Valores y Seguros establezca que la negativa de la empresa a proporcionar la información requerida no se encuentra amparada en alguna de las causales señaladas en el inciso tercero, la Contraloría General de la República fijará un plazo para que dicha información sea proporcionada.

En ningún caso las peticiones de informes importarán el ejercicio de las facultades señaladas en el párrafo segundo de la letra c) del número 1) del artículo 52 de la Constitución Política.

Artículo 10.- El jefe superior del respectivo organismo de la Administración del Estado, requerido en conformidad al artículo anterior, será responsable del cumplimiento de lo ordenado en esa disposición, cuya infracción será sancionada, previo el procedimiento administrativo que corresponda, por la Contraloría General de la República, cuando procediere, con la medida disciplinaria de multa equivalente a una remuneración mensual. En caso de reincidencia, se sancionará con una multa equivalente al doble de la indicada. Asimismo, será responsable y tendrá idéntica sanción por su falta de comparecencia, o la de los funcionarios de su dependencia, a la citación de una comisión de alguna de las Cámaras.

Artículo 11.- La fuerza pública ingresará a la sede del Congreso Nacional únicamente a requerimiento del presidente de la respectiva Cámara y para el sólo efecto de conservar o restablecer el orden y la seguridad dentro del recinto.

Título II
NORMAS BÁSICAS DE LA TRAMITACIÓN
INTERNA DE LOS PROYECTOS DE LEY

Artículo 12.- Todo proyecto deberá presentarse en la Cámara donde pueda tener origen con arreglo a la Constitución Política y, en el caso de las mociones, en la corporación a la que pertenezca su autor.

Artículo 13.- Deberá darse cuenta en sesión de sala de la respectiva Cámara de todo proyecto, en forma previa a su estudio por cualquier órgano de la corporación.

En ningún caso se dará cuenta de mociones que se refieran a materias que, de acuerdo con la Constitución Política, deben tener origen en la otra Cámara o iniciarse exclusivamente por mensaje del Presidente de la República.

Artículo 14.- Los fundamentos de los proyectos deberán acompañarse en el mismo documento en que se presenten, conjuntamente con los antecedentes que expliquen los gastos que pudiere importar la aplicación de sus normas, la fuente de los recursos que la iniciativa demande y la estimación de su posible monto.

Artículo 15.- La declaración de inadmisibilidad de un proyecto de ley o de reforma constitucional que vulnere lo dispuesto en el inciso primero del artículo 65 de la Constitución Política o de la solicitud que formule el Presidente de la República de conformidad a lo establecido en su artículo 68, será efectuada por el Presidente de la Cámara de origen. No obstante, la Sala de dicha Cámara podrá reconsiderar esa declaración.

Con todo, si en el segundo trámite constitucional la Sala de la Cámara revisora rechazare la admisibilidad aprobada por la Cámara de origen, se constituirá una comisión mixta, de igual número de diputados y senadores, la que efectuará una proposición para resolver la dificultad. Si la comisión mixta no alcanzare acuerdo o concluyese que la iniciativa es inadmisible, ésta será archivada. Si la estimase admisible, propondrá que continúe su tramitación. Esa propuesta de la comisión mixta deberá ser aprobada, tanto en la Cámara de origen como en la revisora, por la mayoría de los miembros presentes en cada una de ellas. Si una de las Cámaras la rechazare, la iniciativa se archivará.

La circunstancia de que no se haya declarado tal inadmisibilidad no obstará a la facultad de las comisiones para hacerla. Dicha declaración podrá ser revisada por la Sala.

En ningún caso se admitirá a tramitación un proyecto que proponga conjuntamente normas de ley y de reforma constitucional, o que no cumpla con los requisitos establecidos en los artículos 12, 13 y 14 de esta ley.

Artículo 16.- Los proyectos que contengan preceptos relativos a la organización y atribuciones de los tribunales, serán puestos en conocimiento de la Corte Suprema para los efectos indicados en el inciso segundo del artículo 77 de la Constitución Política. El proyecto deberá remitirse a la Corte al darse cuenta de él o en cualquier momento antes de su votación en la Sala si el mensaje o moción se hubiere presentado sin la opinión de esa Corte, o deberá hacerse posteriormente por el presidente de la corporación o comisión respectiva si las disposiciones hubieren sido incorporadas en otra oportunidad o hubieren sido objeto de modificaciones sustanciales respecto de las conocidas por la Corte Suprema.

Artículo 17.- El Senado y la Cámara de Diputados establecerán en sus respectivos reglamentos las comisiones permanentes que consideren necesarias para informar los proyectos sometidos a su consideración.

Sin embargo, cada Cámara deberá tener una comisión de hacienda, encargada de informar los proyectos en lo relativo a su incidencia en materia presupuestaria y financiera del Estado, de sus organismos o empresas. En todo caso, la comisión de hacienda deberá indicar en su informe la fuente de los recursos reales y efectivos con que se propone atender el gasto que signifique el respectivo proyecto, y la incidencia de sus normas sobre la economía del país.

Artículo 17 A.- La Sala, a propuesta de la comisión respectiva, podrá refundir dos o más proyectos de ley radicados en esa Cámara, siempre que todos se encuentren en el primer trámite constitucional y sus ideas matrices o fundamentales tengan entre sí relación directa. En cuanto sea posible, se consultará a sus autores.

Artículo 18.- Las Cámaras podrán encargar el examen de un proyecto a dos o más comisiones unidas o nombrar comisiones especiales.

Artículo 19.- El proyecto de Ley de Presupuestos será informado exclusivamente por una comisión especial, que se integrará con el mismo número de diputados y de senadores que establezcan las normas reglamentarias que acuerden las Cámaras. Formarán parte de ella, en todo caso, los miembros de sus respectivas comisiones de hacienda. La comisión será presidida por el senador que ella elija de entre sus miembros y deberá quedar constituida dentro del mes de septiembre de cada año.

Esta comisión especial fijará en cada oportunidad sus normas de procedimiento y formará de su seno las subcomisiones que necesite para el estudio de las diversas partidas del proyecto, sin sujeción en ellas a la paridad de que trata el inciso anterior.

Con todo, una vez concluida la labor que corresponde a la comisión especial constituida conforme a los incisos anteriores, ésta podrá seguir funcionando para el solo efecto de realizar un seguimiento de la ejecución de la Ley de Presupuestos durante el respectivo ejercicio presupuestario, hasta que se constituya la siguiente comisión especial que deba informar un nuevo proyecto de Ley de Presupuestos.

Para los efectos de realizar el seguimiento, la comisión especial podrá solicitar, recibir, sistematizar y examinar la información relativa a la ejecución presupuestaria que sea proporcionada por el Ejecutivo de acuerdo a la ley, poner dicha información a disposición de las Cámaras o proporcionarla a la comisión especial que deba informar el siguiente proyecto de Ley de Presupuestos. Contará para ello con una unidad de asesoría presupuestaria. En caso alguno esta tarea podrá implicar ejercicio de funciones ejecutivas, o afectar las atribuciones propias del Poder Ejecutivo, o realizar actos de fiscalización.

Artículo 20.- Las comisiones mixtas a que se refieren los artículos 70 y 71 de la Constitución Política se integrarán por igual número de miembros de cada Cámara, conforme a lo que establezcan las normas reglamentarias que ambas acuerden, las que señalarán las mismas atribuciones y deberes para los senadores y diputados.

Artículo 21.- Los proyectos que se hallen en primer o segundo trámite constitucional y las observaciones del Presidente de la República a un proyecto aprobado por el Congreso, deberán ser informados por la respectiva comisión permanente. Por acuerdo unánime de la sala, podrá omitirse el trámite de comisión, excepto en el caso de los asuntos que, según esta ley, deben ser informados por la comisión sobre hacienda.

Artículo 22.- Las comisiones reunirán los antecedentes que estimen necesarios para informar a la corporación. Podrán solicitar de las autoridades correspondientes la comparecencia de aquéllos funcionarios que estén en situación de ilustrar sus debates, de conformidad con lo señalado en los artículos 9° y 9° A, hacerse asesorar por cualquier especialista en la materia respectiva y solicitar informes u oír a las instituciones y personas que estimen conveniente.

Artículo 23.- Los proyectos, en cada Cámara, podrán tener discusión general y particular u otras modalidades que determine el reglamento.

Se entenderá por discusión general la que diga relación sólo con las ideas matrices o fundamentales del proyecto y tenga por objeto admitirlo o desecharlo en su totalidad. En la discusión particular se procederá a examinar el proyecto en sus detalles. En todo caso, los proyectos que se encuentren en primer o segundo trámite constitucional tendrán discusión general.

Para los efectos anteriores, se considerarán como ideas matrices o fundamentales de un proyecto aquéllas contenidas en el mensaje o moción, según corresponda.

Artículo 24.- Sólo serán admitidas las indicaciones que digan relación directa con las ideas matrices o fundamentales del proyecto.

No podrán admitirse indicaciones contrarias a la Constitución Política ni que importen nuevos gastos con cargo a los fondos del Estado o de sus organismos, o de empresas de que sea dueño o en que tenga participación, sin crear o indicar, al mismo tiempo, las fuentes de recursos necesarios para atender a tales gastos.

En la tramitación de proyectos de ley los miembros del Congreso Nacional no podrán formular indicación que afecte en ninguna forma materias cuya iniciativa corresponda exclusivamente al Presidente de la República, ni siquiera para el mero efecto de ponerlas en su conocimiento. No obstante, se admitirán las indicaciones que tengan por objeto aceptar, disminuir o rechazar los servicios, empleos, emolumentos, préstamos, beneficios, gastos y demás iniciativas sobre la materia que haya propuesto el Presidente de la República.

Artículo 25.- Corresponderá al Presidente de la Sala o comisión la facultad de resolver la cuestión de admisibilidad o inadmisibilidad que se formule respecto de las indicaciones a que se refiere el artículo anterior. No obstante, a petición de cualquiera de sus miembros, la Sala o la comisión, en su caso, podrá reconsiderar de inmediato la resolución de su presidente.

La declaración de inadmisibilidad puede ser hecha por el Presidente de la Cámara respectiva o de una comisión, de propia iniciativa o a petición de algún miembro de la Corporación, en cualquier momento de la discusión del proyecto.

La circunstancia de que no se haya planteado la cuestión de admisibilidad o inadmisibilidad de una indicación durante la discusión en general en la Sala, no obsta a la facultad del Presidente de la comisión para hacer la declaración, ni de la Comisión para reconsiderar de inmediato la resolución de su Presidente.

Una vez resuelta por la Sala o por su Presidente la cuestión de admisibilidad o inadmisibilidad de una indicación, ella no podrá ser revisada en comisiones.

La cuestión de admisibilidad o inadmisibilidad de indicaciones resuelta en comisiones no obsta a la facultad de la Sala de la Cámara respectiva para hacer la declaración de admisibilidad o inadmisibilidad de tales indicaciones.

Artículo 26.- El Presidente de la República podrá hacer presente la urgencia para el despacho de un proyecto de ley, en uno o en todos sus trámites, en el correspondiente mensaje o mediante oficio que dirigirá al presidente de la Cámara donde se encuentre el proyecto, o al del Senado cuando el proyecto estuviere en comisión mixta. En el mismo documento expresará la calificación que otorgue a la urgencia, la cual podrá ser simple, suma o de discusión inmediata; si no se especificare esa calificación, se entenderá que la urgencia es simple.

Se entenderá hecha presente la urgencia y su calificación respecto de las dos Cámaras, cuando el proyecto respectivo se encuentre en trámite de comisión mixta en cumplimiento de lo dispuesto en el artículo 20, salvo que el Presidente de la República expresamente la circunscriba a una de las Cámaras.

Las disposiciones de este artículo y de los artículos 27, 28 y 29 no se aplicarán a la tramitación del proyecto de Ley de Presupuestos, el que deberá ser despachado en los plazos establecidos por la Constitución Política, con la preferencia que determinen los reglamentos de las Cámaras.

Artículo 27.- Cuando un proyecto sea calificado de simple urgencia, su discusión y votación en la Cámara requerida deberán quedar terminadas en el plazo de treinta días; si la calificación fuere de suma urgencia, ese plazo será de quince días y, si se solicitare discusión inmediata, será de seis días.

Se dará cuenta del mensaje u oficio del Presidente de la República que requiera la urgencia, en la sesión más próxima que celebre la Cámara respectiva, y desde esa fecha comenzará a correr el plazo de la urgencia. Con todo, los oficios de retiro de urgencia regirán en el acto mismo en que sean recibidos en la Secretaría de la Cámara respectiva.

Artículo 28.- En el caso de la simple urgencia, la comisión mixta dispondrá de diez días para informar sobre el proyecto. De igual plazo dispondrá cada Cámara para pronunciarse sobre el proyecto que despache aquella comisión.

En el de la suma urgencia, el plazo será de cinco días para la comisión mixta y de cinco días para cada Cámara.

En el de la discusión inmediata, el plazo será de dos días para la comisión mixta y de dos para cada Cámara.

Artículo 29.- El término del respectivo período de sesiones dará lugar a la caducidad de las urgencias que se encontraren pendientes en cada Cámara, salvo las que se hayan presentado en el Senado para los asuntos a que se refiere el número 5) del artículo 53 de la Constitución Política.

Artículo 30.- La diversas disposiciones de un mismo proyecto que para su aprobación necesiten mayorías distintas a la de los miembros presentes, se aprobarán en votación separada, primero en general y después en particular, con la mayoría especial requerida en cada caso. Tanto la discusión como la votación se efectuarán siguiendo el orden que las disposiciones tengan en el proyecto.

El rechazo de una disposición que requiera mayoría especial de aprobación importará también el rechazo de las demás que sean consecuencia de aquélla.

Artículo 31.- No podrán ser objeto de indicaciones, y se votarán en conjunto, las proposiciones que hagan las comisiones mixtas.

Título III
TRAMITACIÓN DE LAS OBSERVACIONES O VETOS DEL PRESIDENTE DE LA REPÚBLICA A LOS PROYECTOS DE LEY O DE REFORMA CONSTITUCIONAL

Artículo 32.- Las observaciones o vetos que el Presidente de la República formule a un proyecto de ley o de reforma constitucional aprobado por el Congreso Nacional, sólo serán admitidas cuando tengan relación directa con las ideas matrices o fundamentales del mismo, a menos que las ideas contenidas en esas observaciones hubieren sido consideradas en el mensaje respectivo.

Corresponderá al presidente de la Cámara de origen la facultad de declarar la inadmisibilidad de tales observaciones cuando no cumplan con lo prescrito en el inciso anterior. El hecho de haberse estimado admisibles las observaciones en la Cámara de origen no obsta a la facultad del presidente de la Cámara revisora para declarar su inadmisibilidad.

En los dos casos previstos en el inciso anterior, la sala de la Cámara que corresponda podrá reconsiderar la declaración de inadmisibilidad efectuada por su presidente. La circunstancia de que no se haya declarado tal inadmisibilidad no obstará a la facultad de las comisiones para hacerla. Dicha declaración podrá ser revisada por la Sala.

La declaración de inadmisibilidad podrá hacerse en todo tiempo anterior al comienzo de la votación de la correspondiente observación.

Artículo 33.- Si el Presidente de la República rechazare totalmente un proyecto de reforma constitucional aprobado por el Congreso, la Cámara respectiva votará únicamente si insiste en la totalidad de ese proyecto.

En tal caso se entenderá terminada la tramitación del proyecto por la sola circunstancia de que en una de las Cámaras no se alcanzare la mayoría de las dos terceras partes de sus miembros en ejercicio para insistir.

Artículo 34.- Si el Presidente de la República observare parcialmente un proyecto de reforma constitucional aprobado por el Congreso, tendrán lugar en cada Cámara dos votaciones separadas. La primera, destinada a determinar si la respectiva Cámara aprueba o rechaza cada una de las observaciones formuladas; y la segunda, destinada a resolver si, en caso de rechazo de alguna observación, la Cámara insiste o no en la mantención de la parte observada.

Artículo 35.- Cada observación formulada por el Presidente de la República a los proyectos de ley o de reforma constitucional aprobados por el Congreso, deberá ser aprobada o rechazada en su totalidad y, en consecuencia, no procederá dividir la votación para aprobar o rechazar sólo una parte. Con este objeto, se entenderá que constituye una observación, y una sola votación deberá comprenderla totalmente, aquella que afecte a un determinado texto del proyecto, sea a todo el proyecto como tal, sea a parte de él, como un título, capítulo, párrafo, artículo, inciso, letra o número u otra división del proyecto, según lo precise el Presidente de la República. Si el Presidente separase sus observaciones con letras o números, cada texto así diferenciado será considerado una sola observación.

Artículo 36.- En caso de que las Cámaras rechazaren todas o algunas de las observaciones formuladas a un proyecto de ley, y no reunieren quórum necesario para insistir en el proyecto aprobado por ellas, no habrá ley respecto de los puntos de discrepancia.

El proyecto de Ley de Presupuestos aprobado por el Congreso Nacional podrá ser observado por el Presidente de la República si desaprueba una o más de sus disposiciones o cantidades. Sin embargo, la parte no observada regirá como Ley de Presupuestos del año fiscal para el cual fue dictada, a partir del 1° de enero del año respectivo.

Título IV
TRAMITACIÓN DE LAS ACUSACIONES CONSTITUCIONALES

Artículo 37.- Las acusaciones a que se refiere el artículo 52, número 2), de la Constitución Política, se formularán siempre por escrito y se tendrán por presentadas desde el momento en que se dé cuenta de ellas en la Cámara de Diputados, lo que deberá hacerse en la sesión más próxima que ésta celebre.

Artículo 38.- En la misma sesión en que se dé cuenta de una acusación, la Cámara de Diputados procederá a elegir, a la suerte y con exclusión de los acusadores y de los miembros de la mesa, una comisión de cinco diputados para que informe si procede o no la acusación.

Artículo 39.- El afectado con la acusación será notificado, personalmente o por cédula por el secretario de la Cámara de Diputados o por el funcionario que éste designe, dentro de tercero día contado desde que se dé cuenta de la acusación. En todo caso, se le entregará al afectado o a una persona adulta de su domicilio o residencia copia íntegra de la acusación.

El afectado podrá, dentro de décimo día de notificado, concurrir a la comisión a hacer su defensa personalmente o presentarla por escrito.

El secretario de la Cámara certificará todo lo obrado en el expediente respectivo y comunicará estos hechos a la autoridad administrativa para los efectos de lo dispuesto en el inciso tercero del número 2) del artículo 52 de la Constitución Política.

Artículo 40.- Si el afectado no asistiere a la sesión a que se le cite o no enviare defensa escrita se procederá sin su defensa.

Artículo 41.- La comisión tendrá un plazo de seis días, contado desde la fecha de comparecencia del afectado o desde que se hubiere acordado proceder sin su defensa, para estudiar la acusación y pronunciarse sobre ella. La última sesión que celebre se levantará solamente cuando finalizaren todas las votaciones a que hubiere lugar.

El informe de la comisión deberá contener, a lo menos, una relación de las actuaciones y diligencias practicadas por la comisión; una síntesis de la acusación, de los hechos que le sirvan de base y de los delitos, infracciones o abusos de poder que se imputen en ella; una relación de la defensa del o de los acusados; un examen de los hechos y de las consideraciones de derecho, y la o las resoluciones adoptadas por la comisión.

Artículo 42.- Transcurrido el plazo señalado en el inciso primero del artículo 41, y aunque dentro de él no se haya presentado el informe, la Cámara sesionará diariamente para ocuparse de la acusación. Para este efecto, y por la sola circunstancia de haber sido notificado de acuerdo con el artículo 39, el afectado se entenderá citado de pleno derecho a todas las sesiones que celebre la Cámara.

Artículo 43.- Antes de que la Cámara de Diputados inicie el debate a que se refiere el artículo siguiente, sólo el afectado podrá deducir, de palabra o por escrito, la cuestión previa de que la acusación no cumple con los requisitos que la Constitución Política señala.

Deducida la cuestión previa, la Cámara la resolverá por mayoría de los diputados presentes, después de oír a los diputados miembros de la comisión informante.

Si la Cámara acogiere la cuestión previa, la acusación se tendrá por no interpuesta. Si la desechare, no podrá renovarse la discusión sobre la improcedencia de la acusación y nadie podrá insistir en ella.

Artículo 44.- Desechada la cuestión previa o si ésta no se hubiere deducido, la sala de la Cámara de Diputados procederá del siguiente modo:

a) si el informe de la comisión recomendare aprobar la acusación, se dará la palabra al diputado que la mayoría de la comisión haya designado para sostenerla, y después se oirá al afectado, si estuviere presente, o se leerá la defensa escrita que haya enviado, y

b) si el informe de la comisión recomendare rechazar la acusación, se dará la palabra a un diputado que la sostenga y después podrá contestar el afectado o, si éste no lo hiciere, un diputado partidario de que se deseche.

Artículo 45.- El afectado podrá rectificar hechos antes del término del debate. Igual derecho tendrán el diputado informante de la comisión, cuando ésta recomiende acoger la acusación, y un diputado que la sostenga, cuando hubiere sido rechazada por la comisión.

Artículo 46.- En la última sesión que celebre la Cámara para conocer de la acusación, se votará su admisibilidad.

La referida sesión sólo podrá levantarse si se desecha la acusación o si ésta se acepta. En este último caso se nombrará una comisión de tres diputados para que la formalice y prosiga ante el Senado.

Aprobada la acusación, la Cámara de Diputados deberá comunicar este hecho al Senado y al afectado, dentro de las veinticuatro horas siguientes de concluida la sesión a que se refiere este artículo. Del oficio correspondiente se dará cuenta en la sesión más próxima que celebre el Senado.

Artículo 47.- Puesto en conocimiento del Senado el hecho de que la Cámara de Diputados ha entablado acusación en conformidad al número 2) del artículo 52 de la Constitución Política, el primero procederá a fijar el día en que comenzará a tratar de ella.

La fijación del día se hará en la misma sesión en que se dé cuenta de la acusación. Si el Congreso estuviere en receso, esta determinación la hará el presidente del Senado.

Artículo 48.- El Senado o su presidente, según corresponda, fijará como día inicial para comenzar a tratar de la acusación alguno de los comprendidos entre el cuarto y el sexto, ambos inclusive, que sigan a aquel en que se haya dado cuenta de la acusación o en que la haya recibido el presidente.

El Senado quedará citado por el solo ministerio de la ley a sesiones especiales diarias, a partir del día fijado y hasta que se pronuncie sobre la acusación.

Artículo 49.- El Senado citará al acusado y a la comisión de diputados designada para formalizar y proseguir la acusación a cada una de las sesiones que celebre para tratarla.

Artículo 50.- Formalizarán la acusación los Diputados miembros de la comisión especial. Si no concurren, se tendrá por formalizada con el oficio de la Cámara de Diputados.

A continuación hablará el acusado o se leerá su defensa escrita. El acusado podrá ser representado por un abogado.

Los diputados miembros de la comisión especial tendrán derecho a réplica, y el acusado, a dúplica. Cumplido lo anterior, el presidente anunciará que la acusación se votará en la sesión especial siguiente.

Artículo 51.- Cada capítulo de la acusación se votará por separado. Se entenderá por capítulo el conjunto de los hechos específicos que, a juicio de la Cámara de Diputados, constituyan cada uno de los delitos, infracciones o abusos de poder que, según la Constitución Política, autorizan para imponerla.

Artículo 52.- El resultado de la votación se comunicará al acusado, a la Cámara de Diputados y, según corresponda, al Presidente de la República, a la Corte Suprema o al Contralor General de la República. Sin perjuicio de lo anterior, y para los efectos del proceso a que haya lugar, se remitirán todos los antecedentes al tribunal ordinario competente.

Título V
DE LAS COMISIONES ESPECIALES INVESTIGADORAS

Artículo 53.- La Cámara de Diputados creará, con el acuerdo de a lo menos dos quintos de sus miembros en ejercicio, comisiones especiales investigadoras con el objeto de reunir informaciones relativas a determinados actos del Gobierno.

Estas comisiones, ni aun por la unanimidad de sus integrantes, podrán extender su cometido al conocimiento de materias no incluidas en el objeto o finalidad considerado en el acuerdo que dio lugar a su formación.

Las comisiones investigadoras estarán integradas por el número de miembros que determine el Reglamento de la Cámara de Diputados.

La competencia de estas comisiones se extinguirá al expirar el plazo que les haya fijado la Cámara para el cumplimiento de su cometido. Con todo, dicho plazo podrá ser ampliado por la Cámara, con el voto favorable de la mayoría de los diputados presentes, siempre que la comisión haya solicitado la ampliación antes de su vencimiento.

La última sesión que una comisión especial investigadora celebre dentro del plazo se entenderá prorrogada hasta por quince días, exclusivamente para que aquella acuerde las conclusiones y proposiciones sobre la investigación que habrá de incluir en su informe a la Sala.

En todo caso, el término del respectivo período legislativo importará la disolución de las comisiones especiales investigadoras.

Artículo 54.- Los Ministros de Estado no podrán ser citados más de tres veces a una misma comisión especial investigadora, sin previo acuerdo de la mayoría absoluta de sus miembros.

Las citaciones y las solicitudes de antecedentes, serán acordadas a petición de un tercio de los miembros de la comisión especial investigadora.

Las citaciones podrán ser extendidas al funcionario directamente o por intermedio del jefe superior del respectivo Servicio. En el primer caso se enviará copia de la citación a este último para el solo efecto de su conocimiento.

Tratándose de las empresas del Estado o de aquéllas en que éste tenga participación mayoritaria, la citación se dirigirá a quienes corresponda su representación legal, los cuales podrán comparecer acompañados de las personas que designe su órgano de administración.

En el caso de las Fuerzas Armadas y de las Fuerzas de Orden y Seguridad Pública, la citación se hará llegar al superior jerárquico de la respectiva institución, por medio del Ministro de Estado que corresponda.

Las autoridades, los funcionarios y las personas citadas conforme a lo anterior, estarán obligados a comparecer a la sesión fijada por la comisión.

Asimismo, dichas personas deberán suministrar los antecedentes y las informaciones que les solicite la Comisión. Si aquéllos se refieren a asuntos que conforme a una ley de quórum calificado tengan el carácter de secretos o reservados, o a los asuntos referidos en el inciso tercero del artículo 9° A de la presente ley, sólo podrán ser proporcionados en sesión secreta por el Ministro de cuya cartera dependa o se relacione el organismo requerido o por el representante legal de la empresa en que labora la persona que deba entregarlos. Los antecedentes proporcionados deberán mantenerse en reserva o secreto.

Las solicitudes de antecedentes serán dirigidas al Ministro o al jefe superior del Servicio a cuyo sector o ámbito de competencias correspondan las informaciones solicitadas. Tratándose de las empresas del Estado o de aquéllas en que éste tenga participación mayoritaria, la solicitud se dirigirá a quienes corresponda su representación legal.

Artículo 55.- Las personas obligadas a comparecer y que sean citadas por una comisión especial investigadora, que se encontraren en alguna de las situaciones de excepción descritas en los artículos 302, 303 y 305 del Código Procesal Penal, no estarán obligadas a prestar declaración. Sin embargo, deberán concurrir a la citación y dejar constancia de los motivos que dan origen a la facultad de abstenerse que invoquen.

Artículo 56.- Si fuere estrictamente necesario para el resultado de la investigación, por acuerdo de la mayoría de los miembros se podrá recabar el testimonio de particulares o requerirles los antecedentes que se estimen pertinentes y necesarios para el cumplimiento del cometido de la comisión especial investigadora.

El testimonio de los particulares y la proporción de los antecedentes solicitados, serán voluntarios.

Artículo 57.- Quienes concurran a las sesiones de las comisiones especiales investigadoras podrán asistir acompañados de un asesor o letrado con el fin de que les preste asesoría y les proporcione los antecedentes escritos u orales que necesiten para responder a las consultas que se les formulen.

Al Presidente de la comisión especial investigadora le corresponderá cuidar que se respeten los derechos de quienes concurran a sus sesiones o sean mencionados en ellas. De modo especial, velará que no se les falte el respeto con acciones o palabras descomedidas o con imputaciones de intenciones o propósitos opuestos a sus deberes, y que se salvaguarden el respeto y la protección a la vida privada y a la honra de la persona y de su familia, el secreto profesional y los demás derechos constitucionales.

Para los efectos de dar cumplimiento a lo dispuesto en el inciso anterior, el Presidente podrá, entre otras medidas, hacer llamados al orden, suspender la sesión, excusar temporalmente al afectado de permanecer en la sesión, prescindir de la declaración de quien ha incurrido en la falta o amonestar o censurar al o a los infractores, en conformidad al reglamento.

Las personas ofendidas o injustamente aludidas en el transcurso de una investigación tendrán derecho a aclarar o rectificar tales alusiones, si así lo estimaren pertinente.

La comparecencia de una persona a una comisión especial investigadora, constituirá siempre justificación suficiente cuando su presencia fuere requerida simultáneamente para cumplir obligaciones laborales, educativas o de otra naturaleza, y no ocasionará consecuencias jurídicas adversas bajo ninguna circunstancia.

Artículo 58.- El informe de las comisiones especiales investigadoras deberá consignar las menciones que indique el reglamento de la Cámara de Diputados.

Una copia del informe aprobado por la Cámara deberá remitirse al Presidente de la República.

Título VI
DE LOS TRATADOS INTERNACIONALES

Artículo 59.- La aprobación de un tratado requerirá de los quórum que corresponda, en conformidad con lo dispuesto en los artículos 54 y 66 de la Constitución Política, y se someterá, en lo pertinente, a los trámites de una ley.

Para los efectos del inciso anterior, las Cámaras se pronunciarán sobre la aprobación o rechazo del tratado, en votación única y con el quórum más elevado que corresponda a las materias reguladas por sus normas, dejando constancia de cuáles son las que han requerido quórum calificado u orgánico constitucional.

Durante la discusión de los tratados, sólo podrá corregirse el texto de la parte dispositiva del proyecto de acuerdo propuesto por el Presidente de la República, con el único objeto de precisar el título o composición formal del tratado, su fecha y lugar de celebración, según conste en el texto autenticado por el Ministerio de Relaciones Exteriores, sometido a la consideración del Congreso Nacional.

Artículo 60.- Si el tratado contiene alguna disposición que incida en la organización y atribuciones de los tribunales, deberá oírse previamente a la Corte Suprema, en conformidad con lo dispuesto en el inciso segundo del artículo 77 de la Constitución Política.

Artículo 61.- El Presidente de la República informará al Congreso sobre el contenido y el alcance del tratado, así como de las reservas que pretenda confirmar o formularle.

Artículo 62.- La sugerencia de formular reservas y declaraciones interpretativas, en conformidad a lo establecido en el párrafo tercero del número 1) del artículo 54 de la Constitución Política de la República, puede tener su origen en cualquiera de las Cámaras. Si una de ellas la aprueba, dicha sugerencia pasará a la otra para que se pronuncie, y si ésta la acepta, se comunicará al Presidente de la República tal circunstancia.

Para el efecto de lo dispuesto en el párrafo octavo del número 1) del artículo 54 de la Constitución Política de la República, el Presidente de la Cámara de origen, en la comunicación al Presidente de la República de la aprobación del tratado por el Congreso Nacional, consignará las reservas que éste ha tenido en consideración al momento de aprobarlo.

Artículo 63.- Si el Presidente de la República adopta la decisión de denunciar un tratado o retirarse de él, deberá pedir la opinión de ambas Cámaras del Congreso, en el caso de tratados que hayan sido aprobados por éste.

Cada Cámara dará a conocer su opinión, por escrito, dentro del plazo de treinta días contado desde la recepción del oficio en que se solicita dicha opinión. Transcurrido este lapso sin que una o ambas Cámaras emita su parecer, el Presidente de la República podrá prescindir de éste para efectuar la denuncia o el retiro.

Producida la denuncia o el retiro, el Presidente de la República deberá informar de ello, dentro de los quince días siguientes, al Congreso Nacional.

Artículo 64.- El retiro de una reserva que haya formulado el Presidente de la República y que tuvo en consideración el Congreso Nacional al momento de aprobar un tratado, requerirá previo acuerdo de éste en conformidad con lo establecido en la presente ley.

El oficio por el cual el Presidente de la República solicita el acuerdo señalado en el inciso anterior será presentado a una de las Cámaras, la que deberá aprobarlo o rechazarlo en un plazo no superior a diez días contado desde la recepción del oficio, al término del cual, habiéndose pronunciado o no sobre la solicitud, pasará a la otra para que se manifieste dentro de igual plazo. Transcurridos treinta días desde que fuere recibido el oficio sin que el Congreso Nacional se pronuncie, se tendrá por aprobado el retiro de la reserva.

Artículo 65.- Si alguna de las Cámaras rechaza lo acordado por la otra en el trámite de aprobación de un tratado internacional se formará una Comisión Mixta en los términos previstos en el artículo 70 de la Constitución Política. Si la discrepancia se presenta en el trámite de sugerir la formulación de reservas y declaraciones interpretativas o de retiro de una reserva que haya formulado el Presidente de la República y que tuvo en consideración el Congreso Nacional al momento de aprobar un tratado, se constituirá una comisión mixta, de igual número de diputados y senadores, la que propondrá a ambas Cámaras la forma y modo de resolver las dificultades.

Título VII
DEL CONSEJO RESOLUTIVO DE ASIGNACIONES PARLAMENTARIAS Y DEL COMITÉ DE AUDITORÍA PARLAMENTARIA

Artículo 66.- El Consejo Resolutivo de Asignaciones Parlamentarias determinará, con cargo al presupuesto del Congreso Nacional y conforme a los principios que rigen la actividad parlamentaria, el monto, el destino, la reajustabilidad y los criterios de uso de los fondos públicos destinados por cada Cámara a financiar el ejercicio de la función parlamentaria. Para efectuar dicha labor, el Consejo oirá a las Comisiones de Régimen Interior del Senado y de Régimen Interno de la Cámara de Diputados.

Se entenderá por función parlamentaria todas las actividades que realizan senadores y diputados para dar cumplimiento a las funciones y atribuciones que les confieren la Constitución y las leyes. Ella comprende la tarea de representación popular y las diversas labores políticas que llevan a cabo aquéllos y los comités parlamentarios.

El Consejo estará integrado por:

a) Un ex consejero del Banco Central y un ex decano de una facultad de Administración, de Economía o de Derecho de cualquier universidad reconocida oficialmente por el Estado.

b) Un ex senador y un ex diputado que se hayan desempeñado como parlamentarios durante un mínimo de ocho años.

c) Un ex Ministro de Hacienda, o un ex Ministro de Economía, Fomento y Reconstrucción, o un ex Director de la Dirección de Presupuestos del Ministerio de Hacienda.

Los consejeros durarán cuatro años en sus cargos y podrán ser reelegidos.

El Consejo ejercerá sus funciones en el período legislativo siguiente a aquel en que haya sido elegido.

El Consejo será presidido por el consejero que determinen sus miembros; sesionará y adoptará sus acuerdos por la mayoría de éstos, y deberá reunirse a lo menos una vez al año. A los acuerdos, resoluciones y funcionamiento del Consejo les serán aplicables, en lo pertinente, las normas de esta ley referidas a las comisiones.

Los consejeros serán elegidos, con a lo menos sesenta días de anticipación al término de cada período legislativo, por los tres quintos de los senadores y diputados en ejercicio, a propuesta de una Comisión Bicameral compuesta por igual número de senadores y diputados, quienes deberán ser integrantes de la Comisión de Régimen Interior del Senado y de la de Régimen Interno de la Cámara de Diputados, respectivamente. Las vacantes de miembros del Consejo se proveerán de igual forma, dentro de los noventa días siguientes a la fecha en que se produzcan. El reemplazante durará en el cargo hasta completar el período que le restaba al consejero sustituido.

Los consejeros serán inamovibles, salvo que incurran en incapacidad o negligencia manifiesta en el ejercicio de sus funciones, así calificada por los tres quintos de los senadores y diputados en ejercicio, a petición del Presidente del Senado, o del Presidente de la Cámara de Diputados, o de cinco senadores, o de diez diputados.

El Consejo Resolutivo se constituirá al inicio de cada período legislativo, oportunidad en que fijará sus normas de funcionamiento interno en todo lo no regulado por el reglamento que deberá dictar una Comisión Bicameral integrada por cuatro diputados y cuatro senadores, elegidos por la Sala de la Corporación a la que pertenecen. Este reglamento deberá ser aprobado, con las formalidades que rigen la tramitación de un proyecto de ley, por la mayoría absoluta de los miembros presentes del Senado y de la Cámara de Diputados.

La Mesa de cada Cámara ejecutará los acuerdos del Consejo desde que se dé cuenta de ellos y ordenará publicarlos en el sitio electrónico de la respectiva Corporación.

El Senado y la Cámara de Diputados proporcionarán al Consejo Resolutivo la información que requiera y le entregarán, por iguales partes, los medios y recursos necesarios para su funcionamiento.

Artículo 66 A.- El Comité de Auditoría Parlamentaria será un servicio común del Congreso Nacional y estará encargado de controlar el uso de los fondos públicos destinados a financiar el ejercicio de la función parlamentaria y de revisar las auditorías que el Senado, la Cámara de Diputados y la Biblioteca del Congreso Nacional efectúen de sus gastos institucionales. A propuesta de una Comisión Bicameral integrada por cuatro diputados y cuatro senadores, elegidos por la Sala de la Corporación a la que pertenecen, se reglamentará la forma en que el Comité cumplirá sus funciones. Este reglamento deberá ser aprobado, con las formalidades que rigen la tramitación de un proyecto de ley, por la mayoría absoluta de los miembros presentes del Senado y de la Cámara de Diputados.

El Comité de Auditoría estará integrado por tres profesionales. Uno de ellos deberá tener el título de abogado y otro el de contador auditor. Ambos deberán acreditar, a lo menos, diez años de ejercicio profesional. El tercero será un especialista en materias de auditoría. Respecto de éste, se preferirá a quienes se hayan desempeñado por más de cinco años en la Contraloría General de la República o se encuentren registrados, por igual período, en la nómina de auditores de la Superintendencia de Valores y Seguros. Cada uno será seleccionado por la Comisión Bicameral señalada en el inciso anterior, de una nómina de tres personas que, en cada caso, propondrá el Consejo de Alta Dirección Pública. Este organismo realizará un concurso público para seleccionar a los candidatos a los cargos señalados. Dicho procedimiento podrá contemplar la participación de una empresa especializada en selección de personal.

Los integrantes del Comité de Auditoría Parlamentaria serán nombrados por los tres quintos de los senadores y diputados en ejercicio, a propuesta de la Comisión Bicameral a que se refieren los incisos anteriores. Durarán seis años en su cargo, podrán ser reelegidos por una sola vez, previa participación en el proceso de selección señalado en el inciso precedente y serán inamovibles, salvo que incurran en incapacidad o negligencia manifiesta en el ejercicio de sus funciones, así calificada por los tres quintos de los senadores o diputados en ejercicio, a petición del Presidente del Senado, o del Presidente de la Cámara de Diputados, o de cinco senadores, o de diez diputados. Las vacantes que se produzcan se proveerán, dentro de los noventa días siguientes a la fecha en que se originan, en la misma forma como fue designado quien dejó de servir el cargo.

Artículo 66 B.- Las auditorías serán anuales, por el período de doce meses que se inicia cada 1 de abril. El Comité de Auditoría Parlamentaria deberá emitir su informe antes del 30 de junio de cada año.

El Comité deberá establecer procedimientos de control periódicos, tales como citar a los parlamentarios para formularles sugerencias con el fin de corregir las deficiencias que detecte en la forma en que están utilizando los fondos y recursos asignados, y efectuar visitas para fiscalizar en terreno su uso.

Los comités parlamentarios que dejen de existir por cualquier causa deberán rendir cuenta ante el Comité de Auditoría Parlamentaria de los fondos y recursos que recibieron y que no hubieren sido auditados.

Las observaciones que formulare el Comité de Auditoría Parlamentaria serán notificadas al parlamentario o comité respectivo para que, dentro de los treinta días siguientes, realice sus aclaraciones. Los reparos u objeciones que no sean corregidos se pondrán en conocimiento de la Comisión de Ética y Transparencia del Senado o de la Cámara de Diputados, según el caso. Sin perjuicio de lo anterior, dichas comisiones, en cualquier momento y frente antecedentes graves que conozcan, podrán solicitar que el mencionado Comité realice un examen pormenorizado de la forma en que un parlamentario o comité ha| utilizado los recursos y fondos que han recibido de la Corporación a que pertenece.

A más tardar el 31 de agosto de cada año, la Comisión de Ética y Transparencia del Senado o de la Cámara de Diputados resolverán todos los asuntos sometidos a su consideración en esta materia. Dentro de los cinco días siguientes a la fecha indicada se publicarán en el sitio electrónico de cada Cámara todas las auditorías.

Si alguna de las Comisiones señaladas en el inciso anterior estimare, en cualquier tiempo, que los hechos que dan lugar a los reparos u objeciones, pudieren revestir carácter de delito, deberá poner los antecedentes en conocimiento de la Mesa de la Corporación a que pertenece el respectivo parlamentario.

TÍTULO FINAL

Artículo 66 C.- Corresponde al Presidente de cada Cámara ejercer acciones en representación de ésta ante el Tribunal Constitucional y los tribunales superiores de justicia. Asimismo, le corresponderá denunciar los hechos que conozca en función de su cargo y que revistan caracteres de delito y se vinculen con el mal uso de los recursos destinados a financiar la función parlamentaria. Lo anterior se entenderá sin perjuicio de la facultad del ministerio público para ejercer la acción penal.

En todo lo demás, la representación judicial y extrajudicial de cada Cámara corresponde al respectivo Secretario General.

Artículo 67.- La Ley de Presupuestos de la Nación deberá consultar anualmente los recursos necesarios para el funcionamiento del Congreso Nacional, sujetándose a la clasificación presupuestaria común para el sector público. Para estos efectos, los presidentes de ambas Cámaras comunicarán al Ministro de Hacienda las necesidades presupuestarias del Congreso Nacional dentro de los plazos y de acuerdo a las modalidades establecidas para el sector público.

Artículo 68.- Cada Cámara establecerá la forma en que se distribuirán los fondos que le correspondan. Las normas sobre traspasos internos y el procedimiento que regulará el examen y aprobación de las cuentas de gastos respectivas serán fijados por cada Cámara. Para estos efectos y sin perjuicio de lo dispuesto en el artículo 66 A cada Cámara tendrá una comisión revisora de cuentas. Las cuentas del Congreso Nacional serán públicas y una síntesis de ellas se publicará anualmente en el Diario Oficial. Cada Cámara determinará la forma en que participará en el sistema de información administrativa y financiera establecido para los órganos y servicios públicos regidos por la Ley de Administración Financiera del Estado, información que acreditará el cumplimiento de las normas legales aplicables al Congreso Nacional.

El servicio de tesorería correspondiente comunicará mensualmente al Ministerio de Hacienda el avance de ejecución presupuestaria.

Artículo 69.- Declárase que los bienes muebles, adheridos o no, que alhajaban el edificio del Congreso Nacional ubicado en Santiago, en calle Compañía entre las calles Bandera y Morandé, que fuera declarado monumento histórico por decreto del Ministerio de Educación Pública Nº 583, de 1976, pertenecen al Congreso Nacional.

Artículo 70.- Los plazos de días establecidos en esta ley serán de días hábiles, con excepción de los que digan relación con la tramitación de las urgencias y de la Ley de Presupuestos.

Artículo final.- Esta ley entrará en vigencia el 11 de marzo de 1990.

ARTÍCULOS TRANSITORIOS

Artículo 1º.- El día 11 de marzo de 1990, a las diez horas, los ciudadanos que hubieren sido proclamados por el Tribunal Calificador de Elecciones como senadores o diputados electos y los que hayan sido designados senadores en acuerdo con la Constitución, se reunirán separadamente en la sede del Congreso Nacional, con el único objeto de proceder, respectivamente, a la instalación del Senado y de la Cámara de Diputados.

Estas reuniones serán presididas inicial y provisoriamente en cada Cámara por el parlamentario de mayor edad que asista.

Abierta la sesión, se dará cuenta del oficio del Tribunal Calificador de Elecciones que proclame a los senadores y diputados electos. Asimismo, en el Senado se dará cuenta de los oficios remitidos al Secretario de esta Corporación por las autoridades a las cuales les corresponde designar los senadores que la integrarán, de acuerdo al artículo 45 de la Constitución Política.

El senador o diputado que presida provisionalmente en la Cámara respectiva, prestará juramento o promesa ante el secretario de la corporación a que pertenezca y, enseguida, lo harán en forma simultánea los demás senadores o diputados ante aquel presidente provisional.

A continuación del juramento, el presidente provisional los declarará investidos en su carácter de tales. Acto seguido, cada Cámara procederá a elegir sus respectivas mesas, por mayoría absoluta de los miembros presentes, para lo cual tendrán plazo hasta once treinta horas del día señalado. Si a dicha hora no se hubiere logrado acuerdo para elegir a las correspondientes mesas, los presidentes provisionales antes aludidos, actuarán como Presidente del Senado y como Presidente de la Cámara de Diputados, respectivamente, en la ceremonia de transmisión del mando presidencial. Terminada la elección, o vencido el plazo indicado, el presidente elegido o el provisional, en su caso, declarará instalada la respectiva corporación, y se levantará la sesión.

La composición de las mesas de las respectivas Cámaras se comunicará al Presidente de la República, a la Corte Suprema y a la otra Cámara.

La transmisión del mando presidencial tendrá lugar en el salón de honor de la sede de Congreso Nacional, en sesión del Congreso Pleno que se llevará a efecto ese mismo día 11 de marzo, a las trece horas, con los diputados y senadores que asistan. En la cabecera principal tomarán colocación, en el asiento de honor, el Presidente de la República, quien tendrá a su derecha al Presidente del Senado y al Secretario del Senado; a la izquierda del Presidente de la República, el Presidente electo, y a la izquierda de este último, el Presidente de la Cámara de Diputados y el Secretario de la misma.

Los miembros del Congreso y demás autoridades, funcionarios e invitados se ubicarán de acuerdo a las normas protocolares respectivas.

En esta sesión, el Congreso Nacional tomará conocimiento de la proclamación del Presidente electo que haya efectuado el Tribunal Calificador, después de lo cual el Presidente electo prestará, ante el presidente del Senado, el juramento o promesa previsto en el inciso cuarto del artículo 27 de la Constitución Política.

Artículo 2°.- Los reglamentos de la Cámara vigentes en 1973 continuarán en vigor con las modificaciones que las respectivas Cámaras pudieren acordar, sin perjuicio de lo dispuesto en la Constitución y en esta ley.

Artículo 3°.- De acuerdo con lo previsto en el artículo 19, N° 3°, inciso cuarto y en la disposición Vigésima primera transitoria, letra b), de la Constitución Política, las acusaciones a que se refiere el artículo 52, N° 2), de la Constitución, sólo podrán formularse con motivo de actos realizados a contar del 11 de marzo de 1990.

3. Ley Nº 18.575, Orgánica Constitucional de Bases de la Administración del Estado

Publicada en el Diario Oficial el 5 de diciembre de 1986
(DFL 1, del Ministerio Secretaría General de la
Presidencia, del 17 de noviembre de 2001, que fija
el texto refundido, coordinado y sistematizado de la
Ley Nº 18.575. Con la última modificación realizada
por la Ley Nº 21.074, del 15 de febrero de 2018)

Título I
NORMAS GENERALES

Artículo 1º.- El Presidente de la República ejerce el gobierno y la administración del Estado con la colaboración de los órganos que establezcan la Constitución y las leyes.

La Administración del Estado estará constituida por los Ministerios, las Intendencias, las Gobernaciones y los órganos y servicios públicos creados para el cumplimiento de la función administrativa, incluidos la Contraloría General de la República, el Banco Central, las Fuerzas Armadas y las Fuerzas de Orden y Seguridad Pública, los Gobiernos Regionales, las Municipalidades y las empresas públicas creadas por ley.

Artículo 2º.- Los órganos de la Administración del Estado someterán su acción a la Constitución y a las leyes.

Deberán actuar dentro de su competencia y no tendrán más atribuciones que las que expresamente les haya conferido el ordenamiento jurídico. Todo abuso o exceso en el ejercicio de sus potestades dará lugar a las acciones y recursos correspondientes.

Artículo 3º.- La Administración del Estado está al servicio de la persona humana; su finalidad es promover el bien común atendiendo las necesidades públicas en forma continua y permanente y fomentando el desarrollo del país a través del ejercicio de las atribuciones que le confiere la Constitución y la ley, y de la aprobación, ejecución y control de políticas, planes, programas y acciones de alcance nacional, regional y comunal.

La Administración del Estado deberá observar los principios de responsabilidad, eficiencia, eficacia, coordinación, impulsión de oficio del procedimiento, impugnabilidad de los actos administrativos, control, probidad, transparencia y publicidad administrativas y participación ciudadana en la gestión pública, y garantizará la debida autonomía de los grupos intermedios de la sociedad para cumplir sus propios fines específicos, respetando el derecho de las personas para realizar cualquier actividad económica en conformidad con la Constitución Política y las leyes.

Artículo 4º.- El Estado será responsable por los daños que causen los órganos de la administración en el ejercicio de sus funciones, sin perjuicio de las responsabilidades que pudieren afectar al funcionario que los hubiere ocasionado.

Artículo 5º.- Las autoridades y funcionarios deberán velar por la eficiente e idónea administración de los medios públicos y por el debido cumplimiento de la función pública.

Los órganos de la Administración del Estado deberán cumplir sus cometidos coordinadamente y propender a la unidad de acción, evitando la duplicación o interferencia de funciones.

Artículo 6º.- El Estado podrá participar y tener representación en entidades que no formen parte de su Administración sólo en virtud de una ley que lo autorice, la que deberá ser un quórum calificado si esas entidades desarrollan actividades empresariales.

Las entidades a que se refiere el inciso anterior no podrán, en caso alguno, ejercer potestades públicas.

Artículo 7º.- Los funcionarios de la Administración del Estado estarán afectos a un régimen jerarquizado y disciplinado. Deberán cumplir fiel y esmeradamente sus obligaciones para con el servicio y obedecer las órdenes que les imparta el superior jerárquico.

Artículo 8°.- Los órganos de la Administración del Estado actuarán por propia iniciativa en el cumplimiento de sus funciones, o a petición de parte cuando la ley lo exija expresamente o se haga uso del derecho de petición o reclamo, procurando la simplificación y rapidez de los trámites.

Los procedimientos administrativos deberán ser ágiles y expeditos, sin más formalidades que las que establezcan las leyes y reglamentos.

Artículo 9°.- Los contratos administrativos se celebrarán previa propuesta pública, en conformidad a la ley.

El procedimiento concursal se regirá por los principios de libre concurrencia de los oferentes al llamado administrativo y de igualdad ante las bases que rigen el contrato.

La licitación privada procederá, en su caso, previa resolución fundada que así lo disponga, salvo que por la naturaleza de la negociación corresponda acudir al trato directo.

Artículo 10.- Los actos administrativos serán impugnables mediante los recursos que establezca la ley. Se podrá siempre interponer el de reposición ante el mismo órgano del que hubiere emanado el acto respectivo y, cuando proceda, el recurso jerárquico, ante el superior correspondiente, sin perjuicio de las acciones jurisdiccionales a que haya lugar.

Artículo 11.- Las autoridades y jefaturas, dentro del ámbito de su competencia y en los niveles que corresponda, ejercerán un control jerárquico permanente del funcionamiento de los organismos y de la actuación del personal de su dependencia.

Este control se extenderá tanto a la eficiencia y eficacia en el cumplimiento de los fines y objetivos establecidos, como a la legalidad y oportunidad de las actuaciones.

Artículo 12.- Las autoridades y funcionarios facultados para elaborar planes o dictar normas, deberán velar permanentemente por el cumplimiento de aquéllos y la aplicación de éstas dentro del ámbito de sus atribuciones, sin perjuicio de las obligaciones propias del personal de su dependencia.

Artículo 13.- Los funcionarios de la Administración del Estado deberán observar el principio de probidad administrativa y, en particular, las normas legales generales y especiales que lo regulan.

La función pública se ejercerá con transparencia, de manera que permita y promueva el conocimiento de los procedimientos, contenidos y fundamentos de las decisiones que se adopten en ejercicio de ella.

Artículo 14.- Derogado.

Artículo 15.- El personal de la Administración del Estado se regirá por las normas estatutarias que establezca la ley, en las cuales se regulará el ingreso, los deberes y derechos, la responsabilidad administrativa y la cesación de funciones.

Artículo 16.- Para ingresar a la Administración del Estado se deberá cumplir con los requisitos generales que determine el respectivo estatuto y con los que establece el Título III de esta ley, además de los exigidos para el cargo que se provea.

Todas las personas que cumplan con los requisitos correspondientes tendrán el derecho de postular en igualdad de condiciones a los empleos de la Administración del Estado, previo concurso.

Artículo 17.- Las normas estatutarias del personal de la Administración del Estado deberán proteger la dignidad de la función pública y guardar conformidad con su carácter técnico, profesional y jerarquizado.

Artículo 18.- El personal de la Administración del Estado estará sujeto a responsabilidad administrativa, sin perjuicio de la responsabilidad civil y penal que pueda afectarle.

En el ejercicio de la potestad disciplinaria se asegurará el derecho a un racional y justo procedimiento.

Artículo 19.- El personal de la Administración del Estado estará impedido de realizar cualquier actividad política dentro de la Administración.

Artículo 20.- La Administración del Estado asegurará la capacitación y el perfeccionamiento de su personal, conducentes a obtener la formación y los conocimientos necesarios para el desempeño de la función pública.

TÍTULO II
NORMAS ESPECIALES

PÁRRAFO 1°
DE LA ORGANIZACIÓN Y FUNCIONAMIENTO

Artículo 21.- La organización básica de los Ministerios, las Intendencias, las Gobernaciones y los servicios públicos creados para el cumplimiento de la función administrativa, será la establecida en este Título.

Las normas del presente Título no se aplicarán a la Contraloría General de la República, al Banco Central, a las Fuerzas Armadas y a las Fuerzas de Orden y Seguridad Pública, los Gobiernos Regionales, a las Municipalidades, al Consejo Nacional de Televisión, al Consejo para la Transparencia y a las empresas públicas creadas por ley, órganos que se regirán por las normas constitucionales pertinentes y por sus respectivas leyes orgánicas constitucionales o de quórum calificado, según corresponda.

Artículo 22.- Los Ministerios son los órganos superiores de colaboración del Presidente de la República en las funciones de gobierno y administración de sus respectivos sectores, los cuales corresponden a los campos específicos de actividades en que deben ejercer dichas funciones.

Para tales efectos, deberán proponer y evaluar las políticas y planes correspondientes, estudiar y proponer las normas aplicables a los sectores a su cargo, velar por el cumplimiento de las normas dictadas, asignar recursos y fiscalizar las actividades del respectivo sector.

En circunstancias excepcionales, la ley podrá encomendar alguna de las funciones señaladas en el inciso anterior a los servicios públicos. Asimismo, en los casos calificados que determine la ley, un ministerio podrá actuar como órgano administrativo de ejecución.

Artículo 23.- Los Ministros de Estado, en su calidad de colaboradores directos e inmediatos del Presidente de la República, tendrán la responsabilidad de la conducción de sus respectivos Ministerios, en conformidad con las políticas e instrucciones que aquél imparta.

El Presidente de la República podrá encomendar a uno o más Ministros la coordinación de la labor que corresponde a los Secretarios de Estado y las relaciones del Gobierno con el Congreso Nacional.

Artículo 24.- En cada Ministerio habrá una o más Subsecretarías, cuyos jefes superiores serán los Subsecretarios, quienes tendrán el carácter de colaboradores inmediatos de los Ministros. Les corresponderá coordinar la acción de los órganos y servicios públicos del sector, actuar como ministros de fe, ejercer la administración interna del Ministerio y cumplir las demás funciones que les señale la ley.

Artículo 25.- El Ministro será subrogado por el respectivo Subsecretario y, en caso de existir más de uno, por el de más antigua designación; salvo que el Presidente de la República nombre a otro Secretario de Estado o que la ley establezca para Ministerios determinados otra forma de subrogación.

Artículo 26.- Los Ministerios, con las excepciones que contemple la ley, se desconcentrarán territorialmente mediante Secretarías Regionales Ministeriales, las que estarán a cargo de un Secretario Regional Ministerial.

Artículo 27.- En la organización de los Ministerios, además de las Subsecretarías y de las Secretarías Regionales Ministeriales, podrán existir sólo los niveles jerárquicos de División, Departamento, Sección y Oficina, considerando la importancia relativa y el volumen de trabajo que signifique la respectiva función.

No obstante lo dispuesto en el inciso anterior, en circunstancias excepcionales la ley podrá establecer niveles jerárquicos distintos o adicionales, así como denominaciones diferentes.

Artículo 28.- Los servicios públicos son órganos administrativos encargados de satisfacer necesidades colectivas, de manera regular y continua. Estarán sometidos a la dependencia o supervigilancia del Presidente de la República a través de los respectivos Ministerios, cuyas políticas, planes y programas les corresponderá aplicar, sin perjuicio de lo dispuesto en los Artículos 22, inciso tercero, y 30.

La ley podrá, excepcionalmente, crear servicios públicos bajo la dependencia o supervigilancia directa del Presidente de la República.

Artículo 29.- Los servicios públicos serán centralizados o descentralizados.

Los servicios centralizados actuarán bajo la personalidad jurídica y con los bienes y recursos del Fisco y estarán sometidos a la dependencia del Presidente de la República, a través del Ministerio correspondiente.

Los servicios descentralizados actuarán con la personalidad jurídica y el patrimonio propios que la ley les asigne y estarán sometidos a la supervigilancia del Presidente de la República a través del Ministerio respectivo. La descentralización podrá ser funcional o territorial.

Artículo 30.- Los servicios públicos centralizados o descentralizados que se creen para desarrollar su actividad en todo o parte de una región, estarán sometidos, en su caso, a la dependencia o supervigilancia del respectivo Intendente.

No obstante lo anterior, esos servicios quedarán sujetos a las políticas nacionales y a las normas técnicas del Ministerio a cargo del sector respectivo.

Artículo 31.- Los servicios públicos estarán a cargo de un jefe superior denominado Director, quien será el funcionario de más alta jerarquía dentro del respectivo organismo. Sin embargo, la ley podrá, en casos excepcionales, otorgar a los jefes superiores una denominación distinta.

A los jefes de servicio les corresponderá dirigir, organizar y administrar el correspondiente servicio; controlarlo y velar por el cumplimiento de sus objetivos; responder de su gestión, y desempeñar las demás funciones que la ley les asigne.

En circunstancias excepcionales la ley podrá establecer consejos u órganos colegiados en la estructura de los servicios públicos con las facultades que ésta señale, incluyendo la de dirección superior del servicio.

Artículo 32.- En la organización interna de los servicios públicos sólo podrán establecerse los niveles de Dirección Nacional, Direcciones Regionales, Departamento, Subdepartamento, Sección y Oficina.

La organización interna de los servicios públicos que se creen para desarrollar su actividad en todo o parte de una región, podrá considerar solamente los niveles de Dirección, Departamento, Subdepartamento, Sección y Oficina.

Para la creación de los niveles jerárquicos se considerará la importancia relativa y el volumen de trabajo que signifiquen las respectivas funciones y el ámbito territorial en que actuará el servicio. Las instituciones de Educación Superior de carácter estatal podrán, además, establecer en su organización Facultades, Escuelas, Institutos, Centros de Estudios y otras estructuras necesarias para el cumplimiento de sus fines específicos.

No obstante lo dispuesto en los incisos anteriores, en circunstancias excepcionales, la ley podrá establecer niveles jerárquicos distintos o adicionales, así como denominaciones diferentes.

Artículo 33.- Sin perjuicio de su dependencia jerárquica general, la ley podrá desconcentrar, territorial y funcionalmente, a determinados órganos.

La desconcentración territorial se hará mediante Direcciones Regionales, a cargo de un Director Regional, quien dependerá jerárquicamente del Director Nacional del servicio. No obstante, para los efectos de la ejecución de las políticas, planes y programas de desarrollo regional, estarán subordinados al Intendente a través del respectivo Secretario Regional Ministerial.

La desconcentración funcional se realizará mediante la radicación por ley de atribuciones en determinados órganos del respectivo servicio.

Artículo 34.- En los casos en que la ley confiera competencia exclusiva a los servicios centralizados para la resolución de determinadas materias, el jefe del servicio no quedará subordinado al control jerárquico en cuanto a dicha competencia.

Del mismo modo, la ley podrá dotar a dichos servicios de recursos especiales o asignarles determinados bienes para el cumplimiento de sus fines propios, sin que ello signifique la constitución de un patrimonio diferente del fiscal.

Artículo 35.- El Presidente de la República podrá delegar en forma genérica o específica la representación del Fisco en los jefes superiores de los servicios centralizados, para la ejecución de los actos y celebración de los contratos necesarios para el cumplimiento de los fines propios del respectivo servicio. A proposición del jefe superior, el Presidente de la República podrá delegar esa representación en otros funcionarios del servicio.

Artículo 36.- La representación judicial y extrajudicial de los servicios descentralizados corresponderá a los respectivos jefes superiores.

Artículo 37.- Los servicios públicos podrán encomendar la ejecución de acciones y entregar la administración de establecimientos o bienes de su propiedad, a las Municipalidades o a entidades de derecho privado, previa autorización otorgada por ley y mediante la celebración de contratos, en los cuales deberá asegurarse el cumplimiento de los objetivos del servicio y el debido resguardo del patrimonio del Estado.

Artículo 38.- En aquellos lugares donde no exista un determinado servicio público, las funciones de éste podrán ser asumidas por otro. Para tal efecto, deberá celebrarse un convenio entre los jefes superiores de los servicios, aprobado por decreto supremo suscrito por los Ministros correspondientes. Tratándose de convenios de los servicios a que se refiere el Artículo 30, éstos serán aprobados por resolución del respectivo Intendente.

Artículo 39.- Las contiendas de competencia que surjan entre diversas autoridades administrativas serán resueltas por el superior jerárquico del cual dependan o con el cual se relacionen. Tratándose de autoridades dependientes o vinculadas con distintos Ministerios, decidirán en conjunto los Ministros correspondientes, y si hubiere desacuerdo, resolverá el Presidente de la República.

Artículo 40.- Los Ministros de Estado y los Subsecretarios serán de la exclusiva confianza del Presidente de la República, y requerirán, para su designación, ser chilenos, tener cumplidos veintiún años de edad y reunir los requisitos generales para el ingreso a la Administración Pública.

No podrá ser Ministro de Estado el que tuviere dependencia de sustancias o drogas estupefacientes o sicotrópicas ilegales, a menos que justifique su consumo por un tratamiento médico. Para asumir alguno de esos cargos, el interesado deberá prestar una declaración jurada que acredite que no se encuentra afecto a esta causal de inhabilidad.

Los jefes superiores de servicio, con excepción de los rectores de las instituciones de Educación Superior de carácter estatal, serán de exclusiva confianza del Presidente de la República, y para su designación deberán cumplir con los requisitos generales de ingreso a la Administración Pública, y con los que para casos especiales exijan las leyes.

Artículo 41.- El ejercicio de las atribuciones y facultades propias podrá ser delegado, sobre las bases siguientes:

a) La delegación deberá ser parcial y recaer en materias específicas;

b) Los delegados deberán ser funcionarios de la dependencia de los delegantes;

c) El acto de delegación deberá ser publicado o notificado según corresponda;

d) La responsabilidad por las decisiones administrativas que se adopten o por las actuaciones que se ejecuten recaerá en el delegado, sin perjuicio de la responsabilidad del delegante por negligencia en el cumplimiento de sus obligaciones de dirección o fiscalización; y

e) La delegación será esencialmente revocable.

El delegante no podrá ejercer la competencia delegada sin que previamente revoque la delegación.

Podrá igualmente, delegarse la facultad de firmar, por orden de la autoridad delegante, en determinados actos sobre materias específicas.

Esta delegación no modifica la responsabilidad de la autoridad correspondiente, sin perjuicio de la que pudiera afectar al delegado por negligencia en el ejercicio de la facultad delegada.

Artículo 42.- Los órganos de la Administración serán responsables del daño que causen por falta de servicio.

No obstante, el Estado tendrá derecho a repetir en contra del funcionario que hubiere incurrido en falta personal.

Párrafo 2°
De la Carrera Funcionaria

Artículo 43.- El Estatuto Administrativo del personal de los organismos señalados en el inciso primero del Artículo 21 regulará la carrera funcionaria y considerará especialmente el ingreso, los deberes y derechos, la responsabilidad administrativa y la cesación de funciones, en conformidad con las bases que se establecen en los Artículos siguientes y en el Título III de esta ley.

Cuando las características de su ejercicio lo requieran, podrán existir estatutos de carácter especial para determinadas profesiones o actividades.

Estos estatutos deberán ajustarse, en todo caso, a las disposiciones de este Párrafo.

Artículo 44.- El ingreso en calidad de titular se hará por concurso público y la selección de los postulantes se efectuará mediante procedimientos técnicos, imparciales e idóneos que aseguren una apreciación objetiva de sus aptitudes y méritos.

Artículo 45.- Este personal estará sometido a un sistema de carrera que proteja la dignidad de la función pública y que guarde conformidad con su carácter técnico, profesional y jerarquizado.

La carrera funcionaria será regulada por el respectivo estatuto y se fundará en el mérito, la antigüedad y la idoneidad de los funcionarios, para cuyo efecto existirán procesos de calificación objetivos e imparciales.

Las promociones deberán efectuarse, según lo disponga el estatuto, por concurso, al que se aplicarán las reglas previstas en el Artículo anterior, o por ascenso en el respectivo escalafón.

Artículo 46.- Asimismo, este personal gozará de estabilidad en el empleo y sólo podrá cesar en él por renuncia voluntaria debidamente aceptada; por jubilación o por otra causal legal, basada en su desempeño deficiente, en el incumplimiento de sus obligaciones, en la pérdida de requisitos para ejercer la función, en el término del período legal por el cual se es designado o en la supresión del empleo. Lo anterior es sin perjuicio de la facultad que tiene el Presidente de la República o la autoridad llamada a hacer el nombramiento en relación con los cargos de su exclusiva confianza.

El desempeño deficiente y el incumplimiento de obligaciones deberá acreditarse en las calificaciones correspondientes o mediante investigación o sumario administrativo.

Los funcionarios públicos sólo podrán ser destinados a funciones propias del empleo para el cual han sido designados, dentro del órgano o servicio público correspondiente.

Los funcionarios públicos podrán ser designados en comisiones de servicio para el desempeño de funciones ajenas al cargo, en el mismo órgano o servicio público o en otro distinto, tanto en el territorio nacional como en el extranjero. Las comisiones de servicio serán esencialmente transitorias, y no podrán significar el desempeño de funciones de inferior jerarquía a las del cargo, o ajenas a los conocimientos que éste requiere o al servicio público.

Artículo 47.- Para los efectos de la calificación del desempeño de los funcionarios públicos, un reglamento establecerá un procedimiento de carácter general, que asegure su objetividad e imparcialidad, sin perjuicio de las reglamentaciones especiales que pudieran dictarse de acuerdo con las características de determinados organismos o servicios públicos. Además, se llevará una hoja de vida por cada funcionario, en la cual se anotarán sus méritos y deficiencias.

La calificación se considerará para el ascenso, la eliminación del servicio y los estímulos al funcionario, en la forma que establezca la ley.

Artículo 48.- La capacitación y el perfeccionamiento en el desempeño de la función pública se realizarán mediante un sistema que propenda a estos fines, a través de programas nacionales, regionales o locales.

Estas actividades podrán llevarse a cabo mediante convenios con instituciones públicas o privadas.

La ley podrá exigir como requisito de promoción o ascenso el haber cumplido determinadas actividades de capacitación o perfeccionamiento.

La destinación a los cursos de capacitación y perfeccionamiento se efectuará por orden de escalafón o por concurso, según lo determine la ley.

Podrán otorgarse becas a los funcionarios públicos para seguir cursos relacionados con su capacitación y perfeccionamiento.

El presupuesto de la Nación considerará globalmente o por organismo los recursos para los efectos previstos en este Artículo.

Artículo 49.- Sin perjuicio de lo dispuesto en los N° s. 9° y 10° del Artículo 32 de la Constitución Política de la República, la ley podrá otorgar a determinados empleos la calidad de cargos de la exclusiva confianza del Presidente de la República o de la autoridad facultada para efectuar el nombramiento.

No obstante, la ley sólo podrá conferir dicha calidad a empleos que correspondan a los tres primeros niveles jerárquicos del respectivo órgano o servicio. Uno de los niveles jerárquicos corresponderá, en el caso de los Ministerios, a los Secretarios Regionales Ministeriales, y en el caso de los servicios públicos, a los subdirectores y a los directores regionales. Si el respectivo órgano o servicio no contare con los cargos antes mencionados, la ley podrá otorgar la calidad de cargo de la exclusiva confianza, sólo a los empleos que correspondan a los dos primeros niveles jerárquicos. Para estos efectos, no se considerarán los cargos a que se refieren las disposiciones constitucionales citadas en el inciso precedente.

Con todo, la ley podrá también otorgar la calidad de cargo de la exclusiva confianza a todos aquellos que conforman la planta de personal de la Presidencia de la República.

Se entenderá por funcionarios de exclusiva confianza aquéllos sujetos a la libre designación y remoción del Presidente de la República o de la autoridad facultada para disponer el nombramiento.

Artículo 50.- Los regímenes legales de remuneraciones podrán establecer sistemas o modalidades que estimulen el ejercicio de determinadas funciones por parte de los empleados o premien la idoneidad de su desempeño, sin perjuicio de la aplicación de las escalas generales de sueldos y del principio de que a funciones análogas, que importen responsabilidades semejantes y se ejerzan en condiciones similares, se les asignen iguales retribuciones y demás beneficios económicos.

Artículo 51.- El Estado velará permanentemente por la carrera funcionaria y el cumplimiento de las normas y principios de carácter técnico y profesional establecidos en este párrafo, y asegurará tanto la igualdad de oportunidades de ingreso a ella como la capacitación y el perfeccionamiento de sus integrantes.

Título III
DE LA PROBIDAD ADMINISTRATIVA

Párrafo 1°
Reglas generales

Artículo 52.- Las autoridades de la Administración del Estado, cualquiera que sea la denominación con que las designen la Constitución y las leyes, y los funcionarios de la
Administración Pública, sean de planta o a contrata, deberán dar estricto cumplimiento al principio de la probidad administrativa.

El principio de la probidad administrativa consiste en observar una conducta funcionaria intachable y un desempeño honesto y leal de la función o cargo, con preeminencia del interés general sobre el particular.

Su inobservancia acarreará las responsabilidades y sanciones que determinen la Constitución, las leyes y el párrafo 4° de este Título, en su caso.

Artículo 53.- El interés general exige el empleo de medios idóneos de diagnóstico, decisión y control, para concretar, dentro del orden jurídico, una gestión eficiente y eficaz. Se expresa en el recto y correcto ejercicio del poder público por parte de las autoridades administrativas; en lo razonable e imparcial de sus decisiones; en la rectitud de ejecución de las normas, planes, programas y acciones; en la integridad ética y profesional de la administración de los recursos públicos que se gestionan; en la expedición en el cumplimiento de sus funciones legales, y en el acceso ciudadano a la información administrativa, en conformidad a la ley.

Párrafo 2°
De las inhabilidades e incompatibilidades administrativas

Artículo 54.- Sin perjuicio de las inhabilidades especiales que establezca la ley, no podrán ingresar a cargos en la Administración del Estado:

a) Las personas que tengan vigente o suscriban, por sí o por terceros, contratos o cauciones ascendentes a doscientas unidades tributarias mensuales o más, con el respectivo organismo de la Administración Pública.

Tampoco podrán hacerlo quienes tengan litigios pendientes con la institución de que se trata, a menos que se refieran al ejercicio de derechos propios, de su cónyuge, hijos, adoptados o parientes hasta el tercer grado de consanguinidad y segundo de afinidad inclusive.

Igual prohibición regirá respecto de los directores, administradores, representantes y socios titulares del diez por ciento o más de los derechos de cualquier clase de sociedad, cuando ésta tenga contratos o cauciones vigentes ascendentes a doscientas unidades tributarias mensuales o más, o litigios pendientes, con el organismo de la Administración a cuyo ingreso se postule.

b) Las personas que tengan la calidad de cónyuge, hijos, adoptados o parientes hasta el tercer grado de consanguinidad y segundo de afinidad inclusive respecto de las autoridades y de los funcionarios directivos del organismo de la administración civil del Estado al que postulan, hasta el nivel de jefe de departamento o su equivalente, inclusive.

c) Las personas que se hallen condenadas por crimen o simple delito.

Artículo 55.- Para los efectos del Artículo anterior, los postulantes a un cargo público deberán prestar una declaración jurada que acredite que no se encuentran afectos a alguna de las causales de inhabilidad previstas en ese Artículo.

Artículo 55 bis.- No podrá desempeñar las funciones de Subsecretario, jefe superior de servicio ni directivo superior de un órgano u organismo de la Administración del Estado, hasta el grado de jefe de división o su equivalente, el que tuviere dependencia de sustancias o drogas estupefacientes o sicotrópicas ilegales, a menos que justifique su consumo por un tratamiento médico.

Para asumir alguno de esos cargos, el interesado deberá prestar una declaración jurada que acredite que no se encuentra afecto a esta causal de inhabilidad.

Artículo 56.- Todos los funcionarios tendrán derecho a ejercer libremente cualquier profesión, industria, comercio u oficio conciliable con su posición en la Administración del Estado, siempre que con ello no se perturbe el fiel y oportuno cumplimiento de sus deberes funcionarios, sin perjuicio de las prohibiciones o limitaciones establecidas por ley.

Estas actividades deberán desarrollarse siempre fuera de la jornada de trabajo y con recursos privados. Son incompatibles con la función pública las actividades particulares cuyo ejercicio deba realizarse en horarios que coincidan total o parcialmente con la jornada de trabajo que se tenga asignada. Asimismo, son incompatibles con el ejercicio de la función pública las actividades particulares de las autoridades o funcionarios que se refieran a materias específicas o casos concretos que deban ser analizados, informados o resueltos por ellos o por el organismo o servicio público a que pertenezcan; y la representación de un tercero en acciones civiles deducidas en contra de un organismo de la Administración del Estado, salvo que actúen en favor de alguna de las personas señaladas en la letra b) del Artículo 54 o que medie disposición especial de ley que regule dicha representación.

Del mismo modo son incompatibles las actividades de las ex autoridades o ex funcionarios de una institución fiscalizadora que impliquen una relación laboral con entidades del sector privado sujetas a la fiscalización de ese organismo. Esta incompatibilidad se mantendrá hasta seis meses después de haber expirado en funciones.

PÁRRAFO 3°

DE LA DECLARACIÓN DE INTERESES Y DE PATRIMONIO

Artículo 57.- Derogado.

Artículo 58.- Derogado.

Artículo 59.- Derogado.

Artículo 60.- Derogado.

Artículo 60 A.- Derogado.

Artículo 60 B.- Derogado.

Artículo 60 C.- Derogado.

Artículo 60 D.- Derogado.

PÁRRAFO 4°
DE LA RESPONSABILIDAD Y DE LAS SANCIONES

Artículo 61.- Las reparticiones encargadas del control interno en los órganos u organismos de la Administración del Estado tendrán la obligación de velar por la observancia de las normas de este Título, sin perjuicio de las atribuciones de la Contraloría General de la República.

La infracción a las conductas exigibles prescritas en este Título hará incurrir en responsabilidad y traerá consigo las sanciones que determine la ley. La responsabilidad administrativa se hará efectiva con sujeción a las normas estatutarias que rijan al órgano u organismo en que se produjo la infracción.

Corresponderá a la autoridad superior de cada órgano u organismo de la Administración del Estado prevenir el consumo indebido de sustancias o drogas estupefacientes o sicotrópicas, de acuerdo con las normas contenidas en el reglamento.

El reglamento a que se refiere el inciso anterior contendrá, además, un procedimiento de control de consumo aplicable a las personas a que se refiere el artículo 55bis. Dicho procedimiento de control comprenderá a todos los integrantes de un grupo o sector de funcionarios que se determinará en forma aleatoria; se aplicará en forma reservada y resguardará la dignidad e intimidad de ellos, observando las prescripciones de la ley N° 19.628, sobre protección de los datos de carácter personal. Sólo será admisible como prueba de la dependencia una certificación médica, basada en los exámenes que correspondan.

Artículo 62.- Contravienen especialmente el principio de la probidad administrativa, las siguientes conductas:

1. Usar en beneficio propio o de terceros la información reservada o privilegiada a que se tuviere acceso en razón de la función pública que se desempeña;

2. Hacer valer indebidamente la posición funcionaria para influir sobre una persona con el objeto de conseguir un beneficio directo o indirecto para sí o para un tercero;

3. Emplear, bajo cualquier forma, dinero o bienes de la institución, en provecho propio o de terceros;

4. Ejecutar actividades, ocupar tiempo de la jornada de trabajo o utilizar personal o recursos del organismo en beneficio propio o para fines ajenos a los institucionales;

5. Solicitar, hacerse prometer o aceptar, en razón del cargo o función, para sí o para terceros, donativos, ventajas o privilegios de cualquier naturaleza.

Exceptúanse de esta prohibición los donativos oficiales y protocolares, y aquellos que autoriza la costumbre como manifestaciones de cortesía y buena educación.

El millaje u otro beneficio similar que otorguen las líneas aéreas por vuelos nacionales o internacionales a los que viajen como autoridades o funcionarios, y que sean financiados con recursos públicos, no podrán ser utilizados en actividades o viajes particulares;

6. Intervenir, en razón de las funciones, en asuntos en que se tenga interés personal o en que lo tengan el cónyuge, hijos, adoptados o parientes hasta el tercer grado de consanguinidad y segundo de afinidad inclusive.

Asimismo, participar en decisiones en que exista cualquier circunstancia que le reste imparcialidad.

Las autoridades y funcionarios deberán abstenerse de participar en estos asuntos, debiendo poner en conocimiento de su superior jerárquico la implicancia que les afecta;

7. Omitir o eludir la propuesta pública en los casos que la ley la disponga;

8. Contravenir los deberes de eficiencia, eficacia y legalidad que rigen el desempeño de los cargos públicos, con grave entorpecimiento del servicio o del ejercicio de los derechos ciudadanos ante la Administración, y

9. Efectuar denuncias de irregularidades o de faltas al principio de probidad de las que haya afirmado tener conocimiento, sin fundamento y respecto de las cuales se constatare su falsedad o el ánimo deliberado de perjudicar al denunciado.

Artículo 63.- La designación de una persona inhábil será nula. La invalidación no obligará a la restitución de las remuneraciones percibidas por el inhábil, siempre que la inadvertencia de la inhabilidad no le sea imputable.

La nulidad del nombramiento en ningún caso afectará la validez de los actos realizados entre su designación y la fecha en que quede firme la declaración de nulidad. Incurrirá en responsabilidad administrativa todo funcionario que hubiere intervenido en la tramitación de un nombramiento irregular y que por negligencia inexcusable omitiere advertir el vicio que lo invalidaba.

Artículo 64.- Las inhabilidades sobrevinientes deberán ser declaradas por el funcionario afectado a su superior jerárquico dentro de los diez días siguientes a la configuración de alguna de las causales señaladas en el artículo 54. En el mismo acto deberá presentar la renuncia a su cargo o función, salvo que la inhabilidad derivare de la designación posterior de un directivo superior, caso en el cual el subalterno en funciones deberá ser destinado a una dependencia en que no exista entre ellos una relación jerárquica.

En el caso de la inhabilidad a que se refiere el artículo 55 bis, junto con admitirla ante el superior jerárquico, el funcionario se someterá a un programa de tratamiento y rehabilitación en alguna de las instituciones que autorice el reglamento. Si concluye ese programa satisfactoriamente, deberá aprobar un control de consumo toxicológico y clínico que se le aplicará, con los mecanismos de resguardo a que alude el artículo 61, inciso cuarto.

El incumplimiento de cualquiera de estas normas será sancionado con la medida disciplinaria de destitución del infractor. Lo anterior es sin perjuicio de la aplicación de las reglas sobre salud irrecuperable o incompatible con el desempeño del cargo, si procedieren, tratándose de la situación a que alude el inciso segundo.

Artículo 65.- Derogado

Artículo 66.- Derogado

Artículo 67.- Derogado

Artículo 68.- Derogado

Título **IV**
DE LA PARTICIPACIÓN CIUDADANA EN LA GESTIÓN PÚBLICA

Artículo 69.- El Estado reconoce a las personas el derecho de participar en sus políticas, planes, programas y acciones.

Es contraria a las normas establecidas en este Título toda conducta destinada a excluir o discriminar, sin razón justificada, el ejercicio del derecho de participación ciudadana señalado en el inciso anterior.

Artículo 70.- Cada órgano de la Administración del Estado deberá establecer las modalidades formales y específicas de participación que tendrán las personas y organizaciones en el ámbito de su competencia.

Las modalidades de participación que se establezcan deberán mantenerse actualizadas y publicarse a través de medios electrónicos u otros.

Artículo 71.- Sin perjuicio de lo establecido en el artículo anterior, cada órgano de la Administración del Estado deberá poner en conocimiento público información relevante acerca de sus políticas, planes, programas, acciones y presupuestos, asegurando que ésta sea oportuna, completa y ampliamente accesible. Dicha información se publicará en medios electrónicos u otros.

Artículo 72.- Los órganos de la Administración del Estado, anualmente, darán cuenta pública participativa a la ciudadanía de la gestión de sus políticas, planes, programas, acciones y de su ejecución presupuestaria. Dicha cuenta deberá desarrollarse desconcentradamente, en la forma y plazos que fije la norma establecida en el artículo 70.

En el evento que a dicha cuenta se le formulen observaciones, planteamientos o consultas, la entidad respectiva deberá dar respuesta conforme a la norma mencionada anteriormente.

Artículo 73.- Los órganos de la Administración del Estado, de oficio o a petición de parte, deberán señalar aquellas materias de interés ciudadano en que se requiera conocer la opinión de las personas, en la forma que señale la norma a que alude el artículo 70.

La consulta señalada en el inciso anterior deberá ser realizada de manera informada, pluralista y representativa.

Las opiniones recogidas serán evaluadas y ponderadas por el órgano respectivo, en la forma que señale la norma de aplicación general.

Artículo 74.- Los órganos de la Administración del Estado deberán establecer consejos de la sociedad civil, de carácter consultivo, que estarán conformados de manera diversa, representativa y pluralista por integrantes de asociaciones sin fines de lucro que tengan relación con la competencia del órgano respectivo.

Artículo 75.- Las normas de este Título no serán aplicables a los órganos del Estado señalados en el inciso segundo del artículo 21 de esta ley, con excepción de los gobiernos regionales, los que deberán constituir consejos de la sociedad civil según las normas de este Título.

Dichos órganos podrán establecer una normativa especial referida a la participación ciudadana.

TÍTULO FINAL

Artículo 76.- Derógase el Artículo 5º del decreto ley Nº 2.345, de 1978, y el decreto ley Nº 3.410, de 1980.

Artículo final.- Esta ley regirá desde la fecha de su publicación en el Diario Oficial, con excepción de sus Artículos 27, 32, 43 y 49, los que entrarán en vigencia en el plazo de dos años contado desde esa fecha, y de la derogación del Artículo 5° del decreto ley N° 2.345, de 1978, la que regirá en el plazo de seis meses, contado igualmente desde tal fecha.

Artículo 1° transitorio.- Delégase en el Presidente de la República, por el plazo de un año, la facultad de suprimir, modificar o establecer normas legales, con el solo objeto de adecuar el régimen jurídico de los órganos a que se refiere el Artículo 21, inciso primero, a los Artículos 27, 32, 43 y 49.

Artículo 2° transitorio.- Derogado

4. Ley Nº 18.603, Orgánica Constitucional de Partidos Políticos

Publicada en el Diario Oficial el 23 de marzo de 1987
(DFL 4, del Ministerio Secretaría General de la
Presidencia, del 6 de septiembre de 2017, que fija
el texto refundido, coordinado y sistematizado de
la Ley 18.603. Incluye la última modificación de
la Ley Nº 21.073, del 22 de febrero de 2018)

Título I
DE LOS PARTIDOS POLÍTICOS, DE SUS ACTIVIDADES PROPIAS Y DE SU ÁMBITO DE ACCIÓN

Artículo 1.- Los partidos políticos son asociaciones autónomas y voluntarias organizadas democráticamente, dotadas de personalidad jurídica de derecho público, integradas por personas naturales que comparten unos mismos principios ideológicos y políticos, cuya finalidad es contribuir al funcionamiento del sistema democrático y ejercer influencia en la conducción del Estado, para alcanzar el bien común y servir al interés nacional.

Los partidos políticos expresan el pluralismo político, concurren a la formación y expresión de la voluntad popular, son instrumento fundamental para la participación política democrática, contribuyen a la integración de la representación nacional y son mediadores entre las personas y el Estado.

Los partidos políticos deberán contribuir al fortalecimiento de la democracia y al respeto, garantía y promoción de los derechos humanos reconocidos en la Constitución, en los tratados internacionales ratificados y vigentes en Chile, y en las leyes.

Artículo 2.- Son actividades propias de los partidos políticos aquellas destinadas a poner en práctica sus principios, postulados y programas, para lo cual podrán participar en los procesos electorales y plebiscitarios en la forma que determine la ley respectiva.

Los partidos políticos podrán, además:

a) Difundir ante los ciudadanos y habitantes del país sus declaraciones de principios y sus políticas y programas de conducción del Estado; y ante aquellos y las autoridades que establecen la Constitución y las leyes, sus iniciativas y criterios de acción frente a asuntos de interés público.

b) Cooperar, a requerimiento de las autoridades electas, en las labores que éstos desarrollen.

c) Contribuir a la formación de ciudadanos capacitados para asumir responsabilidades públicas.

d) Promover la participación política activa de la ciudadanía y propender a la inclusión de los diversos sectores de la vida nacional.

e) Contribuir a la formación política y cívica de la ciudadanía y de sus afiliados.

f) Promover la interrelación activa y continua entre la ciudadanía y las instituciones del Estado.

g) Promover la participación política inclusiva y equitativa de las mujeres.

h) Realizar encuentros, conferencias, cursos, seminarios e investigaciones.

i) Interactuar con organismos e instituciones representativos de la sociedad civil, a nivel nacional, regional y local.

j) Realizar publicaciones y difundir sus políticas, planes y programas a través de los medios de difusión.

k) Participar políticamente en entidades nacionales o internacionales.

l) Realizar actividades conjuntas entre dos o más partidos políticos para el cumplimiento de sus fines.

m) Efectuar las demás actividades que sean complementarias a las anteriores y que no estén prohibidas por la Constitución o las leyes.

Lo dispuesto en los incisos anteriores no impedirá a las personas naturales presentar candidaturas independientes para optar a cargos de elección popular. Tampoco impedirá a aquellas ni a otras personas jurídicas hacer valer, ante los habitantes del país o ante las autoridades que la

Constitución y las leyes establecen, su criterio frente a la conducción del Estado y otros asuntos de interés público, o desarrollar las actividades mencionadas en las letras b) y c) del inciso segundo, siempre que ello no implique, por su alcance y su habitualidad, el funcionamiento de hecho de organizaciones con las características de un partido político.

Artículo 3.- Los partidos políticos existirán como tales cuando se hubieren constituido legalmente en al menos ocho de las regiones en que se divide política y administrativamente el país o en un mínimo de tres regiones geográficamente contiguas.

El ámbito de acción de los partidos políticos se circunscribirá, en lo relativo a las actividades señaladas en el inciso primero del artículo 2, sólo a las regiones donde estén legalmente constituidos.

Título II
DE LA CONSTITUCIÓN DE LOS PARTIDOS POLÍTICOS

Artículo 4.- Los partidos políticos quedarán legalmente constituidos una vez practicada su inscripción en el registro de partidos políticos y gozarán de personalidad jurídica desde la fecha de esa inscripción.

Artículo 5.- Para constituir un partido político, sus organizadores, que deberán ser a lo menos cien ciudadanos con derecho a sufragio y que no pertenezcan a otro partido existente o en formación, procederán a extender una escritura pública que contendrá las siguientes menciones:

a) Individualización completa de los comparecientes.

b) Declaración de la voluntad de constituir un partido político.

c) Nombre del partido y, si los tuviere, sigla, lema y descripción literal del símbolo.

d) Declaración de principios del partido, la que deberá expresar su compromiso con el fortalecimiento de la democracia y el respeto, garantía y promoción de los derechos humanos asegurados en la Constitución, en los tratados internacionales ratificados y vigentes en Chile, y en las leyes.

e) Estatuto del mismo, el cual deberá establecer, entre otros, los principios del partido, su estructura interna, la composición y funciones de cada uno de sus órganos, la forma de elección de sus autoridades conforme a los principios que señala esta ley, los derechos y deberes de sus afiliados y las demás normas que la ley exija.

f) Nombres y apellidos de las personas que integran el órgano ejecutivo y el tribunal supremo provisionales, de acuerdo con lo dispuesto en los artículos 27 y 31, respectivamente, constitución de un domicilio común para todas esas personas y normas para reemplazarlas o subrogarlas en caso de fallecimiento, renuncia o imposibilidad definitiva o transitoria que se produzcan antes de la inscripción del partido. Las personas que integren el órgano ejecutivo y el tribunal supremo provisionales deberán concurrir al otorgamiento de la escritura pública a que se refiere este inciso.

Simultáneamente con el otorgamiento de la escritura pública, se procederá a protocolizar el facsímil del símbolo, la sigla y el lema que distinguirán al partido, si los tuviere.

Los notarios no podrán negarse injustificadamente a extender la escritura pública a que hace referencia este artículo y no podrán cobrar por este servicio.

Dentro de tercer día hábil de otorgada la escritura, una copia autorizada de ella, de la protocolización señalada en el inciso segundo, si la hubiere, y un proyecto de extracto con las menciones a que alude este inciso, deberán ser entregados por el órgano ejecutivo provisional del partido al Director del Servicio Electoral. Si la escritura contiene todas las menciones indicadas en el inciso primero de este artículo, el Director dispondrá publicar en el sitio electrónico del Servicio Electoral, dentro de quinto día hábil de haber recibido los antecedentes, un extracto de la misma que contendrá las menciones de las letras c) y f), la declaración de principios del partido y el lugar, fecha y notaría de su otorgamiento. En caso contrario, ordenará que se subsanen los reparos que formule.

Desde la fecha de la publicación se entenderá que el partido se encuentra en formación, pudiendo divulgar a través de los medios de comunicación social los postulados doctrinarios y programáticos de la entidad y llamar a los ciudadanos a afiliarse a ella, indicando la forma y plazo en que podrán hacerlo.

La administración y la eventual liquidación del patrimonio de un partido político en formación se regirán por sus estatutos.

Artículo 6.- El partido político en formación podrá proceder a la afiliación de sus miembros, para lo cual dispondrá de un plazo de doscientos diez días corridos. Será necesario que se afilie al partido un número de ciudadanos con derecho a sufragio equivalente, a lo menos, al 0,25 por ciento del electorado que hubiere sufragado en la última elección de diputados en cada una de las regiones donde esté constituyéndose, siempre y cuando dicho porcentaje del electorado en cada región fuere superior a 500 electores. Si del cálculo descrito resultare una cantidad de electores menor a 500, los partidos políticos deberán afiliar, en dichas regiones, al menos a 500 electores. El cálculo del porcentaje señalado se hará según el escrutinio general practicado por el Tribunal Calificador de Elecciones.

La afiliación al partido en formación se efectuará mediante declaración suscrita por cada ciudadano con derecho a sufragio ante cualquier notario, ante el oficial del Registro Civil, o ante el funcionario habilitado del Servicio Electoral, quienes no podrán negarse a recibir la declaración a que hace referencia este artículo y no podrán cobrar por este servicio.

Una instrucción general del Servicio Electoral establecerá el modo en que el procedimiento de constitución y afiliación del partido político en formación podrá realizarse de acuerdo con las disposiciones de la ley N° 19.799, sobre Documentos electrónicos, firma electrónica y servicios de certificación de dicha firma.

Las declaraciones deberán ser individuales y contendrán su nombre completo, apellidos, domicilio, fecha de nacimiento y cédula nacional de identidad. Cada nuevo afiliado deberá declarar bajo juramento su condición de ciudadano habilitado para votar en la región respectiva y no estar afiliado a otro partido político inscrito o en formación, ni estar o haber estado participando en la formación de un partido político en los últimos doscientos cuarenta días corridos.

El órgano ejecutivo provisional podrá excluir, sin expresión de causa, a cualquier afiliado que haya suscrito la declaración a que se refiere este artículo. El ciudadano excluido no será considerado como afiliado al partido para efecto alguno.

Artículo 7.- Cumplidos los requisitos a que se refieren los artículos 5 y 6, y reunido el número de afiliados a que alude este último artículo en ocho de las regiones en que se divide política y administrativamente el país o en un mínimo de tres regiones geográficamente contiguas, se solicitará al Director del Servicio Electoral que proceda a inscribir el partido en el registro de partidos políticos. La solicitud deberá ser firmada por el presidente y por el secretario del partido en formación.

Si transcurridos tres días hábiles fatales contados desde la expiración del plazo a que se refiere el inciso primero del artículo precedente, no se hubiere dado cumplimiento a lo dispuesto en el inciso anterior, caducará el derecho a la inscripción. El notario hará constar esta circunstancia al margen de la escritura correspondiente, a requerimiento del Director del Servicio Electoral.

A la solicitud de inscripción deberá acompañarse el original o una fotocopia autorizada por notario de las declaraciones de que trata el artículo 6, en la forma que determinen las instrucciones que para el efecto dicte el Consejo Directivo del Servicio Electoral. Con estas declaraciones se confeccionará una nómina de afiliados.

Artículo 8.- El nombre completo, la sigla, el símbolo y el lema de un partido no podrán presentar igualdad ni manifiesta similitud gráfica o fonética con los de partidos ya inscritos o en proceso de formación, ni llevar el nombre o hacer referencia a personas vivas o fallecidas.

No serán aceptados como nombres, siglas, símbolos ni lemas los siguientes:

a) El escudo de armas de la República, su lema o la bandera nacional.

b) Imágenes contrarias a la moral, a las buenas costumbres o al orden público.

Artículo 9.- El Director del Servicio Electoral, dentro de los cinco días hábiles siguientes a la presentación de la solicitud de inscripción y de los antecedentes a que se refiere el artículo 7, dispondrá la publicación de aquélla en el sitio electrónico del Servicio, con mención de su nombre, y si los tuviere, de su sigla, símbolo y lema, de la notaría y de la fecha en que se haya otorgado la escritura de constitución.

Cualquier afiliado a un partido político inscrito podrá requerir, a su costa, que el Director del Servicio Electoral le entregue, dentro de tercer día hábil, fotocopia autorizada de la nómina de afiliados al partido a que pertenezca.

Artículo 10.- Cualquier partido inscrito o en formación podrá deducir oposición a la formación de otro, sin que por esta causa se suspenda el proceso de constitución. La oposición deberá cumplir con lo prescrito en el artículo 30 de la ley N° 19.880, que Establece bases de los procedimientos administrativos que rigen los actos de los órganos de la Administración del Estado, ser escrita, llevar la firma del presidente del partido que la formule y ser presentada al Director del Servicio Electoral dentro del plazo de treinta días hábiles contado desde la fecha de la publicación indicada en el inciso cuarto del artículo 5. El partido oponente será considerado como interesado en la gestión, de conformidad con lo dispuesto en el artículo 21 de la ley N° 19.880, según corresponda.

El Servicio Electoral notificará por carta certificada al presidente del partido en formación el hecho de haberse presentado la oposición, le acompañará copia de la presentación a que alude el inciso anterior y dejará constancia de ello en el expediente que forme para tal efecto. El partido afectado dispondrá de diez días hábiles para contestar, desde el momento en que dicha notificación se hubiere practicado.

Si el Servicio Electoral estimare necesario abrir un término probatorio, lo decretará de acuerdo con lo previsto en los artículos 35 y 36 de la ley N° 19.880.

Dentro de los quince días hábiles siguientes al vencimiento del plazo señalado en el inciso segundo o del término probatorio, si lo hubiere, el Servicio Electoral deberá pronunciarse sobre la oposición, acogiéndola o rechazándola en resolución fundada, que se publicará dentro de tercer día hábil en su sitio electrónico. La resolución del Servicio se subordinará a lo dispuesto en el artículo 41 de la ley N° 19.880.

Artículo 11.- Igualmente, cualquier partido inscrito o en formación podrá deducir oposición a la solicitud a que se refiere el artículo 7, basada en el incumplimiento del requisito relativo al número de afiliados necesario para constituir un partido. La oposición deberá cumplir con las mismas formalidades señaladas en el artículo anterior y deberá ser presentada al Servicio Electoral dentro del plazo de treinta días hábiles contado desde la fecha de la publicación indicada en el inciso primero del artículo 9.

Artículo 12.- Se haya o no deducido oposición, dentro de los quince días hábiles siguientes al vencimiento del plazo establecido en el artículo precedente, el Director del Servicio Electoral deberá pronunciarse sobre la solicitud a que se refiere el artículo 7, acogiéndola o rechazándola en resolución fundada, que será publicada dentro de tercer día hábil en el sitio electrónico del Servicio.

En caso de haber oposición, deberá resolverse sobre ella en la misma resolución aludida en el inciso anterior.

Artículo 13.- La aceptación de la oposición o el rechazo de la solicitud sólo podrán fundarse en el incumplimiento de cualquiera de las disposiciones establecidas en los artículos 5, 6, 7, 8, 18 y las del título IV, según corresponda.

De las resoluciones que acojan o rechacen una solicitud o una oposición podrán reclamar, para ante el Tribunal Calificador de Elecciones, los solicitantes y cualquiera de los partidos inscritos o en proceso de formación que hayan deducido válidamente oposición.

La reclamación deberá ser deducida por escrito ante el Director del Servicio Electoral dentro de cinco días hábiles de efectuada la publicación de la resolución respectiva, debiendo ser remitidos los autos al Tribunal Calificador de Elecciones dentro de tercer día.

Artículo 14.- Si acogida la solicitud, no se hubiere deducido reclamación o ésta hubiere sido rechazada por el Tribunal Calificador de Elecciones, el Director del Servicio Electoral procederá de inmediato y sin más trámite a inscribir al partido en el registro de partidos políticos, con indicación de las regiones donde hubiere quedado legalmente constituido.

Si el Director del Servicio Electoral no efectuare la inscripción de que trata el inciso anterior dentro del plazo de tres días hábiles, el presidente del partido podrá solicitar al Tribunal Calificador de Elecciones que le ordene practicarla, sin perjuicio de las responsabilidades del Director del Servicio Electoral.

Si el Director del Servicio Electoral no diere lugar a la solicitud y no se hubiere deducido reclamación, o ésta hubiere sido rechazada por el Tribunal Calificador de Elecciones, aquél procederá sin más trámite a ordenar el archivo de los antecedentes.

Artículo 15.- El partido en formación cuya solicitud hubiere sido rechazada por resolución firme o respecto del cual se hubiere acogido una oposición, podrá subsanar las deficiencias en que se hubiere fundado la resolución y formular una nueva solicitud basada en los antecedentes ya presentados y en los que acrediten que las deficiencias han sido subsanadas. Esta solicitud deberá ser presentada dentro de dos meses de notificada la resolución firme antes aludida y se regirá por lo dispuesto en los artículos 9 a 14 inclusive. Si fuere rechazada en definitiva, no podrá ejercerse nuevamente el derecho que confiere este inciso.

Para el efecto de subsanar esas deficiencias, el órgano ejecutivo provisional del partido en formación podrá ser facultado para introducir modificaciones en el nombre, sigla, símbolo, lema o estatuto del mismo y para completar el número de afiliados exigido por la ley, siempre que no falte más de un diez por ciento del mínimo exigido por el inciso primero del artículo 6.

Artículo 16.- Sin perjuicio de lo dispuesto en los artículos 5 y 12 de la ley N° 18.700, de Votaciones populares y escrutinios, los derechos que correspondan a los partidos políticos en materia de elecciones y de plebiscitos, sólo podrán ser ejercidos por aquellos que se encontraren inscritos en el registro de partidos políticos al vencimiento del correspondiente plazo para la presentación de candidaturas o a la fecha de convocatoria a plebiscito, según el caso.

Artículo 17.- Los partidos políticos podrán desarrollar en otras regiones, diferentes a aquellas en que se encontraren legalmente constituidos con anterioridad, las actividades señaladas en el inciso primero del artículo 2, cuando acrediten ante el Director del Servicio Electoral haber reunido en cada una de ellas el número de afiliados señalado en el inciso primero del artículo 6. Para este efecto, acompañarán a la solicitud respectiva las declaraciones de afiliación en la forma dispuesta en los artículos 6 y 7. El Director del Servicio Electoral dispondrá la publicación de un extracto de dicha solicitud dentro de los cinco días hábiles siguientes en el sitio electrónico del Servicio Electoral.

Podrá formularse oposición a esta solicitud conforme a lo dispuesto en el artículo 11.

Acogida en definitiva la solicitud, el Director del Servicio Electoral dictará una resolución fundada indicando la o las nuevas regiones en las que el partido hubiere quedado legalmente constituido. Esta resolución se publicará en el sitio electrónico del Servicio Electoral dentro de tercer día hábil y se anotará al margen de su inscripción en el registro de partidos políticos.

Título III
DE LA AFILIACIÓN A LOS PARTIDOS POLÍTICOS

Artículo 18.- Para afiliarse a un partido político se requiere ser ciudadano con derecho a sufragio o extranjero avecindado en Chile por más de cinco años. Con todo, no podrán afiliarse a partido político alguno el personal de las Fuerzas Armadas y el de Orden y Seguridad Pública, el del Tribunal Calificador de Elecciones y el del Servicio Electoral. Tampoco podrán hacerlo los jueces, secretarios y ministros de fe de los tribunales de justicia; los ministros, relatores, secretarios y fiscales de los tribunales superiores de justicia; los fiscales del Ministerio Público y los abogados asistentes de fiscales, el Defensor Nacional y los defensores regionales, el Contralor General de la República ni los contralores regionales, los notarios y los conservadores.

Las personas que, estando afiliadas a un partido político, ingresaren a alguna de las instituciones señaladas en el inciso precedente, cesarán de pleno derecho en su carácter de afiliadas a aquél.

En los casos precedentemente señalados, antes de asumir el cargo, las personas deberán prestar declaración jurada sobre el hecho de estar o no afiliadas a un partido político.

Con el mérito de dicha declaración jurada, las instituciones y organismos mencionados deberán, cuando corresponda, comunicar tal circunstancia al Servicio Electoral y este al partido político respectivo, el cual deberá cancelar la correspondiente afiliación.

Los que prestaren falsa declaración serán sancionados con la pena establecida en el artículo 210 del Código Penal.

Lo dispuesto en este título no obsta a que los partidos deban asegurar mecanismos de participación e integración en sus procesos y estructuras internas de jóvenes menores de 18 y mayores de 14 años de edad, en la forma que determinen sus estatutos.

Los ciudadanos, mientras cumplan el servicio militar obligatorio, no podrán afiliarse a partido político alguno. Si quienes ingresaren al servicio se hubieren afiliado con anterioridad, se suspenderán durante el período de conscripción los derechos y obligaciones emanados de su afiliación.

Artículo 19.- Los estatutos de los partidos políticos podrán establecer los requisitos adicionales para la afiliación y, en su caso, la adhesión, los que no podrán ser contrarios a la ley. Las solicitudes de afiliación o adhesión deberán constar en duplicado, debiendo el partido entregar una copia de ésta al solicitante donde dé cuenta de su recepción.

El rechazo de una solicitud de afiliación o adhesión deberá realizarse por resolución fundada del órgano competente, establecido en los estatutos, en un plazo que no supere los cuarenta días hábiles desde el ingreso de la solicitud. El solicitante podrá recurrir de dicha resolución ante el

Tribunal Supremo, dentro del plazo de cinco días hábiles desde su notificación, instancia que deberá pronunciarse dentro de diez días hábiles desde la interposición del recurso.

Si el partido político no se pronuncia sobre la solicitud dentro del plazo de cuarenta días hábiles desde que ésta se efectuó, se entenderá aceptada, pudiendo el solicitante requerir al Servicio Electoral que lo incorpore como afiliado o adherente al respectivo registro del partido.

Artículo 20.- Derechos y deberes de los afiliados.

1. Los estatutos de los partidos contendrán una especificación detallada de los derechos de sus afiliados, dentro de los cuales necesariamente se incluirán los siguientes:

a) Participar en las distintas instancias del partido.

b) Postularse en los procesos internos de selección de candidatos a cargos de elección popular.

c) Postularse en los procesos internos de elección de dirigentes dispuestos en la ley, así como para ser nombrado en cualquier comisión al interior del partido político.

d) Participar con derecho a voto en las elecciones internas que celebre el partido.

e) Proponer cambios a los principios, programas y estatutos del partido, conforme con las reglas estatutarias vigentes.

f) Solicitar y recibir información que no sea reservada o secreta, en virtud de lo dispuesto en el artículo 8 de la Constitución o cuya publicidad, comunicación o conocimiento no afecte el debido cumplimiento de las funciones del partido. Los afiliados podrán impugnar ante el tribunal supremo, cuya resolución será reclamable ante el Servicio Electoral frente a la negativa del partido de entregar dicha información.

g) Solicitar la rendición de balances y cuentas que sus dirigentes se encuentren obligados a presentar durante su gestión.

h) Exigir el cumplimiento de la declaración de principios del partido, estatutos y demás instrumentos de carácter obligatorio.

i) Recibir capacitación, formación política e información para el ejercicio de sus derechos políticos.

j) Tener acceso a la jurisdicción interna del partido político y, en su caso, a recibir orientación respecto del ejercicio y goce de sus derechos como afiliado cuando sean vulnerados al interior del partido político.

k) Impugnar ante el tribunal supremo las resoluciones y decisiones de los órganos internos que afecten sus derechos políticos.

l) Impugnar ante el Tribunal Calificador de Elecciones las resoluciones del tribunal supremo del partido sobre calificación de las elecciones internas de los órganos establecidos en las letras a), b) y c) del inciso primero del artículo 25, de conformidad con los requisitos que establece el inciso cuarto del artículo 26.

2. Los afiliados a un partido político tendrán las obligaciones que fije el respectivo estatuto partidario, debiendo contemplarse entre ellas, al menos, las siguientes:

a) Actuar en conformidad con los principios, estatutos, reglamentos internos, acuerdos e instrucciones de los órganos directivos del partido, sin perjuicio de lo dispuesto en los artículos 23 y 38.

b) Contribuir a la realización del programa del partido, de acuerdo a la línea política definida conforme a los respectivos estatutos.

c) Contribuir al financiamiento del partido abonando las cuotas u otras aportaciones que se determinen para cada afiliado.

Los estatutos del partido político deberán garantizar a cada afiliado tanto el derecho a la plena participación en la vida interna del partido, como el derecho a la postulación a cargos de representación popular en condiciones equitativas. Los estatutos deberán establecer los mecanismos para asegurar que sus afiliados sean debida y oportunamente informados para el ejercicio de sus derechos y deberes establecidos en esta ley y en los estatutos.

Artículo 21.- Ningún ciudadano podrá estar afiliado a más de un partido. Para afiliarse a otro partido se deberá renunciar expresamente a la afiliación anterior, sin cuyo requisito la nueva será nula.

Todo afiliado a un partido político podrá renunciar a él, en cualquier momento, sin expresión de causa. La renuncia producirá la desafiliación por el solo hecho de ser presentada al presidente del partido o al Servicio

Electoral. En este último caso, este funcionario deberá notificar la renuncia, por carta certificada, al presidente del partido.

Una vez inscrito el partido en el registro de partidos políticos, la afiliación se realizará de acuerdo a los estatutos del partido, para lo cual podrá acogerse a la instrucción a que se refiere el inciso tercero del artículo 6.

Artículo 22.- El Servicio Electoral deberá mantener actualizado el registro de afiliados de cada partido político. Además, si los estatutos del partido reconocieren como adherentes a menores de 18 y mayores de 14 años de edad que no hayan sido condenados por delitos que merezcan pena aflictiva, o a aquellas personas inhabilitadas para ejercer su derecho a sufragio por razones calificadas en sus estatutos, el Servicio Electoral deberá mantener actualizado el registro de estos. Dichos registros estarán ordenados por circunscripciones, distritos y comunas. Los registros se considerarán actualizados una vez que sean eliminadas de ellos las personas que se encuentran afiliadas a más de un partido político, las que hubieren renunciado a su afiliación o adhesión, aquellas cuya inscripción no se hubiere completado de forma legal y las que, conforme a la información contenida en el registro electoral, estén fallecidas o inhabilitadas para ejercer el derecho a sufragio, sin perjuicio de lo dispuesto en este inciso respecto del registro de adherentes.

Los partidos deberán comunicar al Servicio Electoral, dentro de los tres primeros días hábiles de cada mes, las nuevas afiliaciones, desafiliaciones, adhesiones y renuncias a ellas, que por cualquier causa se produjeren dentro del mes anterior al informado.

Artículo 23.- Los partidos políticos no podrán dar órdenes al Presidente de la República, ministros de Estado, subsecretarios, embajadores, alcaldes y funcionarios públicos.

Esta limitación, que operará y cesará de pleno derecho, durará mientras las personas señaladas se encuentren en ejercicio de sus funciones y estará referida sólo a aquellas propias del cargo.

Título IV
DE LA ORGANIZACIÓN INTERNA DE LOS PARTIDOS POLÍTICOS

Artículo 24.- La organización y el funcionamiento de cada partido político se regirán por sus propios estatutos, pero será necesario que éstos se conformen, en todo caso, a las normas de este título.

Artículo 25.- Los partidos podrán tener los órganos que sus estatutos determinen, sin perjuicio de lo cual deberán al menos contar con los siguientes:

a) Un órgano ejecutivo.

b) Un órgano intermedio colegiado.

c) Un tribunal supremo y tribunales regionales.

d) Un órgano ejecutivo e intermedio colegiado por cada región donde esté constituido.

Sin perjuicio de las nomenclaturas que utiliza esta ley para referirse a cada uno de los órganos colegiados, cada partido político podrá en sus estatutos denominarlos de otra forma, debiendo informar al Servicio Electoral de estas nuevas denominaciones.

Asimismo, los partidos podrán establecer frentes, comisiones u otras instancias temáticas o territoriales que estimen pertinentes, a fin de incentivar la participación de sus afiliados. Del mismo modo, podrán celebrar congresos generales o nacionales conforme sus estatutos.

Deberán efectuarse elecciones de la totalidad de los miembros de los órganos antes señalados, renovándose con una periodicidad no superior a cuatro años. Sus integrantes no podrán ser electos por más de dos períodos consecutivos en su mismo cargo.

En la integración de los órganos colegiados previstos en esta ley, se observarán mecanismos especialmente previstos en los estatutos, que aseguren que ninguno de los sexos supere el 60 por ciento de sus miembros. En caso de ser tres miembros, se entenderá cumplida la regla cuando al menos uno de ellos sea de sexo diferente.

Los partidos políticos podrán organizarse para permitir la afiliación, adhesión y participación de los chilenos que se encuentren fuera del territorio nacional, de acuerdo con las disposiciones de esta ley, sus estatutos y las instrucciones que para estos efectos dicte el Servicio Electoral.

Artículo 26.- Todos los miembros de los órganos señalados en el artículo anterior deberán ser electos democráticamente. Los estatutos de cada partido político determinarán el sistema electoral y los procedimientos para la elección de sus autoridades. El sistema de elección establecido en los estatutos de cada partido deberá observar el carácter personal, igualitario, libre, secreto e informado del sufragio de sus afiliados y, cuando así lo determinen sus estatutos, de sus adherentes.

Las reglas de elección enunciadas en el inciso anterior serán aplicables a los miembros del tribunal supremo.

El órgano ejecutivo de cada partido deberá remitir al Servicio Electoral el reglamento de elecciones internas. Asimismo, remitirá sus actualizaciones, si las hubiere, al menos sesenta días antes de la siguiente elección interna. Dicho reglamento deberá ser aprobado por el Servicio Electoral y regulará, al menos, los siguientes aspectos:

a) Procedimiento de declaración, inscripción, aceptación, rechazo e impugnación ante los tribunales internos de candidaturas a las elecciones internas.

b) Reglas sobre las cédulas electorales para cada acto electoral, que aseguren que estas sean impresas en forma legible, con serie y numeración correlativas, las que deberán constar en un talón desprendible de dicha cédula.

c) Normas sobre propaganda y publicidad electoral.

d) Plazos y forma de constitución, instalación y cierre de las mesas receptoras de sufragios.

e) Mecanismos que aseguren la información oportuna de los locales de votación a los afiliados, al menos diez días corridos antes de cada elección.

f) Útiles electorales, entre los que se encontrará el padrón de cada mesa receptora de sufragios, con una nómina alfabética de electores habilitados para votar en ella, los datos para su identificación, el espacio necesario para estampar la firma o huella dactiloscópicas; las cédulas electorales para la emisión de los sufragios; formularios de actas de escrutinio por cada elección, las que deberán ser suscritas por los vocales de mesa y apoderados de cada candidatura o lista, y un formulario de minuta del resultado del escrutinio para cada elección.

g) Normas sobre el escrutinio por mesas y devolución de cédulas y útiles electorales.

h) Reglas del escrutinio y calificación practicados por el tribunal supremo.

i) Sanciones frente a la inobservancia del reglamento de elecciones internas.

j) Normas sobre designación, independencia e inviolabilidad de vocales de mesas, apoderados y cualquiera otra autoridad electoral del partido en el ejercicio de sus funciones.

El Servicio Electoral deberá pronunciarse, verificando las exigencias a que alude el inciso anterior, respecto del reglamento y sus actualizaciones, aprobándolos o formulando observaciones, dentro de los quince días corridos siguientes a su recepción. Si el Servicio formulare observaciones, el partido deberá hacer los ajustes necesarios dentro de los quince días corridos siguientes a la notificación de la resolución del Servicio. Si este no se pronuncia dentro del plazo de quince días señalado, se entenderá aprobado el respectivo reglamento.

Para cada elección interna, los apoderados de cada candidatura o lista podrán asistir, al menos, a todas las mesas receptoras de sufragios, al escrutinio practicado por las mesas y por el tribunal supremo, y podrán consignar cualquier observación en las actas de escrutinio correspondiente.

El escrutinio de las elecciones internas será público y los estatutos deberán prever mecanismos de reclamación ante los tribunales internos. Serán reclamables ante el Tribunal Calificador de Elecciones, dentro de cinco días hábiles de notificadas, las resoluciones del tribunal supremo referidas a reclamaciones de nulidad o rectificación de escrutinios de las elecciones de los órganos señalados en las letras a), b) y c) del inciso primero del artículo 25, siempre que tales resoluciones cuenten con un voto de minoría equivalente, al menos, al 25 por ciento de los miembros del tribunal supremo y que, de ser acogida dicha reclamación, hubiere dado lugar a la elección de un candidato o de una opción distinta de aquella que se ha constatado. La reclamación deberá individualizar la resolución que motiva la reclamación, indicar las peticiones concretas que formula y acompañar todos los antecedentes en que se funda. Si del cálculo del 25 por ciento señalado no diese un número entero, deberá aproximarse al entero inmediatamente superior.

En todas las elecciones internas se considerarán como habilitadas para sufragar a aquellas personas que se encuentren inscritas en el registro de afiliados que señala el artículo 22, con a lo menos tres meses de anticipación a la respectiva elección, lo que no obsta a que los partidos continúen su proceso de afiliación de nuevos afiliados durante ese lapso. Dichas elecciones deberán realizarse utilizando como padrón actualizado el registro general de afiliados que el Servicio Electoral deberá proporcionar a los partidos políticos y candidatos a la respectiva elección con, a lo menos, dos meses de anticipación al día de la elección.

Los estatutos podrán habilitar a quienes figuren en el registro de adherentes para sufragar en las elecciones internas del partido, para lo cual utilizarán el padrón que al efecto les proporcione el Servicio Electoral, considerando los mismos plazos que establece el inciso anterior.

Cualquier afiliado podrá solicitar, a su costa, al órgano ejecutivo de su partido o al Servicio Electoral, copia de los registros mencionados en el artículo 22, del partido político al que pertenece, con el nombre completo de los afiliados y su domicilio, dentro del plazo señalado en el inciso anterior. El Servicio determinará la forma de verificar la vigencia de los datos personales de los afiliados y otorgará facilidades para su entrega a estos. Los afiliados no podrán divulgar los datos personales del registro ni utilizarlos con finalidades distintas del ejercicio de sus derechos como militantes. La infracción de esta prohibición será sancionada con multa de diez a cincuenta unidades tributarias mensuales, de conformidad con el artículo 392 del Código Procesal Penal, sin perjuicio de la responsabilidad que proceda en virtud de lo dispuesto en el título V de la ley N° 19.628, sobre Protección de la vida privada.

Sin perjuicio de lo anterior, cualquier afiliado al partido podrá solicitar, a su costa, un certificado de su inscripción en el mencionado registro.

El Servicio Electoral velará por el cumplimiento de lo dispuesto en este artículo y dictará las instrucciones que correspondan a ese efecto. Asimismo, el Servicio Electoral podrá destinar a uno o más de sus funcionarios a presenciar las elecciones internas de los partidos políticos, quienes podrán desempeñarse como ministros de fe.

Artículo 27.- El órgano ejecutivo será elegido por sus afiliados o bien por el órgano intermedio colegiado, conforme a lo que establezcan los estatutos del partido político, y estará compuesto por al menos tres miembros. Las denominaciones y atribuciones de cada uno de sus miembros, determinadas conforme a sus estatutos, deberá ser informada al Servicio Electoral. Si los estatutos del partido disponen que el órgano ejecutivo sea elegido por el órgano intermedio colegiado, este último deberá ser elegido por sus afiliados en votación directa y, cuando así lo determinen los estatutos, por sus adherentes.

El órgano ejecutivo tendrá las funciones que señale el estatuto, entre las cuales se deberán consignar, al menos, las siguientes:

a) Dirigir el partido conforme con su declaración de principios, programa y las definiciones políticas adoptadas por sus organismos internos.

b) Administrar los bienes del partido, rindiendo balance anual de ellos ante el órgano intermedio colegiado, sin perjuicio de lo establecido en los estatutos del partido.

c) Proponer al tribunal supremo la dictación de las instrucciones generales necesarias para la realización adecuada de los procesos electorales internos, conforme a la ley y a los estatutos.

d) Proponer al órgano intermedio colegiado las modificaciones a las declaraciones de principios, nombre del partido, programas partidarios, estatutos y reglamento interno, como asimismo, las alianzas, pactos electorales, fusión con otro u otros partidos, y su disolución.

e) Convocar las sesiones ordinarias y extraordinarias del órgano intermedio colegiado.

f) Proponer al órgano intermedio colegiado, para análisis y propuestas, los temas de políticas públicas considerados relevantes para el partido y el país.

g) Designar al administrador general de fondos del partido, cuando corresponda.

h) Poner en conocimiento del tribunal supremo las faltas a los estatutos y a la disciplina partidaria de que tenga conocimiento.

i) Todas las demás facultades que el respectivo estatuto le confiera, que no contravengan la ley.

j) Las demás funciones que establezca la ley.

Los miembros del órgano ejecutivo deberán efectuar una declaración anual de intereses y patrimonio en los términos de la ley N° 20.880, sobre Probidad en la función pública y prevención de los conflictos de intereses, la que deberá ser remitida al Servicio Electoral para su custodia y control.

Artículo 28.- El estatuto del partido determinará al integrante del órgano ejecutivo que tendrá su representación judicial y extrajudicial.

Artículo 29.- El órgano intermedio colegiado será el órgano plural, con carácter normativo y resolutivo del partido político. Sus miembros serán elegidos en conformidad con lo dispuesto en los estatutos del partido.

Al órgano intermedio colegiado le corresponderán las siguientes atribuciones:

a) Impartir orientaciones y adoptar acuerdos sobre cualquier aspecto de la marcha del partido, que serán obligatorios para el órgano ejecutivo.

b) Impartir orientaciones sobre las políticas públicas relevantes para el partido y el país.

c) Aprobar o rechazar el correspondiente balance anual.

d) Aprobar, a propuesta del órgano ejecutivo, las modificaciones a las declaraciones de principios, nombre del partido, programas partidarios, estatutos y reglamentos internos, como asimismo, los pactos electorales, fusión con otro u otros partidos y su disolución. Las modificaciones de la declaración de principios, la reforma de estatutos, la disolución del partido y la fusión deberán hacerse en conformidad con lo dispuesto en el artículo 35, inciso primero.

e) Recibir anualmente la cuenta política del órgano ejecutivo y pronunciarse sobre ella.

f) Designar los candidatos a Presidente de la República, diputados, senadores, consejeros regionales, alcaldes y concejales del partido, sin perjuicio de aquellos que se determinen de conformidad con la ley N° 20.640.

g) Aprobar el programa del partido.

h) Las demás funciones que establezca la ley o que el respectivo estatuto les confiera, y que no sean contrarias a aquella.

Sin perjuicio de las funciones del órgano intermedio colegiado, este podrá organizar y celebrar eventos partidarios con carácter consultivo o resolutivo, como también de carácter programático o ideológico, de acuerdo a sus estatutos. Sólo podrá convocarse a eventos partidarios con carácter resolutivo sobre aquellas materias que sean atribuciones propias del órgano intermedio colegiado.

Artículo 30.- Los partidos políticos deberán elegir, a lo menos, un órgano ejecutivo y un órgano intermedio colegiado regional en cada una de las regiones en que estén constituidos en conformidad a sus estatutos. Cada órgano ejecutivo regional estará integrado, a lo menos, por un presidente, un secretario y un tesorero. Sus miembros serán elegidos por los afiliados de la región respectiva.

Artículo 31.- Los partidos políticos tendrán un tribunal supremo. Sus integrantes deberán tener una intachable conducta anterior y no haber sido sancionados disciplinariamente por el partido. Los miembros del órgano ejecutivo del partido no podrán ser integrantes del tribunal supremo.

Dicho órgano deberá tener al menos cinco miembros, su conformación deberá ser siempre impar y deberá adoptar sus decisiones por la mayoría de los miembros en ejercicio. Sus miembros serán elegidos por un mecanismo representativo, de conformidad con lo dispuesto en los estatutos y no podrán ser designados por el órgano ejecutivo.

Al tribunal supremo corresponderán, además de las otras atribuciones que le asigna la ley o que le otorguen los estatutos del partido, las siguientes:

a) Interpretar los estatutos, reglamentos y demás normas internas.

b) Conocer de las cuestiones de competencia que se susciten entre autoridades u organismos del partido.

c) Conocer y resolver de las reclamaciones que se entablen contra actos de autoridades u organismos del partido que vulneren la declaración de principios o los estatutos, y adoptar las medidas necesarias para corregirlos y enmendar sus resultados.

d) Conocer y resolver las denuncias que se formulen contra afiliados al partido, sean o no autoridades de él, por actos de indisciplina o violatorios de la declaración de principios o de los estatutos, o por conductas indebidas que constituyan faltas a la ética o comprometan los intereses o el prestigio del partido.

e) Aplicar las medidas disciplinarias que los estatutos señalen, contemplando las disposiciones que hagan efectivo un debido proceso.

f) Controlar el correcto desarrollo de las elecciones y votaciones partidistas, y dictar las instrucciones generales o particulares que para tal efecto correspondan.

g) Calificar las elecciones y votaciones internas.

h) Resolver, como tribunal de segunda instancia, las apelaciones a los fallos y decisiones de los tribunales regionales.

i) Conocer de las reclamaciones por no inclusión en el registro de afiliados.

j) Velar y garantizar el ejercicio de los derechos de los afiliados, incluidos los señalados en el artículo 20.

En el ejercicio de sus atribuciones y según sea la gravedad de la infracción, este tribunal podrá aplicar las siguientes sanciones disciplinarias a sus afiliados o las que señalen los respectivos estatutos:

1) Amonestación.

2) Censura por escrito.

3) Suspensión o destitución del cargo que estuviere ejerciendo dentro de la organización interna del partido.

4) Suspensión en el ejercicio de los derechos de afiliado por el plazo que determine.

5) Expulsión.

Las sanciones establecidas en los números 3 y 4 del inciso anterior sólo podrán ser aplicadas por el tribunal supremo con el voto favorable de los tres quintos de sus integrantes en ejercicio. Para el caso del número 5, el quórum será dos tercios.

Artículo 32.- En cada una de las regiones donde esté constituido el partido existirá un tribunal regional, el que estará conformado y tendrá las facultades que indiquen los respectivos estatutos.

El tribunal regional conocerá en primera instancia y en relación al ámbito regional, de las materias contempladas en la normativa interna, y a lo menos las establecidas en las letras c), d), e), f) y g) del artículo precedente.

Las sentencias de los tribunales regionales serán apelables para ante el tribunal supremo, en la forma y plazos que establezcan las normas internas del respectivo partido. Si la sentencia definitiva dispone la expulsión de un afiliado, y de ella no se reclamare, se elevará en consulta al tribunal supremo.

Artículo 33.- Todo proceso sancionatorio interno deberá contemplar garantías que aseguren el ejercicio del derecho a defensa de los afectados, tales como el derecho a formular descargos, presentar pruebas que acrediten sus pretensiones y reclamar de las decisiones dentro de plazos razonables.

Los estatutos deberán contemplar circunstancias en las que los miembros del tribunal supremo deberán abstenerse de emitir pronunciamiento, a fin de prevenir conflictos de intereses.

La disciplina interna de los partidos políticos no puede afectar el ejercicio de derechos, el cumplimiento de deberes prescritos en la Constitución y en la ley, ni el libre debate de las ideas en el interior del partido.

Artículo 34.- Sin perjuicio de lo establecido en los estatutos de cada partido, se considerarán como infracciones a la disciplina interna las siguientes:

a) Todo acto u omisión voluntaria imputable a un miembro del partido, que ofenda o amenace los derechos humanos establecidos en la Constitución, en los tratados internacionales ratificados y vigentes en Chile y en la ley, o atente contra ellos.

b) Infringir los acuerdos adoptados por los organismos oficiales del partido.

c) Incurrir en actos que importen ofensas, descrédito o maltrato contra miembros del partido.

d) Faltar a los deberes del afiliado establecidos en la ley o en el estatuto.

e) Incumplir pactos políticos, electorales o parlamentarios celebrados por el partido.

Artículo 35.- Las proposiciones del órgano intermedio colegiado, relativas a las modificaciones de la declaración de principios, la reforma de estatutos, la disolución del partido y la fusión con otro deberán ser ratificadas por los afiliados en votación directa.

Las modificaciones del nombre del partido, de su declaración de principios y las demás reformas de los estatutos, deberán sujetarse en lo pertinente a los mismos trámites que esta ley exige para la constitución de un partido político, salvo lo dispuesto en el artículo 6. La respectiva escritura pública será suscrita por los miembros del órgano ejecutivo del partido que señalen sus estatutos.

Artículo 36.- Los acuerdos del órgano intermedio colegiado serán públicos. Los acuerdos adoptados por dicho órgano referentes a modificar la declaración de principios del partido, el nombre, los programas partidarios, los estatutos y reglamento interno de elecciones, los pactos electorales que celebre con otros partidos políticos, la fusión con otro u otros partidos y la disolución se adoptarán siempre ante un funcionario del Servicio Electoral, quien actuará como ministro de fe.

Las normas aplicables a la convocatoria y celebración de elecciones y al escrutinio de las votaciones deberán formar parte de los estatutos.

Artículo 37.- Los estatutos de los partidos políticos deberán contener normas para que la designación o el apoyo a candidatos a senadores y diputados sean efectuados por el órgano intermedio colegiado, a proposición de los órganos intermedios colegiados regionales.

En caso de pacto electoral, cada partido político que lo hubiere acordado podrá proponer como candidatos sólo a aquellos que figuren entre los aprobados por su respectivo órgano intermedio colegiado, tanto si se tratare de afiliados al partido o de independientes, de acuerdo con lo previsto en el inciso anterior.

Artículo 38.- En ningún caso podrán los partidos políticos dar órdenes de votación a sus concejales, consejeros regionales, senadores y diputados ni realizar recomendaciones en los casos en que el Senado esté llamado a obrar como jurado.

TÍTULO V
DEL FINANCIAMIENTO DE LOS PARTIDOS POLÍTICOS

Artículo 39.- Los ingresos de los partidos políticos estarán constituidos por las cotizaciones ordinarias o extraordinarias que efectúen sus afiliados, por las donaciones, por las asignaciones testamentarias que se hagan en su favor y por los frutos y productos de los bienes de su patrimonio. El aporte máximo en dinero que cada persona natural podrá efectuar a partidos políticos, no estando afiliada a ellos, no podrá exceder de trescientas unidades de fomento al año. El aporte máximo en dinero que cada persona natural podrá efectuar a partidos políticos, estando afiliada a ellos, no podrá exceder de quinientas unidades de fomento al año. Los partidos políticos no podrán recibir aportes de cualquier naturaleza de personas jurídicas.

Los partidos inscritos o en formación sólo podrán tener ingresos de origen nacional.

Artículo 40.- El Estado, a través del Servicio Electoral, otorgará a los partidos políticos aportes trimestrales que deberán ser destinados a la atención de los gastos de funcionamiento del partido, la adquisición o arrendamiento de bienes inmuebles, el pago de deudas, el desarrollo de actividades de formación cívica de los ciudadanos, la preparación de candidatos a cargos de elección popular, la formación de militantes, la elaboración de estudios que apoyen la labor política y programática, el diseño de políticas públicas, la difusión de sus principios e ideas, la investigación, el fomento a la participación femenina y de los jóvenes en la política y, en general, a las actividades contempladas en el artículo 2 de esta ley. Los estudios e informes que los partidos elaboren con cargo a estos fondos serán públicos, salvo que su publicidad, comunicación o conocimiento afecte las decisiones estratégicas que pudieren adoptar los partidos políticos.

Al menos un diez por ciento del total aportado a cada partido deberá utilizarse para fomentar la participación política de las mujeres.

Para dar cumplimiento a lo dispuesto en el artículo 41, los partidos políticos deberán constituir anualmente una provisión destinada a la contratación de auditorías externas.

Los partidos políticos, para acceder a los aportes referidos en el inciso primero, deberán cumplir con los siguientes requisitos:

i) Estar constituidos de conformidad a esta ley.

ii) Dar cumplimiento íntegro a las normas legales que regulan su funcionamiento y organización interna.

El aporte total a repartir para cada año estará constituido por el equivalente a cero coma cero cuatro unidades de fomento multiplicado por el número de votos válidamente emitidos en la última elección de diputados a favor de candidatos inscritos en algún partido político y de candidatos independientes asociados a algún partido, según lo señale en la declaración de candidatura respectiva, de acuerdo a lo dispuesto en el artículo 4 de la ley Nº 18.700. Sin perjuicio de lo anterior, dicho aporte nunca podrá ser inferior a la cifra en pesos equivalente a cero coma cero cuatro unidades de fomento multiplicado por el cuarenta por ciento del total de personas con derecho a sufragio inscritas en el padrón electoral que haya utilizado el Servicio Electoral para la última elección de diputados, ni superior a la cifra en pesos equivalente a cero coma cero cuatro unidades de fomento multiplicado por el sesenta por ciento del referido total de personas. El resultado de este cálculo será dividido en cuatro partes iguales, a repartir trimestralmente en los meses de enero, abril, julio y octubre de cada año.

La distribución de cada monto trimestral se determinará según las siguientes reglas, cuyo cumplimiento será también verificado de manera trimestral:

a) El veinte por ciento del monto trimestral a repartir se distribuirá entre todos los partidos políticos que cumplan con los requisitos para optar al aporte, de manera proporcional al número de regiones en las que estén constituidos. En el caso de los partidos que estén constituidos en la totalidad de las regiones del país, se les distribuirá lo que correspondiere como si estuviesen constituidos en una región adicional.

b) El ochenta por ciento restante del referido monto trimestral se distribuirá solo en favor de cada partido con representación parlamentaria y que cumpla con los requisitos para optar al aporte, a prorrata de los votos válidamente emitidos a su favor en la elección a que se refiere el inciso anterior.

Para impetrar el aporte establecido en la letra b) de este artículo, se observarán las siguientes reglas:

1. Si un parlamentario elegido como afiliado a un partido político que luego fue declarado disuelto o uno elegido como independiente no asociado a un partido político se afilia a alguno o concurre a la formación de uno nuevo, dicho partido podrá acceder al financiamiento establecido en la referida letra, caso en el cual se computarán en su favor los votos obtenidos por el parlamentario. Estos votos sólo se contabilizarán para determinar el porcentaje de aporte que corresponde a cada partido.

2. Si un parlamentario electo como afiliado de un partido político se desafiliare de él, se le restará al referido partido del total del aporte que recibe, el equivalente al cincuenta por ciento de los votos válidamente emitidos a favor de dicho parlamentario. Los fondos restantes correspondientes a estos votos no serán reasignados.

3. Si un parlamentario electo como afiliado de un partido político se desafiliare de éste y se afiliare a otro partido, este último no aumentará el total del aporte que le correspondería recibir por los votos válidamente emitidos a favor de dicho parlamentario, mientras que al partido del cual

se desafilió se le restará del total del aporte que recibe, el equivalente al cincuenta por ciento de los votos válidamente emitidos a favor de dicho parlamentario. Los fondos restantes correspondientes a estos votos no serán reasignados.

El Servicio Electoral no efectuará transferencias a los partidos que se encuentren en mora de pagar multas al Fisco, determinadas en un procedimiento administrativo sancionatorio, o sus cuentas o balances anuales no hayan sido aprobadas por el mismo Servicio. Una vez pagadas las multas por el partido o aprobadas sus cuentas, el Servicio Electoral procederá al pago de los montos que fueron retenidos. Con todo, los montos que correspondan a cada partido sólo podrán retenerse por tres trimestres, luego de lo cual, si el partido no ha cumplido, no serán distribuidos.

Si al término del año calendario el partido no justificare los gastos para los cuales destinó los recursos obtenidos por el aporte, el Servicio Electoral deberá fijar un plazo fatal para dicho propósito, el que vencido sin que se realice el trámite, obligará al partido a restituir los fondos no justificados. En caso que existieren remanentes sin utilizar, y sin perjuicio del cumplimiento efectivo de lo dispuesto en el inciso segundo, estos podrán ser traspasados a ejercicios presupuestarios de años posteriores, informando de ello al Servicio Electoral.

En el caso que el partido no haya cumplido con el porcentaje de gasto mínimo establecido en el inciso segundo, le será descontado de sus respectivos aportes del año siguiente un monto equivalente a lo que faltare para cumplir el referido mínimo.

Para todos los efectos de este artículo, el valor de la unidad de fomento será el vigente al de la fecha del cálculo anual del total del aporte.

En caso que el Estado no repartiera todos los fondos disponibles, los excesos no serán distribuidos.

Artículo 41.- Para los efectos de esta ley, los partidos políticos llevarán un libro general de ingresos y egresos, uno de inventario y uno de balance, debiendo conservar la documentación que respalde sus anotaciones.

Deberán llevar contabilidad separada de los fondos públicos y de los aportes privados que reciban y mantener a disposición permanente del público, a través de sus sitios electrónicos, el informe mensual de sus ingresos y gastos, actualizados trimestralmente, desglosado, al menos, en las siguientes categorías:

a) Cuantía global de las cuotas y aportes de sus afiliados.

b) Rendimientos procedentes de su propio patrimonio.

c) Ingresos procedentes de los aportes de personas naturales.

d) Aportes estatales regulados en esta ley.

e) Rendimientos procedentes de las actividades del partido.

f) Gastos de personal.

g) Gastos de adquisición de bienes y servicios o gastos corrientes.

h) Gastos financieros por préstamos, distinguiendo entre préstamos de corto y largo plazo.

i) Otros gastos de administración.

j) Gastos de actividades de investigación.

k) Gastos de actividades de educación cívica.

l) Gastos de actividades de fomento a la participación femenina.

m) Gastos de actividades de fomento a la participación de los jóvenes.

n) Créditos, distinguiendo entre créditos de corto y largo plazo, inversiones y valores de operaciones de capital.

ñ) Gastos de las actividades de preparación de candidatos a cargos de elección popular.

o) Gastos de las actividades de formación de militantes.

El Consejo Directivo del Servicio Electoral, con consulta al Tribunal Calificador de Elecciones, dictará instrucciones generales y uniformes sobre la forma de llevar estos libros y de efectuar el balance.

El Director del Servicio Electoral solicitará los libros y la documentación anexa para su revisión e inspección, por lo menos una vez en cada año calendario, y mantendrá copia de estos antecedentes, los que quedarán a disposición del público para su consulta, de acuerdo con las normas que aquel señale.

Además, los partidos políticos que reciban aportes conforme al artículo 40 deberán contratar auditorías externas. Dichas contrataciones sólo podrán celebrarse con empresas que consten en los registros de la Superintendencia de Valores y Seguros, conforme a instrucciones del Servicio Electoral.

Artículo 42.- Para efectos de recibir el aporte fiscal, todo partido político beneficiario de este deberá presentar al Servicio Electoral la individualización de la cuenta corriente bancaria única y oficial del partido político en la cual se traspasarán los fondos y se supervisarán sus otros movimientos de conformidad a la ley.

Artículo 43.- Para optar al aporte público que establece esta ley, todo partido político deberá nombrar un profesional en calidad de administrador general de los fondos, con domicilio en Chile, quien será colaborador directo del órgano ejecutivo, en el cumplimiento de las normas y procedimientos internos. Será además responsable, en conformidad a las disposiciones generales, por el uso indebido de los fondos que el Estado entregue al partido, sin perjuicio de las responsabilidades que puedan afectar al personal a su cargo o a otras personas que hayan vulnerado la correcta utilización de dichos fondos. Este administrador deberá contar con un título técnico o profesional de una carrera de, al menos, ocho semestres de duración.

Son obligaciones del administrador general de los fondos de un partido las siguientes:

a) Llevar la contabilidad detallada de todo ingreso y egreso de fondos, con indicación del origen y destino, la fecha de la operación y el nombre y domicilio de las personas intervinientes. La documentación de respaldo deberá conservarse durante cinco años.

b) Presentar a los organismos de control la información requerida por esta ley.

c) Reintegrar los aportes que reciba del Estado, en conformidad a esta ley.

d) Efectuar todos los gastos con cargo a la cuenta única correspondiente del partido.

Además, en periodo de campaña, el administrador general de los fondos de un partido podrá ser designado administrador general electoral y cumplir con las funciones descritas en el artículo 39 de la ley Nº 19.884, sobre Transparencia, límite y control del gasto electoral.

Artículo 44.- Los partidos políticos practicarán un balance anual y remitirán un ejemplar al Servicio Electoral. Si el Servicio estimare necesario formular aclaraciones, requerirá al partido las informaciones y antecedentes del caso, el que los proporcionará en el plazo que fije el Servicio, sin perjuicio de sus facultades inspectivas.

El Servicio podrá rechazar el balance cuando no se ajuste a las anotaciones de los libros o contenga errores u omisiones manifiestos. En caso de no existir objeciones o si estas fueren subsanadas, el Servicio ordenará publicar el balance en el sitio electrónico del Servicio Electoral.

La resolución del Servicio Electoral que rechace el balance será impugnable ante el órgano que corresponda, según las reglas generales.

Artículo 45.- Los actos y contratos que celebren los partidos políticos se regirán por las reglas generales, sin perjuicio de las normas especiales que la presente ley establece.

Los partidos políticos no podrán celebrar contratos a título oneroso en condiciones distintas de las de mercado o cuya contraprestación sea de un valor superior o inferior al de mercado.

Los partidos políticos no podrán constituir ni participar en personas jurídicas, salvo las expresamente autorizadas por esta ley y por la ley Nº 19.884. Tampoco podrán prestar servicios a título oneroso.

Artículo 46.- Los partidos podrán ser propietarios de bienes inmuebles. Del total de bienes inmuebles a nombre del partido, al menos dos tercios deberán destinarse a las actividades señaladas en el artículo 2 de esta ley.

Los partidos políticos deberán informar anualmente al Servicio Electoral la totalidad de los bienes inmuebles inscritos a nombre del partido.

Artículo 47.- Tratándose de los fondos provenientes de los aportes públicos que reciban los partidos políticos, éstos deberán destinarse a los fines que señala la ley y rendirse y justificarse de forma separada.

Los partidos políticos sólo podrán invertir su patrimonio financiero proveniente de aportes del Fisco en valores de renta fija emitidos por el Banco Central, en depósitos a plazo y cuotas de fondos mutuos que no estén dirigidos a inversionistas calificados.

Fuera de los casos previstos en los incisos anteriores, y siempre que su patrimonio financiero disponible sea superior a las veinticinco mil unidades de fomento, los partidos podrán invertirlo a través del mandato especial de administración de valores a que se refiere el título III de la ley Nº 20.880, de conformidad a las normas allí contenidas, el que deberá constituirse en un plazo de noventa días desde que el patrimonio financiero disponible del partido alcance el valor de veinticinco mil unidades de fomento. Si dicho patrimonio no supera este valor, el partido político sólo podrá invertir su patrimonio financiero en conformidad a lo dispuesto en el inciso segundo de este artículo.

Artículo 48.- Estarán exentos de todo impuesto los documentos y actuaciones a que den lugar los trámites exigidos por esta ley para la formación o fusión de un partido político, incluidos los documentos a que se refieren los artículos 5, 6 y 7 y los que se relacionen con las modificaciones de su nombre, de su declaración de principios y de sus estatutos.

Estarán liberadas del trámite de insinuación las donaciones que se efectúen con arreglo a esta ley, hasta un monto de treinta unidades tributarias mensuales.

Las cotizaciones, donaciones y asignaciones testamentarias que se hagan en favor de los partidos políticos, hasta el monto indicado en el inciso anterior, estarán exentas del pago de todo tipo de impuestos.

Título VI
DEL ACCESO A INFORMACIÓN Y TRANSPARENCIA

Artículo 49.- Los partidos políticos deberán mantener a disposición permanente del público, a través de sus sitios electrónicos, en forma completa, actualizada y de un modo que permita su fácil identificación y un acceso expedito, los siguientes antecedentes actualizados, al menos, tri-mestralmente:

a) Marco normativo aplicable, incluyendo las normas legales y regla-mentarias que los rigen, su declaración de principios, estatutos y regla-mentos internos.

b) Nombre completo, la sigla, el símbolo y el lema del partido político.

c) Pactos electorales que integren.

d) Regiones en que se encuentren constituidos.

e) Domicilio de las sedes del partido.

f) Estructura orgánica.

g) Facultades, funciones y atribuciones de cada una de sus unidades u órganos internos.

h) Nombres y apellidos de las personas que integran el órgano ejecu-tivo y el órgano contralor.

i) Las declaraciones de intereses y patrimonio de los candidatos del partido político para las elecciones a que se refiere la ley N° 18.700 y de los miembros del órgano ejecutivo, en los términos de la ley N° 20.880.

j) Los acuerdos de los órganos intermedios colegiados regionales y del órgano intermedio colegiado.

k) Balance anual aprobado por el Servicio Electoral.

l) El monto total de las cotizaciones ordinarias y extraordinarias de sus afiliados, recibidas durante el año calendario respectivo.

m) El total de los aportes, donaciones, asignaciones testamentarias y, en general, todo tipo de transferencias públicas o privadas, que reciban a partir de su inscripción, en conformidad a lo dispuesto en las leyes.

n) Las transferencias de fondos que efectúen, con cargo a los fondos públicos que perciban, incluyendo todo aporte económico entregado a personas naturales o jurídicas, en conformidad a lo dispuesto en las leyes.

o) Todas las entidades en que tengan participación, representación e intervención, cualquiera sea su naturaleza y el fundamento normativo que la justifique.

p) Sanciones aplicadas al partido político.

q) Nómina de contrataciones sobre veinte unidades tributarias men-suales, cualquiera sea su objeto, con indicación de los contratistas e identificación de los socios y accionistas principales de las sociedades o empresas prestadoras, en su caso.

r) Requisitos y procedimientos para nuevas afiliaciones y número de afiliados.

s) Información estadística sobre participación política dentro del partido, desagregada por sexo, indicando, a lo menos, la cantidad de militantes, distribución etaria, los cargos que ocupan dentro del partido, cargos de elección popular, autoridades de gobierno, entre otros.

t) El registro de gastos efectuados en las campañas electorales a que se refiere la letra e) del artículo 39 de la ley Nº 19.884.

u) El registro de aportes a campañas electorales a que se refiere el artículo 46 de la ley Nº 19.884.

v) Un vínculo al sitio electrónico del Servicio Electoral en el que consten las cuentas de los ingresos y gastos electorales presentadas ante el Director del Servicio Electoral, de conformidad con el artículo 54 de la ley Nº 19.884.

w) Toda otra información que el órgano ejecutivo de cada partido político determine y cuya publicidad no sea contraria a la Constitución y las leyes. El órgano ejecutivo podrá revocar dicha decisión en cualquier momento. Las resoluciones respectivas deberán comunicarse oportunamente, por escrito, al Consejo para la Transparencia, según sus instrucciones.

Un miembro del órgano ejecutivo del partido político será el encargado de velar por la observancia de las normas de este título de acuerdo a las instrucciones del Consejo para la Trasparencia. La determinación del miembro responsable del órgano ejecutivo deberá ser comunicada al Consejo para la Transparencia en los términos establecidos por las instrucciones de dicho Consejo. Lo anterior, sin perjuicio de las responsabilidades que la ley Nº 19.884 asigna a los administradores generales electorales en materia de difusión de información en los sitios electrónicos de cada partido político.

Artículo 50.- Cualquier persona podrá presentar un reclamo ante el Consejo para la Transparencia, en contra del partido político que no cumpla lo prescrito en el artículo anterior, conforme al procedimiento previsto en los artículos 24 y siguientes de la Ley de Transparencia de la función

Pública y de acceso a la información de la Administración del Estado, contenida en el artículo primero de la ley N° 20.285.

En la resolución que emita el Consejo para la Transparencia o la respectiva Corte de Apelaciones, en su caso, declarando la infracción por parte del partido político, se comunicará al Servicio Electoral la necesidad de iniciar un procedimiento sancionatorio para establecer una multa a beneficio fiscal sobre el patrimonio del respectivo partido político, la que, de acuerdo a la gravedad de la infracción podrá ascender de quinientas a dos mil unidades tributarias mensuales. En caso de reincidencia, el monto de las multas será elevado al doble.

Título VII
DE LA FUSIÓN DE PARTIDOS POLÍTICOS

Artículo 51.- Todo partido político podrá fusionarse con otro u otros en conformidad con las normas que se establecen en este título, debiendo cumplir conjuntamente con el mínimo legal de afiliados para constituirse como tales. Los partidos políticos que se encuentren en alguna de las causales de disolución establecidas en la ley no podrán fusionarse con otro.

Artículo 52.- En cada uno de los partidos la proposición o iniciativa de la fusión necesitará de la aprobación previa del órgano intermedio colegiado. Si éste otorgare la aprobación, el presidente convocará a los afiliados a pronunciarse sobre la materia, con arreglo a los procedimientos señalados en los artículos 35 y 36.

Si el pronunciamiento de los afiliados sobre la fusión y sobre la declaración de principios propuesta fuere afirmativo, el órgano ejecutivo del respectivo partido quedará facultado para acordar con el otro u otros partidos los términos de la fusión, comprendiéndose en ellos los estatutos del partido resultante. Este acuerdo no producirá efectos mientras no sea ratificado por el órgano intermedio colegiado de cada partido.

Si la fusión propuesta comprendiere más de dos partidos, pero no todos ellos la aprobaren en definitiva, podrá reducirse la fusión a los que hayan prestado su aprobación, siempre que esta circunstancia sea expresamente aceptada por los órganos intermedios colegiados respectivos.

Artículo 53.- Acordada la fusión, los miembros de los órganos ejecutivos que hayan concurrido a la misma solicitarán por escrito al Director del Servicio Electoral, en presentación conjunta, que inscriba el partido resultante de la fusión y cancele las inscripciones de los partidos concurrentes a ella.

Con este fin, deberá previamente otorgarse por los miembros de los órganos ejecutivos una escritura pública que contendrá las menciones de las letras b) a f) del artículo 5, en la cual deberán insertarse los documentos que acrediten el cumplimiento de los requisitos señalados en el artículo 52 y, simultáneamente, procederán a protocolizar el facsímil del símbolo, la sigla y el lema que distinguirán al nuevo partido, si los tuviere.

Dentro de tercer día hábil de otorgada la escritura, copia autorizada de ella, de la protocolización y de un proyecto de extracto, con las menciones de las letras c) y f) del artículo 5, deberán ser entregados al Director del Servicio Electoral. Si la escritura contuviere todas las menciones antes señaladas, este último dispondrá publicar en el sitio electrónico del Servicio Electoral, dentro del quinto día hábil de recibidos los antecedentes, el extracto de la escritura de fusión y un resumen de la declaración de principios del partido, aplicándose en este caso lo dispuesto en los artículos 10, 12, 13 y 14, en lo que fuere pertinente.

Artículo 54.- El rechazo de una solicitud de fusión por parte del Director del Servicio Electoral sólo podrá fundarse en no haberse cumplido con los requisitos señalados en los artículos 52 y 53.

Artículo 55.- El partido político resultante de la fusión gozará de personalidad jurídica desde su inscripción en el registro de partidos políticos y será, para todos los efectos legales, sucesor de los partidos fusionados en sus derechos y obligaciones patrimoniales. Se considerarán afiliados al nuevo partido todos los ciudadanos que, a la fecha de la inscripción, lo hubieren sido de cualquiera de los partidos fusionados.

Título VIII
DE LA DISOLUCIÓN DE LOS PARTIDOS POLÍTICOS

Artículo 56.- Los partidos políticos se disolverán:

1.- Por acuerdo de los afiliados, a proposición del órgano intermedio colegiado, de conformidad con el artículo 35.

2.- Por no alcanzar el 5 por ciento de los sufragios válidamente emitidos en la última elección de diputados, en cada una de a lo menos ocho regiones o en cada una de a lo menos tres regiones geográficamente contiguas, en su caso.

3.- Por fusión con otro partido.

4.- Por haber disminuido el total de sus afiliados a una cifra inferior al cincuenta por ciento del número exigido por la ley para su constitución, en cada una de a lo menos ocho regiones o en cada una de a lo menos tres regiones contiguas, en su caso. El número mínimo de afiliados deberá actualizarse después de cada elección de diputados.

5.- Por no haber constituido, dentro del plazo de seis meses contado desde la inscripción del partido, los organismos internos que se señalan en los artículos 27, 29, 30 y 31.

6.- En los casos previstos en los artículos 61, 64, inciso segundo, y 66.

7.- Por sentencia del Tribunal Constitucional que declare inconstitucional al partido político, de acuerdo con lo dispuesto en los artículos 19, número 15, inciso sexto y 93, número 10 de la Constitución.

En caso de pacto electoral, y para los efectos previstos en el número 2 del inciso precedente, los votos obtenidos por los candidatos sólo favorecerán al partido político al cual éstos se encuentren afiliados.

No obstante, si un partido político no alcanzare el umbral previsto en el numeral 2 de este artículo en una o más regiones, conservará su calidad de tal y podrá desarrollar las actividades señaladas en el inciso primero del artículo 2 en las mismas regiones donde se encontraba legalmente constituido con anterioridad, siempre que elija un mínimo de cuatro parlamentarios en, a lo menos, dos regiones distintas, sean diputados o senadores.

Si incurre en la situación prevista en el número 4 en una o más regiones, pero mantiene el mínimo de ellas exigido por la ley, conservará su calidad de tal, pero no podrá desarrollar las actividades señaladas en el inciso primero del artículo 2 en aquellas donde su número de afiliados haya disminuido en más del 50 por ciento. El Director del Servicio Electoral anotará esta circunstancia al margen de la respectiva inscripción en el registro de partidos políticos.

Artículo 57.- La disolución del partido político, para todos los efectos legales, se formalizará mediante la cancelación de su inscripción en el registro de partidos políticos, la que será efectuada por el Director del Servicio Electoral, previa resolución del Consejo Directivo del Servicio Electoral que así lo disponga.

En el caso del número 2 del artículo anterior, la cancelación se efectuará noventa días corridos después de comunicada al Director la sentencia de proclamación del Tribunal Calificador de Elecciones y el escrutinio general que éste haya realizado. Dentro de este plazo los partidos políticos podrán fusionarse, debiendo comunicar esta circunstancia al Director del Servicio Electoral.

En el caso del número 4 del artículo precedente, el Director del Servicio Electoral procederá a la cancelación de la inscripción, luego de transcurridos ciento ochenta días corridos desde que dicho Servicio haya representado al presidente del partido, o su equivalente, la disminución de los afiliados en los términos del citado número y siempre que en este lapso no se hubieren acreditado nuevas inscripciones que completen el número mínimo de afiliados exigidos para constituir un partido.

En contra de la resolución del Director del Servicio Electoral que cancele una inscripción, podrá reclamarse para ante el Tribunal Calificador de Elecciones, excepto en los casos de los números 6 y 7 del artículo precedente.

Artículo 58.- Resuelto por el Tribunal Constitucional que un partido político es inconstitucional, y luego de la publicación del extracto de la respectiva sentencia, el Director del Servicio Electoral procederá de inmediato a cancelar su inscripción.

Artículo 59.- Disuelto un partido político, se dispondrá de sus bienes en la forma prescrita por sus estatutos y si en éstos no se hubiere previsto su destino, pasarán a dominio fiscal. Sin embargo, en el caso del número 7 del artículo 56, estos bienes pasarán necesariamente al Fisco.

Título IX
DE LAS SANCIONES

Artículo 60.- Las sanciones que pueden imponerse por infracciones a las normas de esta ley son:

1) Amonestación por escrito.

2) Multa a beneficio fiscal.

3) Comiso.

4) Inhabilidad para ocupar cargos directivos en partidos políticos.

5) Suspensión, por un término de seis meses a dos años, de todos los derechos que le correspondan en elecciones y plebiscitos, incluidos los relativos a propaganda y publicidad así como todos los beneficios y derechos que le otorga el artículo 48.

6) Disolución del partido.

Además, podrán aplicarse como procedimiento de apremio, en los casos que determine esta ley, las medidas de suspensión al afiliado de sus derechos como tal y de suspensión de los derechos del partido.

Sin perjuicio de lo dispuesto en el artículo 64, la multa tendrá los siguientes grados:

a) Mínimo, de diez a cien unidades tributarias mensuales.

b) Medio, de más de cien a doscientas unidades tributarias mensuales.

c) Máximo, de más de doscientas a trescientas unidades tributarias mensuales.

En caso de reincidencia, el monto de las multas será elevado al doble.

La inhabilidad para ocupar cargos directivos en un partido político se entenderá referida a cualquiera de los cargos que señalan los artículos 27, 29, 30, 31 y 32 y a los demás que establezcan los estatutos.

Artículo 61.- El partido político que excediere en sus actuaciones las funciones que le son propias o infringiere lo dispuesto en el inciso tercero del artículo 1, será objeto de amonestación por escrito, con señalamiento de un breve plazo para poner término a esa situación. Si el partido continuare o reanudare dichas actividades después de vencido tal plazo, será sancionado con multa en sus grados medio a máximo. Si aplicada la multa, el partido perseverare en la misma conducta, se le aplicará la sanción de suspensión o disolución.

Artículo 62.- Las infracciones a las obligaciones establecidas en el artículo 22, serán sancionadas con multa en su grado máximo en el primer caso, en su grado medio a máximo en el segundo, y en sus grados mínimo a medio en el tercero. La multa será de cargo del partido político infractor.

Sin perjuicio de la aplicación al partido político de la multa que corresponda, el presidente y el secretario del mismo quedarán inhabilitados, por un término de tres a cinco años, para ocupar cargos directivos en partidos políticos, si el Director del Servicio Electoral declara que estas infracciones han sido cometidas con participación dolosa de aquellos. Igual sanción será aplicable a las autoridades representantes de los órganos intermedios colegiados regionales que incurrieren en las mismas conductas.

Artículo 63.- Las autoridades de un partido político que impartieren alguna orden o recomendación prohibida conforme a lo dispuesto en los artículos 23 y 38, quedarán inhabilitadas, por un término de uno a tres años, para ocupar cargos directivos en partidos políticos. Si el acto que sanciona este artículo fuere cometido por algún organismo colegiado del partido, no se aplicará sanción al miembro que acreditare no haber tenido conocimiento de la infracción o haberse opuesto a ella.

Artículo 64.- La contravención a lo dispuesto en el artículo 39 será sancionada con el comiso de los ingresos ilegales y con multa de hasta un veinte por ciento del valor de los bienes corporales o incorporales involucrados, la que será de cargo del partido.

En caso de reincidencia, se aplicará como sanción la suspensión o disolución del partido. Además, los integrantes del órgano ejecutivo quedarán
inhabilitados, por el término de ocho años, para ocupar cargos directivos
en un partido político, salvo que acreditaren no haber tenido conocimiento del hecho o haberse opuesto a él, o no haber participado en la comisión
de la primera infracción.

Artículo 65.- La infracción a lo dispuesto en el artículo 41, consis-
tente en que el partido político no lleve libros de ingresos y egresos, de
inventario, de balance, o no efectúe este último, será sancionada con
multa en su grado máximo. Si la infracción consistiere en no conservar la
documentación que respalde las anotaciones de esos libros, en llevar esos
libros o practicar tales anotaciones en forma indebida o en no entregar un
ejemplar del balance al Servicio Electoral, será sancionada con multa en
sus grados medio a máximo. En todos estos casos, la multa será de cargo
del partido político infractor.

El partido político que no se ciña a las instrucciones generales y uniformes que imparta el Servicio Electoral sobre la forma de llevar aquellos
libros, será sancionado con multa en sus grados mínimo a medio.

Sin perjuicio de la aplicación al partido de la multa que corresponda,
si el Director del Servicio Electoral declara que estas infracciones han sido
cometidas con negligencia inexcusable o con participación dolosa del presidente o del tesorero, estos quedarán inhabilitados para ocupar cargos
directivos en partidos políticos, por un término de tres años en el caso de
negligencia inexcusable y de cinco años en el caso de participación dolosa.
Igual sanción será aplicable a los presidentes y a quienes se desempeñen
como tesoreros en los órganos intermedios colegiados regionales que incurrieren en las mismas conductas. Todo lo anterior se entiende sin perjuicio
de la responsabilidad penal a que hubiere lugar.

En caso de reincidencia en las conductas sancionadas en el inciso primero, sin perjuicio de la multa que corresponda, se aplicará la sanción de
inhabilidad contemplada en el inciso anterior.

Artículo 66.- La infracción grave y reiterada de lo dispuesto en el título V de esta ley será sancionada con la disolución del partido político.

Artículo 67.- Las asociaciones, movimientos, organizaciones o grupos de personas que persigan o realicen actividades propias de los partidos políticos al margen de las disposiciones de esta ley, serán sancionados con multa en cualquiera de sus grados, la que se aplicará a cada uno de los organizadores y dirigentes de la asociación, movimiento, organización o grupo de que se trate, así como también a quienes con su cooperación económica favorecieren su funcionamiento. Se considerará que incurren en esta infracción los organizadores de un partido que realicen las actividades de divulgación o propaganda a que se refiere el inciso cuarto del artículo 5, antes de haberse efectuado la publicación a que se alude en dicho inciso.

Si la entidad tuviere personalidad jurídica, el tribunal podrá disponer, además, su cancelación por la autoridad administrativa que la haya concedido o registrado.

Artículo 68.- En caso de que un partido político designe en algún cargo directivo a una persona sancionada con inhabilidad para ocuparlo, el Subdirector de Partidos Políticos del Servicio Electoral fijará al partido un plazo para llenar el cargo con una persona habilitada. Vencido el plazo sin que se hubiere provisto aquel cargo conforme a la ley y mientras tal situación subsista, se aplicará al partido la pena de suspensión.

Artículo 69.- El plazo de prescripción para las faltas o infracciones establecidas en esta ley, incluidos los delitos conexos a ellas, será de un año contado desde la fecha de la comisión de la infracción.

Artículo 70.- En la aplicación de las multas, se podrá recorrer toda la extensión en que la ley le permita imponerlas, considerando, especialmente, el caudal o las facultades del infractor.

El infractor, mientras no pagare la multa, quedará suspendido de todos los derechos que le correspondan como afiliado al partido.

Si el infractor fuere un partido político, se le aplicará la pena de suspensión mientras no pagare la multa.

Título X
DE LOS TRIBUNALES Y DE LAS NORMAS DE PROCEDIMIENTO

Artículo 71.- Conocerá de las causas por las infracciones de que trata el título anterior, en primera instancia, un miembro del Tribunal Calificador de Elecciones que, en cada caso, se designará por sorteo.

El procedimiento será el establecido en los artículos 89, 90 y 91 del Código de Procedimiento Civil. Los plazos respectivos se aumentarán, en su caso, de acuerdo con sus artículos 258 y 259. De las apelaciones que se deduzcan en contra de sus resoluciones conocerá dicho Tribunal, con exclusión del miembro que hubiere resuelto en primera instancia.

Las acciones para hacer efectiva la responsabilidad por las infracciones de que trata el título anterior, podrán ser ejercidas por el Director del Servicio Electoral, por el Ministro del Interior y Seguridad Pública, por el respectivo delegado presidencial regional y por cualquier senador, diputado o partido político inscrito o en proceso de formación.

Sin perjuicio de lo anterior, las sanciones de multa a que se refieren los artículos 64 y 65 y, en general, las que correspondan a la inobservancia del título V de esta ley, serán impuestas por el Servicio Electoral, según su ley orgánica. No obstante, cuando la sanción aplicable corresponda a la suspensión o disolución del partido o inhabilidad para ocupar cargos directivos de un partido político, se estará a lo dispuesto en este artículo.

Artículo 72.- Las reclamaciones que tengan relación con la generación defectuosa del tribunal supremo de un partido político y que sean formuladas dentro de los noventa días corridos siguientes a su elección o de la fecha en que experimente algún cambio en su integración, serán resueltas por el Servicio Electoral, de conformidad a su ley orgánica.

Dicha reclamación podrá ser interpuesta por no menos de un cuarto de los miembros del órgano intermedio colegiado.

Artículo 73.- Las notificaciones que deban practicarse conforme a esta ley se efectuarán por carta certificada, salvo que se hubiere fijado otra forma de notificación. Los partidos políticos inscritos o en formación serán notificados por carta certificada dirigida a su respectivo presidente. La notificación se entenderá practicada al tercer día hábil siguiente de la expedición de la carta por el Servicio Electoral.

Artículo 74.- Las reclamaciones que se deriven de la aplicación de esta ley y que se tramiten ante el Tribunal Calificador de Elecciones se interpondrán dentro de quinto día hábil y se sustanciarán de acuerdo con los artículos 200 a 230 del libro I, título XVIII del Código de Procedimiento Civil, en lo que sea pertinente, pero no procederá el trámite de expresión de agravios. El escrito de reclamación se fundamentará someramente.

Artículo 75.- En caso de falta o abuso del Director del Servicio Electoral en la aplicación de esta ley, procederá el recurso de queja sólo ante el Tribunal Calificador de Elecciones. El recurso deberá interponerse en el plazo fatal de cinco días hábiles.

El Tribunal Calificador de Elecciones podrá imponer al Director del Servicio Electoral las sanciones que señala el artículo 537 del Código Orgánico de Tribunales.

Artículo 76.- El Tribunal Calificador de Elecciones podrá complementar las normas que se establecen en esta ley para las gestiones que se tramiten ante el propio Tribunal, mediante autos acordados que dicte para tal efecto.

Artículo 77.- La ejecución de una sentencia que condene al pago de una multa o disponga el comiso conforme al título anterior, se realizará de acuerdo con el procedimiento señalado en el párrafo 1 del título XIX del libro I del Código de Procedimiento Civil. Corresponderá al Director del Servicio Electoral llevar a cabo la ejecución ante el juez de letras en lo civil que fuere competente de acuerdo con las normas generales.

Artículo 78.- El Director del Servicio Electoral deberá recurrir a la justicia ordinaria para el cumplimiento del fallo cuando se requiera el empleo de procedimientos de apremio o de otras medidas compulsivas o cuando haya de afectar a terceros que no hubieren sido parte en el proceso.

Artículo 79.- A falta de regla especial, los plazos que esta ley dispone para realizar actuaciones ante el Servicio Electoral o para que éste evacue actos administrativos en ejercicio de sus funciones legales serán de días hábiles, en conformidad con la ley N° 19.880.

Los plazos para realizar actuaciones ante el Tribunal Calificador de Elecciones o los Tribunales Electorales Regionales se regirán por las normas de las leyes N° 18.460 y N° 18.593, respectivamente.

5. Ley Nº 18.700 Orgánica Constitucional de Votaciones Populares y Escrutinios

Publicada en el Diario Oficial el 6 de mayo de 1988
(DFL 2, del Ministerio Secretaría General de la Presidencia,
del 6 de septiembre de 2017, que fija el texto refundido,
coordinado y sistematizado de la Ley 18.700)

Artículo 1.- Esta ley regula los procedimientos para la preparación, realización, escrutinio y calificación de los plebiscitos y de las elecciones de Presidente de la República y parlamentarios. Además, establece y regula las juntas electorales.

TÍTULO I
DE LOS ACTOS PREPARATORIOS DE LAS ELECCIONES

PÁRRAFO 1º
DE LA PRESENTACIÓN DE CANDIDATURAS

Artículo 2.- Sólo serán consideradas en las elecciones las candidaturas que se presenten mediante su declaración e inscripción en conformidad a las disposiciones de los párrafos 1º a 4º de este título.

Artículo 3.- Las declaraciones de candidaturas deberán efectuarse por escrito, para cada acto eleccionario, ante el Servicio Electoral quien les pondrá cargo y otorgará recibo.

Las declaraciones deberán efectuarse por el presidente y el secretario del órgano ejecutivo de cada partido político o de los partidos que hubieren acordado un pacto electoral o por, a lo menos, cinco de los ciudadanos que patrocinen una candidatura independiente, acompañando la nómina a que se refiere el artículo 14. En todo caso, serán acompañadas por una declaración jurada del candidato, o de un mandatario designado especialmente al efecto por escritura pública, en la cual señalará cumplir los requisitos constitucionales y legales para ser candidato y no estar afecto a inhabilidades. La declaración jurada deberá ser acompañada sólo por los antecedentes que acrediten los estudios del candidato, cuando corresponda, en los términos que disponga el Servicio Electoral. Esta declaración jurada será hecha ante notario público o ante el oficial del Registro Civil correspondiente a la comuna donde resida el candidato.

La declaración de candidatura podrá presentarse en un acto separado por cada candidato.

Ningún candidato podrá figurar en más de una declaración en elecciones que se celebren simultáneamente.

Respecto de cada candidato se deberá acompañar la autorización al Director del Servicio Electoral para abrir la cuenta bancaria a que alude el artículo 19 de la ley N° 19.884.

Artículo 4.- En las elecciones de parlamentarios dos o más partidos políticos podrán acordar un pacto electoral.

En las elecciones de diputados y senadores, al interior de cada pacto electoral, los partidos políticos integrantes de dicho pacto podrán, cada uno, asociarse con candidatos independientes.

El pacto electoral regirá en todas las regiones del país en que uno o más de los partidos políticos integrantes del mismo se encuentren legalmente constituidos.

Las declaraciones de candidaturas que presente el pacto electoral, sólo podrán incluir candidatos de los partidos políticos que se encuentren legalmente constituidos en la respectiva región.

De la totalidad de declaraciones de candidaturas a diputado o senador declaradas por los partidos políticos, hayan o no pactado, ni los candidatos hombres ni las candidatas mujeres podrán superar el sesenta por ciento del total respectivo. Este porcentaje será obligatorio y se calculará con independencia de la forma de nominación de las candidaturas. La infracción de lo señalado precedentemente acarreará el rechazo de todas las candidaturas declaradas a diputados o a senadores, según corresponda, del partido que no haya cumplido con este requisito.

El pacto electoral deberá formalizarse ante el Servicio Electoral, en forma previa al vencimiento del plazo y a las declaraciones de candidaturas, mediante la presentación de una declaración suscrita por los Presidentes y Secretarios de los partidos políticos integrantes del pacto, que deberá indicar la decisión de concurrir en lista conjunta en una elección de Parlamentarios y que existe afinidad entre sus declaraciones programáticas.

El pacto electoral se entenderá constituido a contar de la fecha de su formalización. Los partidos políticos que hubieren constituido un pacto o una asociación con candidaturas independientes no podrán acordar otro a menos que aquél fuere dejado sin efecto. Se podrá dejar sin efecto un pacto electoral o una asociación con candidaturas independientes cuando los partidos que lo integren hayan dado cumplimiento a lo dispuesto en el artículo 35, inciso primero, de la ley N° 18.603, y exista acuerdo unánime entre ellos. Este acuerdo deberá ser comunicado al Servicio Electoral, mediante una declaración suscrita por los Presidentes y Secretarios de los partidos políticos de que se trate, antes del vencimiento del plazo para presentar candidaturas.

Artículo 5.- En el caso de las declaraciones de candidaturas para la elección de diputados y senadores, los partidos políticos o pactos electorales podrán presentar en cada distrito o circunscripción un máximo de candidatos equivalente al número inmediatamente superior al del número de parlamentarios que corresponda elegir en el distrito o circunscripción de que se trate.

En el caso de las declaraciones de candidaturas de partidos políticos, los candidatos de la lista deberán estar afiliados a un mismo partido político.

En caso de pacto electoral, las declaraciones de candidaturas podrán incluir candidatos afiliados a cualquiera de los partidos integrantes del pacto o candidatos independientes.

Para ser incluido como candidato de un partido político o de un pacto electoral, siempre que en este último caso no se trate de un independiente, se requerirá estar afiliado al correspondiente partido con a lo menos dos meses de anticipación al vencimiento del plazo para presentar las declaraciones de candidaturas y no haber sido afiliado de otro partido político dentro de los nueve meses anteriores al vencimiento de dicho plazo.

Las declaraciones de candidaturas independientes sólo podrán contener el nombre de un candidato, cualquiera sea el número de cargos que se trate de proveer.

Los candidatos independientes, en todo caso, no podrán haber estado afiliados a un partido político dentro de los nueve meses anteriores al vencimiento del plazo para presentar las declaraciones de candidaturas.

Artículo 6.- Las declaraciones realizadas por los partidos políticos sólo podrán ser sustituidas o modificadas por éstos, antes del vencimiento del plazo que rija para formularlas.

Las declaraciones de candidaturas de los pactos electorales sólo podrán ser sustituidas o modificadas por acuerdo unánime de los partidos políticos que los integren, dentro del plazo señalado en el inciso precedente.

Las declaraciones de candidaturas podrán ser retiradas hasta antes de su inscripción en el registro especial a que se refiere el artículo 21. El retiro de una declaración se hará por el Presidente y el Secretario del órgano ejecutivo del respectivo partido. Sin embargo, el retiro de una declaración de candidatura incluida en un pacto electoral requerirá el acuerdo de todos los partidos que lo integren. El retiro de una candidatura independiente se hará ante el Servicio Electoral mediante solicitud suscrita personalmente por el interesado o firmada por éste ante notario.

Artículo 7.- Las declaraciones de candidaturas a senadores y diputados sólo podrán hacerse hasta las veinticuatro horas del nonagésimo día anterior a la fecha de la elección correspondiente.

Tratándose de las declaraciones de candidaturas a Presidente de la República, éstas sólo podrán hacerse hasta las veinticuatro horas del nonagésimo día anterior a aquel en que deba realizarse la primera o única votación, o hasta los treinta días siguientes a la convocatoria que se realice para una repetición de la elección presidencial, en virtud de ocurrir alguna de las circunstancias contempladas en los incisos cuarto del artículo 26 o segundo del artículo 28 de la Constitución Política de la República.

Artículo 8.- En la fecha que corresponda efectuar la declaración de las candidaturas, todos los candidatos deberán realizar una declaración de patrimonio e intereses, en los términos que señala la ley N° 20.880, sobre Probidad en la función pública y prevención de los conflictos de intereses. Asimismo, deberán cumplir con dicha obligación quienes realicen una declaración de precandidatura, según lo dispuesto en el artículo 3 de la ley N° 19.884.

El Servicio Electoral dispondrá de formularios en su página web para facilitar la presentación de la declaración de patrimonio e intereses.

No serán admitidas por el Servicio Electoral las declaraciones de precandidaturas e inscripciones a candidaturas de quienes no hayan efectuado la declaración de patrimonio e intereses en el plazo previsto, debiendo este organismo establecer un plazo para subsanar eventuales errores. Vencido dicho plazo, se entenderán como no presentadas las declaraciones de precandidaturas e inscripciones a candidaturas de aquellos precandidatos y candidatos que no hubieren subsanado errores o imprecisiones de la declaración de patrimonio e intereses.

El Servicio Electoral remitirá, dentro de los diez días hábiles siguientes, copia de estas declaraciones al Servicio de Impuestos Internos y a la Unidad de Análisis Financiero dependiente del Ministerio de Hacienda, sin perjuicio de publicarlas en su página web.

Artículo 9.- En el caso de las candidaturas a Presidente de la República, sea que se trate de elecciones primarias o generales según corresponda, junto con la declaración de ellas, los candidatos deberán presentar un programa en el cual se indicarán las principales acciones, iniciativas y proyectos que se pretenden desarrollar durante su gestión. De no hacerlo, el Servicio Electoral establecerá un plazo para que se acompañe, bajo apercibimiento de tener por no presentada la candidatura según lo señalado en el inciso segundo del artículo anterior.

Artículo 10.- En las declaraciones se indicarán los nombres y las cédulas nacionales de identidad de hasta tres personas y sus respectivos subrogantes que estarán a cargo de los trabajos electorales y de los nombramientos de apoderados, por cada distrito y circunscripción senatorial. Esta designación podrá ser modificada hasta doce días antes de la elección. El Servicio Electoral comunicará la designación a las juntas electorales respectivas dentro del quinto día de efectuadas o modificadas.

Asimismo, en las declaraciones se indicarán los nombres, la cédula de identidad y domicilio del administrador electoral y del administrador general electoral, en su caso.

Artículo 11.- En el caso de candidaturas independientes la determinación del número mínimo necesario de patrocinantes la hará el Director del Servicio Electoral mediante resolución que se publicará en el Diario Oficial con siete meses de anticipación, a lo menos, a la fecha en que deba realizarse una elección.

Si en el período transcurrido desde la anterior elección periódica de diputados se hubiese modificado el territorio de alguna circunscripción senatorial o distrito, el Director considerará la votación emitida en los territorios agregados o desmembrados, según fuere el caso.

Un ciudadano sólo podrá patrocinar por elección una declaración para diputado, una para senador y una para Presidente de la República. Si suscribiere más de una, sólo será válida la que se hubiere presentado primero al Director.

El Servicio Electoral otorgará las facilidades para que las candidaturas independientes, en forma previa a la declaración de candidaturas, puedan revisar si sus patrocinantes son personas que tienen la condición de ciudadanos independientes.

Artículo 12.- Para efectos de lo señalado en los incisos cuarto y sexto del artículo 5, los partidos políticos deberán proceder a realizar cierres de sus registros generales de afiliados, debiendo remitir un duplicado de dicho registro al Servicio Electoral, informando también las nuevas afiliaciones y las desafiliaciones hasta dicho cierre. El primer cierre se hará con los afiliados registrados nueve meses antes del vencimiento del plazo para la declaración de candidaturas y el segundo con los afiliados registrados dos meses antes de ese plazo. Los duplicados deberán remitirse al Servicio

Electoral dentro de los cinco días siguientes de los cierres de registros indicados.

A falta de los duplicados señalados en el inciso primero, se tomarán en consideración los últimos registros de afiliados entregados al Servicio Electoral.

PÁRRAFO 2°

DE LAS CANDIDATURAS INDEPENDIENTES A DIPUTADOS Y SENADORES

Artículo 13.- Las candidaturas independientes a diputados o senadores requerirán del patrocinio de un número de ciudadanos igual o superior al 0,5 por ciento de los que hubieren sufragado en el distrito electoral o en la circunscripción senatorial, según se trate de candidaturas a diputados o senadores, respectivamente, en la anterior elección periódica de diputados, de acuerdo con el escrutinio general realizado por el Tribunal Calificador de Elecciones.

Artículo 14.- El patrocinio de candidaturas independientes deberá suscribirse ante notario por ciudadanos con derecho a sufragio que declaren bajo juramento o promesa no estar afiliados a un partido político legalmente constituido o en formación, y cuyos domicilios electorales registrados en el Registro Electoral correspondan al distrito o circunscripción senatorial, según se trate de elecciones de diputados o senadores. Será notario competente cualquiera del respectivo territorio.

La nómina de patrocinantes deberá señalar en su encabezamiento el nombre del candidato y el acto electoral de que se trate. A continuación, deberá dejarse expresa constancia del juramento a que se refiere el inciso anterior y de los siguientes antecedentes: primera columna, numeración correlativa de todos los ciudadanos que la suscriban; segunda columna, sus apellidos y nombres completos; tercera columna, número de la cédula nacional de identidad; cuarta columna, indicación de su domicilio electoral, con mención de la comuna; quinta columna, firma del elector o su impresión dactiloscópica, si no pudiere firmar, la que se estampará en línea enfrentando los datos de su filiación personal.

Lo dispuesto en este artículo y en el precedente no se aplicará a los independientes incluidos en una declaración de candidaturas de un pacto electoral.

PÁRRAFO 3º
DE LAS CANDIDATURAS A PRESIDENTE DE LA REPÚBLICA

Artículo 15.- Las declaraciones de candidaturas a Presidente de la República se regirán por las normas contenidas en el párrafo 1º de este título, y por las que a continuación se señalan.

Artículo 16.- El patrocinio de las candidaturas independientes a Presidente de la República deberá suscribirse ante cualquier notario por un número de ciudadanos, habilitados para ejercer el derecho a sufragio, no inferior al 0,5 por ciento de los que hubieren sufragado en la anterior elección periódica de diputados, de acuerdo con el escrutinio general practicado por el Tribunal Calificador de Elecciones.

Artículo 17.- Las declaraciones de candidaturas de partidos políticos a Presidente de la República deberán cumplir con los siguientes requisitos especiales:

a) Sólo podrán ser declaradas por los partidos constituidos en todas las regiones del país, y

b) Aquellos partidos que no estén constituidos en todas las regiones del país podrán efectuar estas declaraciones acreditando una cantidad total de afiliados en las regiones en que se encuentran legalmente constituidos no inferior al 0,5 por ciento establecido en el artículo anterior.

Artículo 18.- En caso de producirse la situación a que se refiere el inciso segundo del artículo 28 de la Constitución Política, regirá la determinación del número mínimo de patrocinantes o de afiliados efectuada por el Director del Servicio Electoral para la elección inmediatamente anterior.

Párrafo 4°
De la Inscripción de Candidaturas

Artículo 19.- El Consejo del Servicio Electoral, dentro de los diez días siguientes a aquel en que venza el plazo para efectuar la declaración de candidaturas, deberá dictar una resolución que se notificará al correo electrónico que los partidos políticos y candidatos independientes deberán informar en el momento de la declaración, la que se pronunciará sobre:

a) La aceptación o rechazo de cada una de las declaraciones de candidaturas a diputado o senador, declaradas por cada partido político, pacto electoral o candidatura independiente. El Consejo del Servicio Electoral deberá rechazar las declaraciones de candidaturas que no cumplan con los requisitos establecidos en los artículos 25, 48 y 50 de la Constitución Política de la República, o que se encuentren en alguna de las situaciones previstas en su artículo 57. Asimismo, deberá rechazar las declaraciones de candidaturas que no cumplan con los requisitos establecidos en los párrafos 1° a 3° de este título.

b) La aceptación o rechazo de la totalidad de las declaraciones de candidaturas a diputado o senador, según corresponda, declaradas por cada partido político, en conformidad a lo dispuesto en los incisos cuarto y quinto del artículo 4. El Consejo del Servicio Electoral deberá rechazar la totalidad de las declaraciones de candidaturas a diputado o senador, según corresponda, realizadas por los partidos políticos, estén o no en pacto electoral, que no cumplan con el porcentaje de sexos establecido en el inciso quinto de dicho artículo.

Los partidos políticos cuya totalidad de declaraciones de candidaturas a diputado o senador, según corresponda, sean rechazadas en conformidad a lo dispuesto en la letra b) de este artículo, podrán corregirlas ante el Servicio Electoral dentro de los cuatro días hábiles siguientes a la fecha del despacho del correo electrónico que notifica la resolución a que alude el inciso primero, con el fin de ajustarse al porcentaje de sexos dispuesto en el inciso quinto del artículo 4, ya sea retirando declaraciones de candidaturas o declarando otras nuevas.

Dentro de los cinco días siguientes de vencido el plazo para presentar la corrección, el Consejo del Servicio Electoral dictará una nueva resolución aceptando o rechazando las declaraciones nuevas y rechazando o aceptando, según proceda, la totalidad de las declaraciones de candidaturas a diputados o a senadores, según corresponda, la que deberá ser publicada dentro de tercer día en el Diario Oficial. En tal oportunidad también se publicarán en el mismo medio la aceptación o rechazo de cada una de las declaraciones de candidaturas a parlamentarios declaradas por cada partido político, pacto electoral o candidatura independiente.

Artículo 20.- Los partidos políticos y los candidatos independientes podrán, dentro de los cinco días siguientes a la publicación de la resolución a que se refiere el artículo anterior, reclamar ante el Tribunal Calificador de Elecciones. Este Tribunal fallará en el término de diez días contado desde la interposición del reclamo y su resolución se notificará al Director del Servicio Electoral y a los interesados por carta certificada.

Artículo 21.- Dentro de los tres días siguientes de vencido el plazo de cinco días a que se refiere el artículo anterior o del fallo del Tribunal Calificador, si lo hubiere, el Director del Servicio Electoral procederá a inscribir las candidaturas en un Registro Especial. Desde este momento se considerará que los candidatos tienen la calidad de tales para todos los efectos legales.

Si el rechazo de la candidatura por parte del Servicio Electoral, conforme al artículo 19, se hubiere fundado en no ser el candidato declarado ciudadano con derecho a sufragio, y el fallo del Tribunal hubiere ordenado su inscripción como candidato, el Servicio Electoral deberá también incorporar al candidato dentro del padrón de electores. Si, por el contrario, el Tribunal rechazare una candidatura aceptada por el Servicio Electoral, al considerar que el candidato no es ciudadano con derecho a sufragio, el Servicio Electoral deberá excluir al candidato del Padrón de Electores.

Una vez inscritas las declaraciones de candidaturas a parlamentarios presentadas por los partidos políticos o por pactos electorales, cada una de ellas constituirá una lista en el distrito o circunscripción senatorial, según corresponda. En el caso de candidaturas independientes a senadores o diputados, cada declaración inscrita constituirá una nómina.

Tratándose de la elección de Presidente de la República, y en el caso establecido en el inciso segundo del artículo 26 de la Constitución Política, la inscripción practicada por el Servicio se entenderá subsistente, para todos los efectos legales, respecto de los candidatos a que la referida disposición alude.

Artículo 22.- Si un candidato a Presidente de la República, diputado o senador fallece después de inscrito y antes del octavo día anterior a la elección, el partido o el pacto electoral al cual pertenezca el candidato o las personas que hayan requerido la inscripción del candidato, en caso de candidaturas independientes, podrán reemplazarlo por otro, dentro de tercero día de la fecha del deceso. Si las cédulas correspondientes ya se encontraren impresas se entenderá que los votos obtenidos por el candidato fallecido corresponden a su reemplazante.

El reemplazante deberá someterse a los mismos requisitos de declaración e inscripción contenidos en los párrafos 1° a 3° de este título, en lo que le fueren aplicables. En el caso de candidaturas presentadas por partidos políticos o por pactos electorales, no les serán exigibles los requisitos establecidos en los artículos 35 y 37 de la ley N° 18.603. A su vez, en caso de candidaturas independientes, no les serán aplicables los artículos 13 y 14 de esta ley. La designación efectuada en conformidad al artículo 10 será también válida para la declaración del candidato reemplazante.

No efectuándose el reemplazo en tiempo y forma, los votos que obtenga el fallecido se considerarán nulos.

Si un candidato a diputado o senador fallece entre las cero horas del octavo día anterior a la elección y el momento en que el Tribunal Calificador de Elecciones proclame a los elegidos, no podrá ser reemplazado, y los votos que obtenga se entenderán emitidos en favor del otro candidato de su lista si lo hubiere. A falta de otro candidato en la lista o en el caso de candidaturas independientes, los votos serán considerados nulos.

PÁRRAFO 5°
DE LAS CÉDULAS ELECTORALES

Artículo 23.- La emisión del sufragio se hará mediante cédulas oficiales. El Servicio Electoral las confeccionará con las dimensiones que fije para cada elección, de acuerdo con el número de candidatos o cuestiones sometidas a plebiscito, impresas en forma claramente legible y en papel no transparente, que llevará la identificación de ese Servicio y la indicación de sus pliegues. Asimismo, las cédulas llevarán serie y numeración correlativas, las que deberán constar en un talón desprendible constituyendo una sola unidad con la cédula. Al efecto, el referido talón podrá ser parte original de la confección de la cédula o ser adherido a ella con posterioridad; en este último caso, la cédula deberá contemplar además la sección en donde deberá adherirse el talón desprendible.

El Servicio Electoral confeccionará cédulas separadas para llenar los cargos de Presidente de la República, de senadores, de diputados y para plebiscitos. En el caso de votaciones simultáneas, las cédulas serán de papel de diferentes colores. La cédula se imprimirá con tinta negra, encabezada, según el caso, con las palabras «Presidente de la República», «senadores», «diputados», o «plebiscito».

Será obligación del Servicio Electoral disponer que la cédula confeccionada sea doblada en tal forma que resulte absolutamente imposible, una vez cerrada, conocer la preferencia marcada por el elector. Para este efecto, la mesa entregará al elector un sello adhesivo, con el cual deberá cerrar la cédula, luego de doblarse aquélla de acuerdo con la indicación de sus pliegues.

Tratándose del caso previsto en el inciso segundo del artículo 26 de la Constitución Política, el Servicio Electoral podrá confeccionar las cédulas de votación y preparar los útiles electorales, con el mérito de los resultados provisionales de que disponga.

Artículo 24.- El Director del Servicio Electoral, en audiencia pública que tendrá lugar a las nueve horas del tercer día de expirado el plazo para inscribir candidaturas, determinará el orden de precedencia de los candidatos en la respectiva cédula electoral.

Para estos efectos, tratándose de elecciones de senadores y diputados, se realizará un sorteo con letras del abecedario en número igual al de las listas declaradas por los partidos políticos o pactos electorales. La primera letra que arroje el sorteo se asignará a la lista primeramente declarada y las restantes letras a las demás en el orden de su recepción. Atribuidas las letras a cada lista, el orden de éstas se ajustará al que tienen en el abecedario. La letra que se asigne a la lista de un partido o pacto electoral será la misma para todas sus declaraciones en las diferentes circunscripciones senatoriales y distritos del país.

En el caso de un pacto electoral, el orden de precedencia de los partidos dentro de la cédula electoral para cada circunscripción o distrito será el señalado por el pacto electoral en la declaración de candidaturas y, a falta de éste, será resuelto por el Servicio Electoral mediante sorteo.

A cada candidatura independiente a diputado o senador el Director le asignará un número cardinal correlativo de acuerdo con el orden de su recepción. La numeración que se dé a las nóminas será la que siga al último número asignado a los candidatos declarados en listas, de acuerdo con lo dispuesto en el inciso cuarto del artículo 25.

Si las candidaturas fueren a Presidente de la República, se hará un sorteo con números en igual cantidad al de las candidaturas, asignando el primer número que arroje el mismo, al candidato primeramente declarado, y los restantes, a los demás candidatos en el orden de sus respectivas declaraciones. Atribuidos los números, los nombres de los candidatos serán colocados en el orden correlativo correspondiente. Para los efectos de lo previsto en el inciso segundo del artículo 26 de la Constitución Política, los candidatos que correspondan mantendrán en la cédula de votación sus respectivos números y orden.

Artículo 25.- Cuando se trate de elecciones de senadores y diputados o sólo de diputados, a continuación de la palabra con que se encabece la cédula, se colocará la letra o número que haya correspondido a cada lista o nómina en el sorteo a que se refiere el artículo anterior, y frente a esa letra o número el nombre del partido político o del pacto de partidos que la patrocine o las palabras «candidatura independiente», según corresponda. Sobre el nombre de la lista o nómina se colocará el símbolo del partido, pacto o candidatura independiente, impreso en tinta negra y en el tamaño que determine el Servicio Electoral. Para estos efectos, cada pacto electoral y cada candidatura independiente señalarán, en su declaración, la figura o símbolo que los distingan. Si el partido político no tuviere símbolo; o si el pacto o la candidatura independiente no lo señalaren; o si el símbolo propuesto se prestare a confusión con el de otra lista o nómina; o si los partidos integrantes de un pacto no hubieren señalado nombre a éste, el Director del Servicio Electoral le asignará la figura geométrica y el nombre que él determine, en su caso.

A continuación del nombre de cada candidato incluido en una lista correspondiente a un pacto electoral, deberá indicarse el nombre del partido político a que pertenezca o su condición de independiente.

Las listas se colocarán en el orden alfabético que corresponda a las letras que les hayan sido asignadas, y luego se colocarán las nóminas de acuerdo con los números que les hayan correspondido.

El orden de precedencia de los candidatos de un partido y sus independientes asociados dentro de la cédula electoral para cada circunscripción o distrito será el señalado por el partido en la declaración de candidaturas y, a falta de éste, será resuelto por el Servicio Electoral mediante sorteo.

Al lado izquierdo del número de cada candidato, habrá una raya horizontal destinada a que el elector pueda marcar su preferencia completando una cruz con una raya vertical.

Artículo 26.- En las elecciones para Presidente de la República, la cédula llevará impresos los nombres de los diferentes candidatos en el orden que resulte del sorteo a que se refiere el inciso final del artículo 24, estampando al lado izquierdo, frente a cada nombre el número correspondiente, precedido de la raya horizontal que se indica en el inciso final del artículo anterior.

Artículo 27.- La cédula para el plebiscito nacional contendrá el texto de las cuestiones que fijen el Presidente de la República o el Tribunal Constitucional, si hubiere sido requerido. En los plebiscitos comunales dicho texto será fijado por el alcalde. Bajo cada cuestión planteada habrá dos rayas horizontales, una al lado de la otra. La primera de ellas tendrá en su parte inferior la expresión «sí» y la segunda la palabra «no», a fin de que el elector pueda marcar su preferencia completando una cruz con una raya vertical, sobre una de las alternativas.

Artículo 28.- El Servicio Electoral, por resolución cuya parte decisoria hará publicar en extracto en el Diario Oficial, determinará las características de la impresión de los datos que contendrán las cédulas, las cuales, en todo caso, serán iguales para todos los candidatos de un mismo tipo de elección o cuestiones sometidas a plebiscito.

Los errores en la impresión de la cédula no anularán el voto, salvo que, a juicio del Tribunal Calificador de Elecciones, sean de tal entidad que hayan podido confundir al elector o influir en el resultado de la elección.

Artículo 29.- Para facilitar el voto de los no videntes, el Servicio Electoral confeccionará plantillas facsímiles de la cédula electoral en material transparente, que llevarán frente a cada nombre o cuestión sometida a plebiscito, una ranura que sirva para marcar la preferencia que se desee, sobreponiendo la plantilla a la cédula. La plantilla llevará rebordes que permitan fijar la cédula a fin de que cada ranura quede sobre cada línea, y será de un material que no se marque, en un uso normal, con el lápiz empleado por el elector.

Habrá plantillas disponibles en la oficina electoral de cada recinto en que funcionen mesas receptoras, para su uso por los electores no videntes que la requieran.

Ley N° 18.700, art. 28, D.O. 06.05.1988

Artículo 30.- El Servicio Electoral hará publicar en diarios de circulación en cada circunscripción senatorial o distrito, en su caso, los facsímiles de las cédulas con las cuales se sufragará. La publicación se hará el quinto día anterior a la fecha en que se realice el acto eleccionario o plebiscitario. En estas publicaciones el Servicio señalará las características materiales con que se han confeccionado las plantillas a que se refiere el artículo anterior, indicando con toda precisión su espesor, la dimensión de las ranuras y los demás datos que permitan conocerlas.

El Servicio Electoral entregará a los partidos políticos, a los pactos electorales y a los candidatos independientes, el número de facsímiles de las cédulas con las cuales se sufragará que determine el Servicio. La entrega se hará al décimo quinto día anterior a la elección.

PÁRRAFO 6°
DE LA PROPAGANDA Y PUBLICIDAD

Artículo 31.- Se entenderá por propaganda electoral, para los efectos de esta ley, todo evento o manifestación pública y la publicidad radial, escrita, en imágenes, en soportes audiovisuales u otros medios análogos, siempre que promueva a una o más personas o partidos políticos constituidos o en formación, con fines electorales. En el caso de los plebiscitos, se entenderá por propaganda aquella que induzca a apoyar alguna de las proposiciones sometidas a consideración de la ciudadanía. Dicha propaganda sólo podrá efectuarse en la oportunidad y la forma prescritas en esta ley.

No se entenderá como propaganda electoral la difusión de ideas o de información sobre actos políticos realizados por personas naturales. Tampoco lo serán aquellas actividades que las autoridades públicas realicen en el ejercicio de su cargo, ni aquellas actividades habituales no electorales propias del funcionamiento de los partidos políticos constituidos o en formación.

Para los plebiscitos comunales la propaganda solo podrá comprender las materias sometidas a consideración de los vecinos.

Las autoridades públicas que realicen inauguraciones de obras u otros eventos o ceremonias de carácter público, desde el sexagésimo día anterior a la elección, deberán cursar invitación por escrito a tales eventos a todos los candidatos del respectivo territorio electoral. El incumplimiento de esta obligación será considerado una contravención al principio de probidad contemplado en la ley orgánica constitucional de Bases Generales de la Administración del Estado.

Las empresas periodísticas de prensa escrita y las radioemisoras podrán publicar o emitir la propaganda electoral que libremente contraten, pero no podrán discriminar en el cobro de las tarifas entre las distintas candidaturas o proposiciones, según se trate de elecciones o plebiscitos. La contratación de este tipo de propaganda sólo podrá suscribirse por el candidato, el partido político respectivo o los administradores electorales de unos y otros.

La propaganda electoral por medio de la prensa y radioemisoras solo podrá desarrollarse desde el sexagésimo hasta el tercer día anterior al de la elección o plebiscito, ambos días inclusive. Sólo se podrá efectuar propaganda electoral en lNOTAos medios de prensa o radioemisoras que, a más tardar diez días antes del inicio del período de propaganda, informen al Servicio Electoral de sus tarifas, en la forma establecida por éste, debiendo ser publicadas en la página web del respectivo medio y del Servicio Electoral. Los medios de prensa o radioemisoras podrán adecuar oportunamente y con la debida antelación dichas tarifas, debiendo informar de ello al Servicio Electoral.

Con todo, tratándose del caso previsto en el inciso segundo del artículo 26 de la Constitución Política, la propaganda electoral sólo podrá efectuarse desde el decimocuarto y hasta el tercer día anterior al de la votación, ambos días inclusive.

Artículo 32.- Los canales de televisión de libre recepción deberán destinar gratuitamente treinta minutos diarios de sus transmisiones a propaganda electoral en los casos de elección de Presidente de la República, de diputados y senadores, únicamente de diputados o de plebiscitos nacionales.

Cuando correspondan elecciones conjuntas de Presidente de la República y de diputados y senadores, los canales de televisión de libre recepción destinarán, también gratuitamente, cuarenta minutos diarios a propaganda electoral, los que se distribuirán en veinte minutos para la elección de Presidente de la República y veinte minutos para la elección de diputados y senadores.

Para las elecciones de Presidente de la República, los tiempos de treinta o de veinte minutos a que aluden los incisos anteriores corresponderán, en partes iguales, a cada uno de los candidatos. Para el caso previsto en el inciso segundo del artículo 26 de la Constitución Política, el tiempo será de diez minutos, distribuido también en partes iguales.

En las elecciones de diputados y senadores, a cada partido político corresponderá un tiempo proporcional a los votos obtenidos en la última elección de diputados o, en caso de que no hubiere participado en ella, tendrá el mismo tiempo que le corresponda al partido político que hubiere obtenido menos votos. Si hubiere pacto, se sumará el tiempo de los partidos pactantes.

Al conjunto de las candidaturas independientes corresponderá, asimismo, un tiempo equivalente al del partido político que hubiere obtenido menos sufragios en la última elección, el que se distribuirá entre ellas por iguales partes.

En caso de plebiscito nacional, los canales de televisión deberán dar expresión al gobierno, a los partidos políticos con representación en el Congreso Nacional y a los parlamentarios independientes. El tiempo de treinta minutos diarios a que alude el inciso primero se distribuirá por mitades entre el gobierno y los que adhieran a su posición, por una parte, y los partidos y parlamentarios independientes que sustenten posiciones diferentes a la del gobierno, por la otra. Los partidos y los parlamentarios independientes que adhieran a la posición del gobierno se repartirán de común acuerdo con éste el tiempo correspondiente. A falta de acuerdo, al gobierno le corresponderá la mitad del tiempo disponible y la otra mitad se distribuirá entre los partidos políticos y los parlamentarios independientes en proporción a su representación en el Congreso Nacional. Los partidos políticos y parlamentarios independientes que sustenten posiciones diferentes a la del gobierno se repartirán el tiempo que les corresponda de común acuerdo; a falta de éste, se seguirá la proporción de su representación en el Congreso Nacional.

La propaganda señalada en los incisos anteriores deberá ser transmitida desde el trigésimo y hasta el tercer día anterior a la elección o plebiscito, ambos días inclusive.

Los canales de televisión de libre recepción sólo podrán transmitir propaganda electoral en los términos previstos en este artículo. Los servicios limitados de televisión no podrán, en caso alguno, transmitir propaganda electoral.

Las empresas periodísticas de prensa escrita y las radioemisoras podrán publicar o emitir la propaganda electoral que libremente contraten, pero no podrán discriminar en el cobro de las tarifas entre las distintas candidaturas o proposiciones, según se trate de elecciones o plebiscitos.

Se prohíbe la propaganda electoral en cinematógrafos y salas de exhibición de videos.

Artículo 33.- Tratándose de las concesionarias de servicios de radiodifusión televisiva abierta, la distribución del tiempo a que se refieren los incisos cuarto y quinto del artículo 32 la hará el Consejo Nacional de Televisión, previo informe del Servicio Electoral. Para tal efecto, dicho Consejo tendrá el plazo de diez días contado desde la fecha en que las candidaturas queden inscritas en el Registro Especial a que se refiere al artículo 21.

Los acuerdos sobre la distribución del tiempo a que refiere el inciso sexto del artículo 32, serán comunicados al Consejo Nacional de Televisión por el Presidente de la República, en representación del Gobierno y de los partidos políticos y parlamentarios independientes que adhieran a su posición, y por el presidente del partido político con mayor número de parlamentarios en el Congreso Nacional, en representación de los partidos políticos y de los parlamentarios independientes que sustenten posiciones diferentes a las del Gobierno. Dicha comunicación deberá efectuarse dentro del plazo de diez días contado desde la fecha de la convocatoria a plebiscito nacional. En caso de no existir acuerdo en cuanto a la distribución del tiempo, se podrá recurrir ante el Consejo Nacional de Televisión en el mismo plazo señalado en el inciso precedente, quien deberá resolver las discrepancias dentro del plazo de cinco días contado desde la fecha de la presentación respectiva.

De las resoluciones del Consejo Nacional de Televisión, en relación con la distribución del tiempo y con las discrepancias a que se refieren los incisos primero y segundo, respectivamente, podrá apelarse ante el Tribunal Calificador de Elecciones dentro del plazo de 3 días contado desde la dictación de dichas resoluciones.

El Tribunal Calificador de Elecciones resolverá las apelaciones sumariamente dentro del plazo de cinco días contado desde la fecha de su respectiva interposición.

Artículo 34.- Durante el plazo señalado en el inciso sexto del artículo 31, las radioemisoras deberán transmitir cada día, entre las 07:00 y las 22:00 horas, seis spots de no menos de treinta y no más de cuarenta segundos de duración con información electoral de utilidad para la ciudadanía, cuyo contenido determinará el Servicio Electoral, el que no podrá favorecer a ningún candidato o partido en particular.

Lo dispuesto en el inciso primero no se aplicará a las radioemisoras que se rijan por la ley N° 20.433, que Crea los servicios de radiodifusión comunitaria ciudadana.

Artículo 35.- Sólo podrá realizarse propaganda electoral en los espacios que, de acuerdo a la Ordenanza General de la ley General de Urbanismo y Construcciones, puedan ser calificados como plazas, parques u otros espacios públicos y estén expresamente autorizados por el Servicio Electoral. Para ello, el Servicio Electoral requerirá una propuesta al concejo municipal respectivo, la que deberá ser aprobada en sesión pública especialmente convocada al efecto, por al menos dos tercios de sus miembros en ejercicio, y enviada al citado Servicio, a más tardar doscientos días antes de la correspondiente elección o dentro de los quince días siguientes a la publicación del decreto de convocatoria a plebiscito. A falta de dicha propuesta, el Servicio Electoral procederá sin ella. Asimismo, el referido Servicio podrá requerir la información que estime necesaria a cualquier órgano público competente. Una vez que, con dichos antecedentes o sin ellos, se haya elaborado un listado o mapa con los lugares preseleccionados, los directores regionales del Servicio Electoral convocarán a una reunión a los órganos intermedios colegiados de los partidos políticos legalmente constituidos en la respectiva región, con el objeto de informarles los lugares que preliminarmente han sido definidos en cada comuna, con el objeto que en la misma instancia o dentro de los tres días siguientes puedan hacer llegar sus observaciones. El Servicio Electoral no estará obligado a considerarlas ni a pronunciarse sobre ellas.

Dicho Servicio regulará mediante instrucciones la distribución de los espacios públicos entre las distintas candidaturas y partidos políticos, velando por el uso equitativo de ellos y con el fin de no entorpecer el uso de estos espacios por la ciudadanía. En las referidas instrucciones, además, podrá determinar el máximo de elementos de propaganda permitidos para cada candidato o partido en una misma elección.

Noventa días antes de la fecha para efectuar la declaración de candidaturas o sesenta días después de la publicación del decreto de convocatoria del plebiscito, según corresponda, se publicará en el sitio electrónico del Servicio Electoral la nómina de las plazas y parques u otros lugares públicos autorizados para efectuar propaganda electoral. Además, el Servicio Electoral publicará un plano señalando los lugares indicados en la referida nómina.

En espacios públicos no podrá realizarse propaganda mediante carteles de gran tamaño, cuyas dimensiones superen los dos metros cuadrados.

Se podrá realizar propaganda por activistas o brigadistas en la vía pública, mediante el porte de banderas, lienzos u otros elementos no fijos que identifiquen la candidatura o la entrega de material impreso u otro tipo de objetos informativos.

En ningún caso podrá realizarse propaganda aérea mediante aeronaves o cualquier otro tipo de elementos de desplazamiento en el espacio aéreo.

Asimismo, estará prohibida toda clase de propaganda que, pese a ubicarse en lugar autorizado, destruya, modifique, altere o dañe de manera irreversible los bienes muebles o inmuebles que allí se encuentren.

Los respectivos alcaldes, de oficio, a solicitud de cualquier ciudadano o a requerimiento del Servicio Electoral, deberán retirar u ordenar el retiro de toda la propaganda electoral que se realice con infracción de lo dispuesto en este artículo, y estarán obligadas a repetir en contra de los candidatos, sean independientes o estén afiliados a partidos políticos, o en contra de estos últimos, según corresponda, por el monto de los costos en que hubieren incurrido. En este caso, previa certificación del Director del Servicio Electoral, que dará cuenta de la infracción cometida y de los gastos asociados al retiro de propaganda, los respectivos alcaldes harán efectivos los montos a repetir en los reembolsos que procedan en favor del candidato o partido, según corresponda, ante la Tesorería General de la República. Cuando los respectivos alcaldes infrinjan la obligación que establece este inciso o procedan de forma arbitraria al retiro de propaganda, el Servicio Electoral remitirá los antecedentes a la Contraloría General de la República para que haga efectivas las responsabilidades administrativas que procedan. Sin perjuicio de lo anterior, cualquier particular podrá reclamar conforme al artículo 151 de la ley N° 18.695, orgánica constitucional de Municipalidades.

La propaganda electoral permitida en este artículo y en el siguiente únicamente podrá efectuarse desde el trigésimo y hasta el tercer día anteriores al de la elección, ambos inclusive, con excepción de la contemplada en el inciso quinto, que podrá realizarse desde el sexagésimo y hasta el tercer día anterior al de la elección, ambos inclusive. En caso de plebiscitos, desde el sexagésimo día hasta el tercero antes de la realización del mismo, ambos días inclusive.

Artículo 36.- Podrá efectuarse propaganda en espacios privados mediante carteles, afiches o letreros, siempre que medie autorización escrita del propietario, poseedor o mero tenedor del inmueble en que se encuentra y que la dimensión de esta propaganda no supere los seis metros cuadrados totales. Copia de dicha autorización deberá ser enviada al Servicio Electoral por el candidato respectivo, hasta el tercer día después de instalada. La propaganda que se localice en espacios privados deberá ser declarada como gasto, la que será valorizada por el Servicio Electoral para los efectos de calcular el límite de gasto electoral autorizado.

Se prohíbe realizar propaganda electoral en bienes de propiedad privada destinados a servicios públicos o localizados en bienes de uso público, tales como vehículos de transporte de pasajeros, paradas de transporte público, estaciones de ferrocarriles o de metro, o postes del alumbrado, del tendido eléctrico, telefónicos, de televisión u otros de similar naturaleza.

Las sedes oficiales y las oficinas de propaganda de los partidos políticos y de los candidatos podrán exhibir en sus frontispicios carteles, afiches u otra propaganda electoral, considerándose hasta un máximo de cinco sedes en cada comuna.

Artículo 37.- Sólo se podrá divulgar resultados de encuestas de opinión pública referidas a preferencias electorales, hasta el décimo quinto día anterior al de la elección o plebiscito inclusive.

Artículo 38.- Los candidatos deberán llevar un registro de sus brigadistas, de sus sedes y de los vehículos que utilicen en sus campañas, de conformidad a las instrucciones generales que imparta el Servicio Electoral.

Se considerarán brigadistas las personas que realicen acciones de difusión o información en una campaña electoral determinada y reciban algún tipo de compensación económica.

Los candidatos, los jefes de campaña o las personas que estén a cargo de coordinar las labores de los brigadistas deberán denunciar los hechos que pudieren constituir delitos o faltas que involucren, de cualquier manera, a sus brigadistas, dentro de las setenta y dos horas siguientes de haber tomado conocimiento de ellos.

Artículo 39.- El candidato será subsidiariamente responsable de los daños dolosamente causados por actos delictuales de uno o más de sus brigadistas con motivo de los actos de propaganda electoral. La responsabilidad de los brigadistas se determinará según las reglas generales.

El candidato podrá repetir en contra de los causantes del daño.

Artículo 40.- El Servicio Electoral en ejercicio de sus atribuciones podrá ordenar al alcalde respectivo retirar los elementos de propaganda que contravengan los artículos 31, 35 y 36.

Cualquier persona podrá formular las denuncias que procedan, de conformidad a lo dispuesto en la ley N° 18.556, sobre Sistema de inscripciones electorales y Servicio Electoral o directamente ante Carabineros de Chile, quienes deberán proceder a retirar o suprimir los elementos de propaganda que contravengan lo dispuesto en el artículo 35, debiendo informar de ello al Servicio Electoral. Asimismo, Carabineros de Chile podrá proceder de oficio a realizar dichos retiros.

Párrafo 7°
De las Mesas Receptoras de Sufragios

Artículo 41.- Las mesas receptoras de sufragios tienen por finalidad recibir los votos que emitan los electores en los procesos electorales y plebiscitarios, hacer su escrutinio y cumplir las demás funciones que señala esta ley.

Artículo 42.- El Servicio Electoral podrá fusionar mesas receptoras de sufragios de la misma circunscripción electoral, con el objeto de que funcionen conjuntamente, como si fueran una sola mesa, siempre que la mesa resultante no supere el número de cuatrocientos cincuenta electores.

En este caso existirá un solo padrón de la mesa fusionada y se ordenará alfabéticamente.

La nueva mesa se identificará con los números de las mesas que se fusionaron, separados por guiones.

Artículo 43.- Cada mesa receptora de Sufragios se compondrá de cinco vocales elegidos de entre los inscritos en el padrón de mesa respectivo.

Párrafo 8°
De la Designación de Vocales

Artículo 44.- Las juntas electorales a que se refiere el título XII de la presente ley, designarán los nombres de los vocales de las mesas receptoras de sufragios, en conformidad a los artículos siguientes.

Artículo 45.- No podrán ser vocales de mesas las personas que sean candidatos en la elección de que se trate, sus cónyuges y sus parientes consanguíneos o afines en toda la línea recta y en la colateral hasta el segundo grado inclusive; las personas que desempeñen cargos de representación popular; las personas a cargo de los trabajos electorales que señala el artículo 10 de esta ley; los ministros de Estado, subsecretarios, delegados presidenciales regionales, delegados presidenciales provinciales, gobernadores regionales y consejeros regionales; los embajadores y cónsules de Chile; los magistrados de los tribunales superiores de justicia, los jueces que forman parte del Poder Judicial y los de Policía Local; los fiscales del Ministerio Público; los jefes superiores de servicio y secretarios regionales ministeriales; el Contralor General de la República ni los miembros de las Fuerzas Armadas y de Orden y Seguridad Pública en servicio activo. Tampoco podrán serlo los extranjeros, los no videntes, los analfabetos y aquellos que hayan sufrido condena por delitos contemplados en cualquiera de las leyes que regulan el sistema electoral público.

Si por las causales anteriores no fuere posible integrar la mesa, se constituirá con ciudadanos que figuren en los padrones de mesas correspondientes a mesas contiguas.

Artículo 46.- Se designarán tres vocales de las mesas receptoras de sufragios con ocasión de la elección de diputados y senadores, y dos con ocasión de la elección de alcaldes y concejales. Podrá designarse un número superior si se trata de una mesa nueva, o si alguno de los designados para elecciones anteriores que deba continuar ejerciendo esta función se hubiese cambiado de circunscripción electoral o hubiese perdido el derecho a sufragio.

Para proceder a la designación de vocales, a partir del cuadragésimo quinto día anterior a la elección, cada uno de los miembros de la junta electoral escogerá diez nombres, que deberán corresponder a diez ciudadanos con derecho a sufragio, que aparezcan en la nómina por mesa receptora de sufragio del padrón electoral con carácter de definitivo, señalado en el artículo 34 de la ley N° 18.556, que el Servicio Electoral pondrá a disposición de la junta. Si la junta funcionare con dos miembros cada uno elegirá quince nombres.

Al efectuar esta selección, cada miembro de la junta electoral deberá preferir a aquellas personas que pueda presumirse más aptas para desempeñar las funciones de vocales de mesas y a los que no hubiesen ejercido igual función durante los cuatro años anteriores.

Escogidos los nombres, la junta electoral procederá a confeccionar para cada mesa receptora una nómina en la que se asignará a cada uno de los nombres propuestos, ordenados alfabéticamente, un número correlativo del uno al treinta.

En sesión pública que se realizará en la oficina del secretario, a las catorce horas del trigésimo día anterior a la fecha de la elección o plebiscito, las juntas electorales efectuarán un sorteo de manera que los primeros números, según corresponda, sirvan para individualizar en cada nómina a las personas que se desempeñarán como vocales de las mesas receptoras, y los siguientes, en orden correlativo, a quienes deberán actuar como reemplazantes.

Artículo 47.- Para los efectos señalados en el artículo anterior, la junta electoral formará un libro con las nóminas alfabéticas firmadas por todos sus miembros, foliadas y ordenadas según la numeración de las mesas, el que se entenderá como parte integrante del acta del sorteo. Este libro será público y se mantendrá bajo la custodia del secretario de la junta electoral.

En todo caso, las nóminas deberán encontrarse en el local donde se efectúe el sorteo respectivo.

Artículo 48.- El secretario de la junta electoral publicará la nómina completa de los vocales designados para cada mesa receptora de la respectiva elección. Respecto de todos ellos se indicarán sólo los apellidos y sus dos primeros nombres, en un diario o periódico el vigésimo segundo día anterior a la elección o plebiscito o, si ese día no circulare el periódico en que deba publicarse, en la primera ocasión posterior a esa fecha en que esto ocurra, y fijará en su oficina una copia autorizada de ella a la vista del público.

Dentro del mismo plazo, comunicará por carta certificada a los vocales su nombramiento, indicando la fecha, la hora y el lugar en que la misma funcionará y el nombre de los demás vocales y si le corresponde concurrir a la capacitación obligatoria que se señala en el artículo 55. El encargado de la oficina de correos deberá otorgar recibo circunstanciado de los avisos que se entregaren.

Artículo 49.- Dentro del plazo de tres días hábiles, contado desde la fecha de publicación del acta de designación, cualquier vocal podrá excusarse de desempeñar el cargo. Las excusas deberán ser formuladas por escrito ante el secretario de la junta electoral respectiva y sólo podrán fundarse en:

1) Estar el vocal comprendido entre las causales de inhabilidad contempladas en el artículo 45, o haber sido designado miembro del colegio escrutador.

2) Estar ausente del país o radicado en alguna localidad distante más de trescientos kilómetros o con la que no haya comunicaciones expeditas, hecho que calificará la junta.

3) Tener que desempeñar en los mismos días y horas de funcionamiento de las mesas, otras funciones que encomiende esta ley.

4) Tener más de setenta años de edad.

5) Estar física o mentalmente imposibilitado de ejercer la función, circunstancia que deberá ser acreditada con certificado de un médico.

6) Cumplir labores en establecimientos hospitalarios en los mismos días en que funcionen las mesas receptoras, lo que deberá acreditarse mediante certificado del director del respectivo establecimiento de salud.

7) Estar la mujer en estado de embarazo o de puerperio dentro de las seis semanas previas al parto y hasta veinticuatro semanas siguientes a éste, circunstancia que deberá acreditarse mediante certificado médico, o con la documentación que acredite estar recibiendo el subsidio a que se refiere el artículo 198 del Código del Trabajo.

En el mismo plazo, cualquier persona podrá solicitar la exclusión del o de los vocales que estuvieren afectados por alguna de las causales de inhabilidad señaladas en el artículo 45.

Artículo 50.- A partir del segundo y hasta el quinto día siguiente a aquel en que aparezca la publicación señalada en el artículo 48, las juntas electorales se reunirán, a las nueve de la mañana, para conocer de las excusas y exclusiones que se hubieren alegado.

La junta electoral se pronunciará siguiendo el orden de su presentación y resolverá por mayoría de votos, de acuerdo con el mérito de los antecedentes acompañados.

Artículo 51.- Aceptada una excusa o exclusión la junta electoral procederá de inmediato a designar al reemplazante. Para estos efectos deberá elegir de entre los ciudadanos que hubieren sido propuestos en conformidad con el artículo 46, hasta completar el número requerido de reemplazantes.

El secretario publicará el acta dos días después, o, si ese día no circulare el periódico en que deba publicarse, en la primera ocasión posterior a esa fecha en que esto ocurra, y seguirá el mismo procedimiento señalado en el artículo 48.

Artículo 52.- Los vocales designados por las juntas electorales para las mesas receptoras ejercerán dicha función durante cuatro años, actuando en todos los actos eleccionarios o plebiscitarios que se verifiquen hasta antes de la próxima elección ordinaria para la cual fueron designados. Con todo, los vocales designados por las juntas electorales a quienes corresponda actuar en la elección de Presidente de la República se entenderán convocados, por el solo ministerio de la ley, para cumplir iguales funciones en el caso previsto en el inciso segundo del artículo 26 de la Constitución Política de la República, y en estos casos no se requerirá de la publicación y comunicación de que trata el artículo 48 de la presente ley.

Artículo 53.- Se concederá a las personas que ejerzan, de modo efectivo, las funciones de vocal de mesa receptora de sufragios, un bono equivalente a dos tercios de unidad de fomento, por cada acto electoral en el que participen.

Se considerará, para estos efectos, como otro acto electoral, la segunda votación realizada conforme al inciso segundo del artículo 26 de la Constitución Política de la República.

Dicho bono no constituirá remuneración o renta para ningún efecto legal y, en consecuencia, no será imponible ni tributable y no estará afecto a descuento alguno.

Este bono se pagará por la Tesorería General de la República mediante cheque nominativo enviado al domicilio del beneficiario, o bien, depositándolo en la cuenta bancaria que él indique al efecto.

Para tal efecto, los delegados de las juntas electorales que correspondan, deberán remitir a la Tesorería General de la República, en la forma y en los plazos establecidos en el artículo 84 de esta ley, las nóminas con el nombre completo, número de cédula de identidad y domicilio de las personas que hubiesen ejercido efectivamente la función de vocales en el acto electoral respectivo, además de la identificación de la cuenta bancaria señalada por el beneficiario, en el caso que éste manifieste su voluntad de que se le deposite el bono en ella.

PÁRRAFO 9°
DE LA CONSTITUCIÓN DE LAS MESAS RECEPTORAS

Artículo 54.- Las mesas receptoras se constituirán con tres de sus miembros a lo menos.

Ley N° 18.700, art. 48, D.O. 06.05.1988

Artículo 55.- Los vocales de las mesas receptoras se reunirán para constituirse en el sitio que se les haya fijado para su funcionamiento o en otro que determine la junta electoral respectiva, a las quince horas del día anterior al acto eleccionario o plebiscitario en que les corresponda actuar.

Dicho acto será presidido por el delegado de la junta electoral a que se refiere el artículo 60. El Servicio Electoral colaborará con este funcionario en todo lo que sea necesario para el mejor cumplimiento de estos cometidos.

El Servicio Electoral dispondrá la capacitación de los vocales respecto de las funciones y atribuciones que deberán ejercer el día de la elección fomentando, especialmente, la aplicación de criterios objetivos y homogéneos en ellas. La asistencia a dicha capacitación será obligatoria respecto de aquellos vocales que ejerzan por primera vez dicha función. Esta capacitación no podrá ser inferior a una hora ni superior a dos. No procederá la capacitación de vocales en el caso de las elecciones primarias.

A los nuevos vocales designados por las juntas electorales que, con ocasión de su primera elección en tal función, concurran a la capacitación señalada en el inciso anterior, se les incrementará el bono señalado en el artículo 53 en la suma de 0,22 unidades de fomento. Para tal efecto, el Servicio Electoral deberá remitir a la Tesorería General de la República una nómina que individualice a estos vocales en los términos del inciso final del artículo 53.

Artículo 56.- Si a la hora precisa determinada en el artículo anterior no concurriere la mayoría de la mesa receptora, ésta no podrá constituirse más tarde y los vocales asistentes levantarán un acta por duplicado en que se dejará constancia del nombre de los vocales que asistieron a la reunión y de los inasistentes, y entregará ambos ejemplares al delegado de la junta electoral quien conservará uno y enviará el otro al secretario de ella.

Concurriendo la mayoría indicada en el artículo 54 se constituirá la mesa y nombrará de su seno, por voto uninominal, presidente y secretario, quedando elegidos para estos cargos los que respectivamente obtengan primera y segunda mayoría. Se nombrará también por mayoría de votos un comisario.

En caso de empate, serán preferidos por el orden alfabético del primer apellido, y si los apellidos fueren iguales, por el primer nombre.

Artículo 57.- Las mesas receptoras de sufragios que no se constituyan en esta oportunidad, lo harán en la forma indicada en el artículo 64.

Párrafo 10°
De los Locales de Votación

Artículo 58.- Con, a lo menos, sesenta días de anticipación a la elección o plebiscito, el Servicio Electoral determinará, para cada circunscripción electoral, los locales de votación en que funcionarán las mesas receptoras de sufragios.

El director regional respectivo del Servicio Electoral requerirá de la comandancia de guarnición, a lo menos con sesenta días de anticipación a la determinación de los locales de votación, un informe sobre los locales o recintos, estatales o privados, que sean más adecuados para el expedito funcionamiento de las mesas, la instalación de cámaras secretas y la mantención del orden público.

El Servicio Electoral deberá preferir aquellos locales de carácter público en la medida que existan establecimientos suficientes para atender las necesidades para la instalación de las mesas de la circunscripción electoral que corresponda, considerando criterios de facilidad de acceso para los electores. A falta de éstos, podrá también determinar el uso de establecimientos de propiedad privada como locales de votación, siempre que correspondan a establecimientos educacionales y deportivos. También, si fuere necesario, el Servicio Electoral podrá disponer que bienes nacionales de uso público sean destinados como locales de votación, restringiéndose su acceso durante el tiempo en que se utilicen como tales, siempre que correspondan a parques de grandes dimensiones, que permitan ubicar en ellos un número significativo de mesas receptoras de sufragios.

Determinados los locales de votación, estos no podrán reconsiderarse ni alterarse, salvo por causas debidamente calificadas por el Servicio Electoral. Subsistirá la designación, tratándose del caso establecido en el inciso segundo del artículo 26 de la Constitución Política.

Los locales de votación, con el detalle de las mesas receptoras de sufragios que funcionarán en cada uno de ellos, serán informados a las juntas electorales correspondientes antes del trigésimo día anterior a la fecha de la elección o plebiscito. La junta electoral publicará la nómina de locales de votación en la misma forma y oportunidad señaladas en el artículo 48. En la misma audiencia pública en que las juntas electorales designen los vocales de las mesas receptoras de sufragios se procederá, a continuación, a designar para cada local de votación los delegados a que se refiere el artículo 60.

El Servicio Electoral comunicará al delegado presidencial provincial y al municipio respectivo, con a lo menos cincuenta días de anticipación a la fecha de la elección o plebiscito, la lista de los locales que hubiere designado a fin de que los encargados de los mismos procuren los medios de atender a la debida instalación de cada mesa. Igualmente, se hará la respectiva comunicación a los propietarios o responsables de los locales que se hubieren designado.

Artículo 59.- Será responsabilidad de los alcaldes de las respectivas municipalidades la instalación de las mesas receptoras en los locales designados, debiendo aquéllos proveer las mesas, sillas, urnas y cámaras secretas necesarias, como las instalaciones de energía eléctrica para la iluminación del recinto.

El Servicio Electoral determinará las características de la urna, la que en todo caso tendrá cerradura y uno de sus lados más largos será de material transparente.

La mesa será de una dimensión suficiente para permitir el trabajo expedito de los vocales, la instalación de la urna o las urnas y la realización del escrutinio.

La cámara secreta será una pieza sin otra comunicación con el exterior que la que permita su acceso desde el lugar en que estuviere instalada la mesa. Si tuviere ventanas u otras puertas, se procederá a cerrarlas y asegurar su inviolabilidad.

Si el recinto no permitiere usar salas especiales como cámaras, éstas serán construidas de un material no transparente que contará con puerta o cortina, de modo que se asegure la total privacidad del elector. Corresponderá al Servicio Electoral determinar la forma y dimensiones de la cámara.

Podrá haber dos cámaras por cada mesa receptora.

Artículo 60.- A partir de las nueve horas del segundo día anterior a la elección o plebiscito, en cada recinto de votación iniciará sus funciones una oficina electoral dependiente de la respectiva junta electoral, que estará a cargo de un delegado que designará dicha junta. Esta nominación, que se entenderá subsistente para el caso previsto en el inciso segundo del artículo 26 de la Constitución Política de la República, deberá recaer preferentemente en un notario público, secretario de juzgado de Letras o secretario abogado de Policía Local, receptor judicial, auxiliar de la administración de justicia u otro ministro de fe. En ningún caso podrá recaer en funcionarios municipales o dependientes directa o indirectamente de corporaciones municipales. Estos delegados podrán hacerse asesorar por el personal necesario para el funcionamiento de la oficina, con cargo al Servicio Electoral y de acuerdo con las instrucciones que el Servicio imparta. Este personal percibirá un bono diario equivalente a media unidad de fomento.

El delegado tendrá derecho a un bono total equivalente a cinco unidades de fomento por todas las tareas realizadas con ocasión de las elecciones y plebiscitos que se realicen en un mismo acto electoral. Se considerará para estos efectos como otro acto electoral, la segunda votación realizada, conforme al inciso segundo del artículo 26 de la Constitución Política.

A estos bonos les será aplicable lo señalado en el inciso segundo del artículo 53.

Las oficinas electorales funcionarán no menos de cuatro horas durante el segundo día anterior a la elección o plebiscito; desde las nueve horas y hasta al menos las dieciocho horas el día anterior a la elección o plebiscito; y desde las siete horas y hasta completar todas sus funciones en el día de la elección o plebiscito.

Corresponderá al delegado de la junta electoral, sin perjuicio de las demás tareas que señala esta ley:

1) Informar a los electores sobre la mesa en que deberán emitir el sufragio. Para estos efectos deberá contar con medios expeditos para la atención de las consultas de los electores de toda la circunscripción electoral, especialmente en lo relativo a su local de votación y su mesa

Receptora de Sufragios, o para señalar al elector su condición de estar inhabilitado para votar en la elección, mencionando la causal.

2) Velar por la debida constitución de las mesas receptoras y, cuando corresponda, designar a los reemplazantes de los vocales que no hubieren concurrido conforme al artículo 63.

3) Hacer entrega a los comisarios de mesa de los útiles electorales.

4) Instruir a los electores no videntes sobre el uso de la plantilla a que se refiere el artículo 29.

5) Recibir, terminada la votación, los útiles electorales empleados en las mesas y los sobres con las actas de escrutinio que debe entregar al día siguiente al colegio escrutador.

6) Requerir el auxilio de la fuerza encargada del orden público.

7) Disponer, en el evento que sea necesario, el traslado de cédulas para la emisión de sufragios no utilizadas, desde las mesas donde sobren a aquellas mesas donde pudieren faltar. De lo anterior se dejará constancia en el acta de la mesa donde se retiran los sufragios, como en el acta de la mesa en que se agregan, indicando el número de serie de ellos.

Párrafo 11°

De los Útiles Electorales

Artículo 61.- El Servicio Electoral pondrá a disposición de las oficinas electorales, por intermedio de las juntas electorales, los útiles destinados a cada una de las mesas receptoras de sufragios del respectivo local a lo menos el día anterior a la elección o plebiscito.

Para cada mesa receptora deberá considerarse el siguiente material:

1) El padrón de mesa con la nómina alfabética de los electores habilitados para votar en ella y los datos para identificarlos. Este padrón deberá disponer en la línea de cada elector de un espacio donde se estamparán las firmas o huellas dactiloscópicas de los electores que voten. Este espacio deberá ser de, por lo menos, tres centímetros de arriba a abajo por cada elector. Además deberá disponer de un espacio para anotar los números de las cédulas electorales. El padrón de mesa podrá estar dividido en dos secciones si así lo dispusiere el Servicio Electoral.

2) Dos ejemplares de la cartilla de instrucciones para uso de la mesa receptora de sufragios, que elaborará el Servicio Electoral.

3) Las cédulas para la emisión de los sufragios. Su número será determinado por el Servicio Electoral para cada mesa receptora, en función de la experiencia de abstención en elecciones similares anteriores.

4) Cuatro lápices de grafito de color negro y dos lápices pasta de color azul.

5) Un tampón para huella dactilar.

6) Un formulario de acta de instalación.

7) Tres formularios de actas de escrutinio por cada elección o plebiscito y un cuarto de reemplazo en caso de que inutilicen alguno de los anteriores.

8) Un sobre para cada acta de escrutinio que deberá remitirse al colegio escrutador.

9) Un sobre para cada acta de escrutinio que deberá remitirse al Tribunal Calificador de Elecciones.

10) Cinco sobres por cada elección o plebiscito que se realice, para colocar las cédulas con que se sufrague. Uno de ellos llevará en su parte exterior la indicación «votos escrutados no objetados»; otro, «votos escrutados marcados y objetados»; otro, «votos nulos y en blanco»; otro, «talones de las cédulas emitidas»; y el quinto, «cédulas no usadas o inutilizadas y talones y sellos adhesivos no usados».

11) El sobre para colocar el padrón de la mesa.

12) El o los sobres para guardar el resto de los útiles usados.

13) Formularios de recibos de los útiles electorales y de las actas, que deban entregarse al Delegado de la junta.

14) Un formulario de minuta del resultado del escrutinio por cada elección o plebiscito.

15) Un ejemplar de esta ley.

16) Sellos adhesivos.

En los padrones, formularios y sobres se deberá indicar la región y circunscripción, el número de mesa correspondiente y el sello del Servicio Electoral. Los sobres llevarán, además, la indicación del objeto a que están destinados o de su destinatario.

En la misma oportunidad el Servicio Electoral remitirá, para uso de los delegados de las juntas electorales, dos ejemplares, uno impreso y otro en formato digital, del padrón electoral y de la nómina de electores inhabilitados de toda la circunscripción electoral correspondiente y los formularios de recibo de los útiles electorales por parte de los comisarios.

Artículo 62.- Los útiles electorales serán distribuidos a las mesas receptoras, exclusivamente en el local de votación y durante el día de la elección.

Para tal efecto, las oficinas electorales dispondrán que los útiles, debidamente separados para cada mesa, se encuentren a disposición de los respectivos comisarios, a lo menos con una hora de anticipación a aquella en que deban instalarse las mesas.

Las juntas deberán proveer a sus delegados de carteles con los números de cada mesa, en los que figurarán los nombres de los vocales que deban integrarlas.

Ley N° 18.700, art. 56, D.O. 06.05.1988

Título II
DEL ACTO ELECTORAL

Párrafo 1°
De la instalación de las Mesas Receptoras de Sufragios

Artículo 63.- A las ocho horas de la mañana del día fijado para la elección o plebiscito se reunirán, en los locales designados para su funcionamiento, los vocales de las mesas receptoras de sufragios.

Las mesas no podrán funcionar con menos de tres vocales.

Los vocales asistentes que no se encontraren en número suficiente para el funcionamiento de la respectiva mesa darán aviso inmediato al delegado de la junta electoral.

A partir de las nueve horas el delegado procederá a designar los vocales que faltaren hasta completar sólo el mínimo necesario para funcionar, de entre los electores alfabetos no discapacitados que deban sufragar en el recinto y que no estén afectos a las causales de excusabilidad establecidas en el artículo 49. Deberá preferir a los electores que voluntariamente se ofrezcan, en el orden en que se presenten. A falta de éstos, deberá designar a otros que se encuentren en el recinto, recurriendo al auxilio de la fuerza encargada del orden público si fuera necesario. El delegado deberá haber constituido todas las mesas, a más tardar, a las diez horas.

Integrada la mesa, los vocales originalmente designados podrán incorporarse a ella, en orden de presentación, hasta completar el máximo de cinco, sin que puedan reemplazar a los vocales designados en virtud del inciso anterior y siempre que ello ocurra con anterioridad a las once horas. Del hecho de las incorporaciones y de su hora se dejará constancia en el acta de instalación.

En ningún caso las mesas podrán integrarse pasadas las doce horas.

Artículo 64.- Reunido el número necesario, sus miembros se instalarán y elegirán de entre ellos, si procediere, un presidente, un secretario y un comisario. De inmediato el comisario dará aviso al delegado de la junta electoral, indicando el nombre de los vocales presentes. Acto seguido, el comisario requerirá la entrega de los útiles electorales, la que se certificará por escrito.

Recibido el padrón de mesa y el paquete de útiles, los vocales procederán a abrir este último y a levantar acta de instalación. En ella se dejará constancia de la hora de instalación, del nombre de los vocales asistentes e inasistentes, de los nombres de los apoderados con indicación del partido político o candidato independiente que representaren, de los útiles que se encontraren dentro del paquete con especificación detallada de ellos, y de la forma en que se encontraren los sellos que aseguran la inviolabilidad de la envoltura del paquete.

Artículo 65.- El presidente colocará sobre la mesa, la o las urnas de modo que el costado con el material transparente quede a la vista del público. Hará guardar por el comisario y bajo su responsabilidad, los útiles electorales que no se usen durante la votación y dejará sobre la mesa los demás. Enseguida, acompañado del secretario, de los vocales y apoderados que quisieren, procederá a revisar la cámara secreta, a fin de verificar que ella cumple con las normas de privacidad que garanticen la reserva del voto de los electores. Si éstas no se consideraren suficientes, se requerirá del delegado de la junta electoral la adopción inmediata de las medidas que fueren necesarias a tal efecto. El presidente procederá a retirar cualquier efecto de propaganda política o electoral que se encontrare en la cámara. Asimismo, no se permitirá que durante la votación se coloquen elementos de esta especie.

Cumplidos los trámites anteriores, y nunca antes de las ocho de la mañana, se declarará abierta la votación dejándose constancia de la hora en el acta, se firmará ésta por todos los vocales y los apoderados que lo desearen y se iniciará la recepción de sufragios. Al efecto, los vocales en presencia de los apoderados que asistieren deberán haber doblado, de acuerdo con la indicación impresa en sus pliegues, una cantidad de cédulas suficientes para dar inicio a la votación y atender a los primeros votantes, continuando con este trámite durante la votación. Las cédulas serán desdobladas para ser entregadas en esa forma a los electores.

PÁRRAFO 2º

DE LA VOTACIÓN

Artículo 66.- Son electores, para los efectos de esta ley, los ciudadanos con derecho a sufragio y extranjeros que figuren en los padrones de mesa y que tengan cumplidos dieciocho años de edad el día de la votación.

El elector que concurra a votar deberá hacerlo para todas las elecciones o plebiscitos que se realicen en el mismo acto electoral.

Artículo 67.- El voto sólo será emitido por cada elector en un acto secreto y sin presión alguna. Para asegurar su independencia, los miembros de la mesa receptora, los apoderados y la autoridad, cuidarán de que los electores lleguen a la mesa y accedan a la cámara secreta sin que nadie los acompañe.

Si un elector acudiere acompañado a sufragar, desoyendo la advertencia que le hiciere el presidente, por sí o a petición de cualquiera de las personas señaladas en el inciso anterior, éste, sin perjuicio de admitir su sufragio, hará que el elector y el o los acompañantes sean conducidos ante la fuerza encargada del orden público. La simple compañía es causal suficiente para la detención, sin perjuicio de las penas que puedan corresponder en caso de existir delito de cohecho.

Con todo, las personas con alguna discapacidad que les impida o dificulte ejercer el derecho de sufragio, podrán ser acompañadas hasta la mesa por otra persona que sea mayor de edad, y estarán facultadas para optar por ser asistidas en el acto de votar. En caso de duda respecto de la naturaleza de la discapacidad del sufragante, el presidente consultará a los vocales para adoptar su decisión final.

En caso que opten por ser asistidas, las personas con discapacidad comunicarán verbalmente, por lenguaje de señas o por escrito al presidente de la mesa, que una persona de su confianza, mayor de edad y sin distinción de sexo, ingresará con ella a la cámara secreta, no pudiendo aquél ni ninguna otra persona obstaculizar o dificultar el ejercicio del derecho a ser asistido. El secretario de la mesa dejará constancia en acta del hecho del sufragio asistido y de la identidad del sufragante y su asistente. En ningún caso una misma persona podrá asistir a más de un elector en la misma mesa receptora de sufragios, salvo que se trate de ascendientes o descendientes.

Artículo 68.- El elector chileno entregará al Presidente su cédula nacional de identidad o pasaporte. El elector extranjero, su cédula de identidad para extranjeros. Ningún otro documento ni certificado podrá reemplazar a los anteriores. Los documentos señalados deberán estar vigentes. Se aceptarán también aquellos que hayan vencido dentro de los doce meses anteriores a la elección o plebiscito, para el solo efecto de identificar al elector.

Una vez comprobada la identidad del elector, la vigencia de su cédula de identidad o de su pasaporte, y el hecho de estar habilitado para sufragar en la mesa, el elector firmará en la línea que le corresponda en el padrón electoral de la mesa o, si no pudiere hacerlo, estampará su huella dactilar del dedo pulgar derecho, o en su defecto cualquier otro dedo, de lo que el presidente dejará constancia al lado de la huella. De la falta de este requisito se dejará constancia en el acta, aceptándose que el elector sufrague.

Artículo 69.- Si a juicio de la mesa existiere disconformidad notoria y manifiesta entre las indicaciones del padrón de mesa y la identidad del elector, se recabará la intervención del experto de identificación que habrá en cada local de votación. El experto hará que el elector estampe su huella dactilar derecha al lado de su firma y la cotejará con la estampada en su cédula nacional de identidad o cédula de identidad para extranjeros.

Se admitirá el sufragio sólo si con el informe del experto se determinare por la mesa que no hay disconformidad. Si por el contrario se determinare que la hay, se tomará nota del hecho en el acta e inmediatamente se pondrá al individuo a disposición de la fuerza encargada del orden público.

Mientras llega el experto, se procederá a recibir los sufragios de otros electores, sin que se permita la salida del sufragante cuya identidad está en duda.

Artículo 70.- Admitido el elector a sufragar se le entregará la cédula electoral y se anotará el número de serie en el padrón de la mesa a continuación de la firma o huella digital. Además, se le proporcionará un lápiz de grafito color negro, un sello adhesivo para la cédula y, si fuere no vidente, la plantilla especial a que se refiere el artículo 29. Si se realizare simultáneamente más de una elección, se entregarán todas las cédulas. La mesa podrá entregar a los no videntes en forma separada las cédulas dentro de las plantillas respectivas, de modo que una vez que el no vidente devuelva la primera plantilla se le entregará la cédula siguiente, y así sucesivamente.

El elector entrará en la cámara secreta y no podrá permanecer en ella más de un minuto, salvo las personas con discapacidad, quienes podrán emplear un tiempo razonable. Tanto los miembros de la mesa como los apoderados cuidarán de que el elector entre realmente a la cámara, y de que mientras permanezca en ella se mantenga su reserva, para lo cual la puerta o cortina será cerrada. Sólo en casos de personas con discapacidad que no puedan ingresar a la cámara, la mesa podrá aceptar que sufraguen fuera de ella, pero adoptando todas las medidas que fueren conducentes a mantener el secreto de su votación.

Artículo 71.- En el interior de la cámara el votante podrá marcar su preferencia en la cédula, sólo con el lápiz de grafito negro, haciendo una raya vertical que cruce la línea horizontal impresa al lado izquierdo del número del candidato o sobre la opción de su preferencia en caso de plebiscito. A continuación procederá a doblar la cédula de acuerdo con la indicación de sus pliegues y a cerrarla con el sello adhesivo.

Sólo después de haber cerrado la cédula, el elector saldrá de la cámara y hará devolución de ella al presidente a fin de que la mesa compruebe que es la misma cédula que se le entregó. Luego de verificar que la cédula no contiene marcas externas, el presidente cortará el talón y devolverá la cédula al votante quien deberá depositarla en la urna.

Tratándose de personas con discapacidad que no ejerzan su derecho a votar asistidas, el presidente de la mesa deberá, a requerimiento del elector, asistirlo para doblar y cerrar con el sello adhesivo el o los votos, labor que realizará fuera de la cámara. De este hecho deberá quedar constancia en acta. En todo momento el presidente de la mesa resguardará el secreto del voto de la persona a la que él asiste.

Artículo 72.- Después de haber sufragado y depositadas las cédulas en la urna, se procederá a devolver al elector su cédula nacional de identidad, el pasaporte o su cédula de identidad para extranjeros, según corresponda.

Artículo 73.- Si se inutilizare alguna cédula se guardará para dejar constancia de ella en el escrutinio, previa e inmediata anotación del hecho al dorso de la misma. El presidente de la mesa entregará otra al elector a fin de que pueda sufragar.

No se podrá destinar a este objeto una cantidad de cédulas superior al diez por ciento a que se refiere el número 3 del artículo 61. Ningún elector podrá utilizar más de una cédula electoral de reemplazo, cualquiera que hubiere sido la causa de invalidación.

Sin embargo, si inmediatamente antes de declararse cerrada la votación con arreglo al artículo siguiente, quedaren cédulas sobrantes, serán admitidas a sufragar con ellas los electores que no hayan podido hacerlo por haber inutilizado más de una cédula o por no haber encontrado cédula de reemplazo. Este derecho podrá ser ejercido sólo una por cada elector. Si el número de electores que lo reclama es mayor que el de cédulas sobrantes, se preferirá entre ellos atendiendo el orden alfabético en el padrón de mesa.

Artículo 74.- A las dieciocho horas del día de la elección, y siempre que no hubiere algún elector que deseare sufragar, el presidente declarará cerrada la votación, dejando constancia de la hora en el acta. Si hubiere electores con intención de sufragar, la mesa deberá recibir el sufragio de todos ellos antes de proceder con el cierre de la votación.

Efectuada la declaración de cierre, el secretario o el vocal en su caso, escribirá en el padrón de la mesa, en el espacio destinado para la firma, la expresión «no votó» respecto de los electores que no hubiesen sufragado.

PÁRRAFO 3°
DEL ESCRUTINIO POR MESAS

Artículo 75.- Cerrada la votación, se procederá a practicar el escrutinio en el mismo lugar en que la mesa hubiere funcionado, en presencia del público y de los apoderados y candidatos presentes.

Se presume fraudulento el escrutinio de una mesa que se practicare en un lugar distinto de aquel en que la mesa hubiere recibido la votación.

Artículo 76.- Si hubiere que practicar más de un escrutinio, primero se realizará el de plebiscito, luego el de Presidente de la República, posteriormente el de senadores y, por último, el de diputados.

En el caso de las elecciones territoriales, primero se realizará el escrutinio de gobernador regional, posteriormente el de consejeros regionales, a continuación el del alcalde y, por último, el de concejales.

En tal caso, las cédulas se separarán de acuerdo con los comicios a que se refieren y mientras se procede al escrutinio de un tipo, las restantes se guardarán en la urna.

Artículo 77.- El escrutinio de mesa se regirá por las normas siguientes:

1) El presidente contará el número de electores que hayan sufragado según el padrón de la mesa y el número de talones correspondientes a las cédulas emitidas para cada elección o para el plebiscito.

2) Se abrirá la urna y se separarán las cédulas de acuerdo a lo establecido en el artículo anterior.

3) Se contarán las cédulas utilizadas en la votación y se firmarán al dorso por el presidente y el secretario o por los vocales que señale el presidente, de lo que se dejará constancia en el acta. Si hubiere disconformidad entre el número de firmas en el padrón de mesa, de talones y de cédulas, se dejará constancia en el acta. Ello no obstará a que se escruten todas las cédulas que aparezcan emitidas.

4) El secretario abrirá las cédulas y el Presidente les dará lectura de viva voz.

5) Serán nulas y no se escrutarán las cédulas en que aparezca marcada más de una preferencia, contengan o no en forma adicional leyendas, otras marcas o señas gráficas. La mesa dejará constancia al dorso de ellas del hecho de su anulación y de la circunstancia de haberse reclamado por vocales o apoderados de esta decisión.

Se considerarán como marcadas y podrán ser objetadas por vocales y apoderados, las cédulas en que se ha marcado claramente una preferencia, aunque no necesariamente en la forma correcta señalada en el artículo 71, y las que tengan, además de la preferencia, leyendas, otras marcas o señas gráficas que se hayan producido en forma accidental o voluntaria, como también aquellas emitidas con una preferencia pero sin los dobleces correctos. Estas cédulas deberán escrutarse a favor del candidato que indique la preferencia, pero deberá quedar constancia de sus marcas o accidentes en las actas respectivas con indicación de la preferencia que contienen.

Se escrutarán como votos en blanco las cédulas que aparecieren sin la señal que indique una preferencia por candidato u opción del elector, contengan o no en forma adicional leyendas, otras marcas o señas gráficas.

6) Tratándose de una elección de Presidente de la República y de parlamentarios, se sumarán separadamente los votos obtenidos por cada uno de los candidatos.

En los plebiscitos se sumarán separadamente los votos obtenidos por cada una de las cuestiones sometidas a decisión.

Las operaciones se practicarán por el Presidente, por el Secretario y demás vocales.

7) Terminado el escrutinio se llenará la minuta con los resultados, y será firmada por los vocales colocándose en un lugar visible de la mesa.

8) Los vocales, apoderados y candidatos tendrán derecho a exigir que se les certifique, por el presidente y el secretario, copia del resultado, lo que se hará una vez terminadas las actas de escrutinio.

Artículo 78.- Inmediatamente después de practicado el escrutinio, y en el mismo lugar en que hubiere funcionado la mesa receptora, se levantarán actas del escrutinio, estampándose en números la cantidad de firmas en el padrón correspondientes a los electores que emitieron su sufragio, la cantidad de talones y el total de sufragios emitidos encontrados en las urnas para cada tipo de elección. Además, se anotarán, en cifras y letras, el número de sufragios que hubiere obtenido cada candidato o cada una de las proposiciones de la cédula para plebiscito, en su caso, los votos nulos y los blancos.

A continuación se procederá a sumar los votos anotados para todos los candidatos o proposiciones de plebiscito, más los votos nulos y blancos, anotando el resultado en cifras y letras en el total de votos señalado en el acta. La mesa deberá revisar que este total de votos sumados sea igual al número total de sufragios emitidos encontrados en las urnas estampado al inicio del acta. La mesa deberá cerciorarse de que no existan, en ninguno de los ejemplares del acta de escrutinio, diferencias o descuadraturas de los votos sumados y de los totales señalados anteriormente.

Se dejará constancia de la hora inicial y final del escrutinio y de cualquier incidente o reclamación concerniente a la votación o escrutinio que deseen hacer constar los vocales y apoderados, sin que pueda eludirse por ningún motivo la anotación, bajo las penas que esta ley señala. Se dejará especial testimonio en el acta del cumplimiento de las exigencias del artículo 77.

El acta de escrutinio se escribirá en tres ejemplares idénticos, los que tendrán para todos los efectos legales el carácter de copias fidedignas, serán firmadas por todos los vocales y los apoderados que lo deseen.

El primer ejemplar del acta quedará en poder del secretario de la mesa en sobre cerrado, sellado y firmado por los vocales, por el lado del cierre, para su remisión al presidente del Tribunal Calificador de Elecciones, y dejándose testimonio, en letras, en la cubierta del sobre, de la hora en que el secretario lo hubiere recibido.

El segundo ejemplar del acta se entregará por el presidente de la mesa al delegado de la junta electoral, en sobre dirigido al colegio escrutador, cerrado, sellado y firmado por los vocales por el lado del cierre, para que lo presente al colegio en la oportunidad señalada en el artículo 95. El delegado entregará recibo de su recepción.

El tercer ejemplar del acta, inmediatamente después de llenada, y antes de practicar el escrutinio de otra elección, se entregará por el comisario de la mesa a la persona dispuesta por el Servicio Electoral de la oficina electoral del local a que se refiere el artículo 83, en sobre cerrado, sellado y firmado por los vocales por el lado del cierre. Se entregará recibo de su recepción.

Si en el local de votación se contare con facilidades de fotocopia, se procederá a llenar un solo ejemplar del acta y, antes de su firma por los vocales, el comisario de la mesa concurrirá al lugar de fotocopia, obteniendo las otras dos copias y las copias necesarias para entregar a todos los apoderados que la hubieran solicitado. Después regresará a la mesa, donde se procederá a firmar el original y las copias por los vocales y apoderados que lo deseen con tinta o lápiz a pasta de color azul, cerciorándose de que sean idénticas al original. Posteriormente, se procederá a su ensobrado y distribución conforme a los incisos anteriores, debiendo destinarse el original al sobre que el secretario de la mesa remitirá al Tribunal Calificador de Elecciones.

Artículo 79.- Después de practicado cada escrutinio y llenado de las actas conforme al artículo anterior, el presidente pondrá las cédulas escrutadas con las que se hubiere sufragado en la elección o el plebiscito, separando las cédulas escrutadas y no objetadas, las escrutadas marcadas y objetadas, los votos nulos y en blanco, las cédulas no usadas o inutilizadas, los talones desprendidos de las cédulas emitidas y los talones y sellos adhesivos no utilizados, dentro de los sobres especiales destinados a cada efecto.

En el sobre caratulado «votos escrutados no objetados» se colocarán aquellas cédulas que, emitidas correctamente conforme al artículo 71, no se encuentran en las situaciones señaladas en el número 5 del artículo 77.

En el sobre caratulado «votos nulos y en blanco» se colocarán aquellas cédulas que, a juicio de la mayoría de la mesa, se encuentren en cualquiera de los casos señalados en los párrafos primero y tercero del número 5 del artículo 77.

En el sobre caratulado «votos escrutados marcados y objetados» se colocarán aquellas cédulas consideradas marcadas conforme al párrafo segundo del número 5) del artículo 77, contra las cuales se hayan formulado objeciones, que consten en el acta respectiva.

Se pondrá, además, dentro del respectivo sobre, el padrón de mesa empleado en la votación de la mesa.

Los sobres se cerrarán, sellarán y firmarán, por el lado del cierre, por todos los vocales y por los apoderados que quisieren.

Artículo 80.- El secretario de la mesa depositará en la oficina de correos más próxima o, en los lugares donde no la hubiere, en la oficina de transporte de correspondencia habitualmente utilizada en la respectiva localidad, el sobre que contenga el ejemplar del acta dirigido al presidente del Tribunal Calificador de Elecciones, en el plazo de una hora contado desde el cierre del acta o de la última de ellas si hubiere más de una. Sin embargo, tratándose de localidades distantes de las oficinas de correos o si éstas tuvieren difícil acceso, el Director del Servicio Electoral podrá aumentar este plazo hasta en tres horas. El administrador de correos o el de la oficina de transporte de correspondencia estampará en la cubierta del sobre la hora en que le fuere entregado, para su certificación, y dará recibo de la entrega con la misma designación de hora.

Se presume fraudulento el ejemplar de acta que no se deposite en el correo dentro del tiempo fijado.

PÁRRAFO 4°
DE LA DEVOLUCIÓN DE LAS CÉDULAS Y ÚTILES

Artículo 81.- Completados todos los escrutinios, llenadas las actas y ensobrados los votos, se hará un paquete en que se pondrán los sobres de los votos a que se refiere el artículo 79, el acta de instalación y los demás útiles usados en la votación.

El paquete será cerrado y sellado. En su cubierta se anotará la hora y se firmará por todos los vocales y los apoderados que lo desearen. Luego, se dejará en poder del comisario.

Artículo 82.- El comisario devolverá el paquete al delegado de la junta electoral dentro de las dos horas siguientes a aquella en que lo hubiere recibido. En caso alguno podrá hacer abandono del recinto con anterioridad al cumplimiento de esta obligación.

El delegado abrirá el paquete que entregue el comisario en presencia de éste, se cerciorará si los sellos y firmas permanecen sin alteración, y otorgará recibo con especificación de la hora de devolución.

El delegado deberá permanecer en el local de votación mientras queden útiles de mesas por devolver.

Artículo 83.- La persona que disponga el Servicio Electoral se instalará en la oficina electoral del local de votación y procederá a recibir los ejemplares del acta señalados en el inciso sexto del artículo 78, cuyos datos procederá a incorporar al sistema computacional en la forma que disponga el Servicio Electoral, en conformidad al artículo 185.

Si las actas contuvieren errores, especialmente descuadraturas entre la suma real de los votos de cada candidato, los nulos y los blancos y los totales ingresados en las actas, se ingresarán igual al sistema los datos que existan, pero en este caso deberá indicarse por el sistema computacional como mesa descuadrada, según lo señalado en la letra g) del inciso quinto del artículo 185.

Adicionalmente, las personas referidas anteriormente procederán a efectuar una copia digitalizada o escaneada del acta de escrutinio, que se incorporará como respaldo al sistema computacional.

Los apoderados acreditados ante la oficina electoral del local de votación podrán estar presentes y observar la recepción de las actas y el proceso de ingreso o transmisión de los datos que ellas contengan.

Si en algún local de votación el Servicio Electoral no contare con las facilidades técnicas para la digitación y transmisión de datos de las actas de escrutinios y su incorporación a los sistemas computacionales, o existiendo éstos presentaren fallas o problemas, el Servicio Electoral podrá disponer el traslado de las actas a otro local de votación u oficina del Servicio para proceder a su incorporación.

Artículo 84.- Dentro de las veinticuatro horas siguientes a la elección o plebiscito, el delegado de la junta electoral enviará por correo al Servicio Electoral todos los sobres y útiles recibidos.

El envío se hará en paquetes separados por cada mesa receptora, que indicarán en su cubierta la circunscripción y número de la mesa a que corresponde. Asimismo, se dejará testimonio en la cubierta de cada uno de ellos de la hora de su recepción por la oficina de correos. El jefe de ésta otorgará recibo de la entrega con expresión de la hora.

No obstante, el Director del Servicio Electoral podrá disponer que tales elementos se entreguen directamente a los delegados que él designe para tal efecto, los que otorgarán los recibos correspondientes.

El delegado de la junta electoral deberá concurrir personalmente al inicio de la sesión que se señala en el artículo 95, del colegio escrutador que corresponda, con objeto de hacer entrega personalmente de los sobres cerrados y dirigidos al colegio escrutador que contengan las actas de escrutinios de las mesas de votación del local donde ejerció su función.

Artículo 85.- Será obligación del presidente de la junta electoral o del delegado de ésta, en su caso, denunciar al Ministerio Público las faltas de cumplimiento a lo dispuesto en los artículos precedentes para que instruya el proceso correspondiente. Si no lo hiciere, incurrirá en las penas que señala esta ley.

TÍTULO III
DEL ESCRUTINIO LOCAL

PÁRRAFO 1°
DE LOS COLEGIOS ESCRUTADORES

Artículo 86.- Los colegios escrutadores tienen por finalidad reunir las actas de los escrutinios realizados en las mesas receptoras de sufragios, sumar los votos que en ellas se consignen y cumplir las demás funciones que señala esta ley.

No podrán deliberar ni resolver sobre cuestión alguna relativa a la validez de la votación.

Artículo 87.- Existirán los colegios escrutadores que determine el Consejo del Servicio Electoral por resolución fundada que se publicará en el Diario Oficial con a lo menos cuarenta y cinco días de anticipación a aquel en que se deba celebrar una elección o plebiscito. En la resolución se indicará la localidad de funcionamiento y las mesas que corresponderá escrutar a cada uno. La resolución será comunicada por carta certificada a las juntas electorales correspondientes. Cada colegio no podrá escrutar más de doscientas mesas receptoras.

Habrá a lo menos un colegio en cada localidad en que tenga su sede una junta electoral.

Artículo 88.- Cada colegio estará compuesto de diez miembros titulares e igual número de suplentes, designados por las respectivas juntas Electorales, en conformidad a los artículos siguientes.

Se designarán cinco miembros con ocasión de la elección de diputados y senadores, y cinco con ocasión de la elección de alcaldes y concejales. Podrá designarse un número superior si alguno de los designados para elecciones anteriores, que deba continuar ejerciendo esta función, se hubiese cambiado de Circunscripción Electoral a una que no deba escrutar el colegio o hubiese perdido el derecho a sufragio.

No podrán ser designados como miembros de los colegios escrutadores las personas señaladas en el inciso primero del artículo 45, ni aquellas que hubiesen sido designadas como vocales de mesas receptoras de sufragios para la misma elección de que se trate.

Artículo 89.- Para proceder a la designación de los miembros de los colegios escrutadores, cada uno de los miembros de la junta electoral respectiva escogerá veinte nombres, que deberán corresponder a veinte ciudadanos inscritos en las mesas que corresponda escrutar al colegio respectivo. Si la junta funcionare con dos miembros, elegirán treinta cada uno de ellos.

Al efectuar esta selección, cada miembro de la junta electoral deberá preferir a aquellas personas que pueda presumirse más aptas para desempeñar las funciones de miembro del colegio escrutador, cuyo domicilio electoral corresponda a la localidad donde sesionará el colegio escrutador, y que no hubieren sido seleccionadas para vocales de mesas en la misma elección.

A continuación, la junta electoral procederá a confeccionar una nómina para cada colegio escrutador que le corresponda designar, en la que se asignará a cada uno de los nombres propuestos, ordenados alfabéticamente, un número correlativo del uno al sesenta.

En sesión pública que se realizará en la oficina del secretario, inmediatamente designados los vocales de las respectivas mesas receptoras de sufragios, las juntas electorales efectuarán un sorteo de manera que los primeros diez números sirvan para individualizar, en cada nómina, a las personas que se desempeñarán como miembros de los colegios escrutadores, y los siguientes diez, en orden correlativo, a quienes deberán actuar como suplentes.

La junta electoral formará un libro con las nóminas alfabéticas firmadas por todos sus miembros, debidamente foliadas y con indicación del colegio a que corresponda, el que se entenderá como parte integrante del acta del sorteo. Este libro será público y se mantendrá bajo la custodia del secretario de la junta electoral.

En todo caso, las nóminas deberán encontrarse en el local donde se efectúe el sorteo respectivo.

Artículo 90.- El secretario de la junta electoral publicará el acta de lo obrado, incluyendo las nóminas de los miembros designados para cada colegio escrutador, respecto de quienes se indicarán sólo los apellidos y sus dos primeros nombres, en la forma establecida en el artículo 48 de esta ley, y fijará en su oficina una copia autorizada de ella a la vista del público.

Dentro del mismo plazo comunicará su nombramiento por carta certificada a los miembros designados, indicando la fecha, hora y lugar en que el colegio escrutador funcionará, y el nombre de los demás integrantes. El encargado de la oficina de correos deberá otorgar recibo circunstanciado de los avisos que se entregaren.

Artículo 91.- Cualquier miembro de los colegios escrutadores podrá excusarse de desempeñar el cargo, en los plazos y formas y por las causales establecidas en el artículo 49.

En el mismo plazo cualquier persona podrá solicitar la exclusión del o los miembros de un colegio escrutador que estuvieren afectados por alguna de las causales de inhabilidad señaladas en el artículo 88.

Para los efectos de conocer y resolver las excusas que se presentaren y reemplazar a los miembros cuya excusa o exclusión hubiere sido acordada por la junta electoral, se procederá de conformidad con lo dispuesto en los artículos 50 y 51 de esta ley.

Artículo 92.- Harán de secretarios de los colegios escrutadores las personas que designe el Consejo del Servicio Electoral mediante resolución que comunicará a la respectiva junta electoral. La designación recaerá preferentemente en notarios, secretarios de juzgados de letras y en auxiliares de la administración de justicia u otros ministros de fe. La resolución será notificada a los designados por el secretario de la junta mediante carta certificada.

En caso de impedimento debidamente justificado ante el presidente de la junta electoral respectiva, los secretarios designados serán reemplazados de inmediato por aquellos a quienes corresponda subrogarlos o suplirlos en sus funciones permanentes de ministros de fe. Sin perjuicio de lo anterior, el presidente de la junta electoral comunicará a la brevedad al presidente de la Corte de Apelaciones respectiva, si se tratare de un funcionario judicial, o al superior jerárquico que corresponda, el impedimento alegado por el secretario y le remitirá los documentos con que lo hubiere justificado.

Los secretarios de los colegios escrutadores no tendrán derecho a voto.

Artículo 93.- Los miembros de los colegios escrutadores ejercerán dicha función durante cuatro años, actuando en todos los actos eleccionarios o plebiscitarios que se verifiquen hasta antes de la próxima elección ordinaria para la cual fueron sorteados. Con todo, los miembros sorteados por las juntas electorales a quienes corresponda actuar en la elección de Presidente de la República se entenderán convocados, por el solo ministerio de la ley, para cumplir iguales funciones en el caso previsto en el inciso segundo del artículo 26 de la Constitución Política de la República, y en estos casos no se requerirá de la publicación y comunicación de que trata el artículo 48 de la presente ley.

Artículo 94.- Se concederá a las personas que ejerzan, de modo efectivo, las funciones de miembro de los colegios escrutadores y de secretario de colegio escrutador, un bono equivalente a dos tercios de unidad de fomento, por cada acto electoral. Se considerará, para estos efectos, como otro acto electoral, la segunda votación realizada conforme al inciso segundo del artículo 26 de la Constitución Política de la República.

Dicha cantidad no constituirá remuneración o renta para ningún efecto legal y, en consecuencia, no será imponible ni tributable y no estará afecta a descuento alguno.

Esta cantidad se pagará por la Tesorería General de la República mediante cheque nominativo enviado al domicilio del beneficiario o bien depositándola en la cuenta bancaria que él indique al efecto.

Para tal efecto, las juntas electorales que correspondan deberán remitir a la Tesorería General de la República, dentro de los dos días siguientes al término de la función de los colegios escrutadores, las nóminas con el nombre completo, número de cédula de identidad y domicilio de las personas que hubiesen ejercido, efectivamente, las funciones respectivas en dicho organismo, además de la identificación de la cuenta bancaria señalada por el beneficiario, en el caso que éste manifieste su voluntad de que se le deposite el bono en ella.

Párrafo 2°

Del Escrutinio por los Colegios

Artículo 95.- A las catorce horas del día siguiente a la elección o plebiscito, el colegio escrutador se reunirá con, al menos, tres de sus miembros, en el lugar que hubiere designado la junta electoral correspondiente, bajo la presidencia provisional del secretario del colegio, nombrado de conformidad al artículo 92. Si a las 14:15 horas no se hubieren presentado al menos tres de sus miembros, el secretario del colegio procederá a completar el número de tres miembros designando como tales a alguno de los delegados de la junta electoral que se señalan en el inciso siguiente. Constituido el colegio, los miembros originalmente designados podrán incorporarse, en orden de presentación, hasta completar el máximo de diez, sin que puedan reemplazar a los delegados designados y siempre que ello ocurra con anterioridad a las 15 horas. Del hecho de las incorporaciones y su hora se dejará constancia en el acta. Reunido el número requerido, se procederá a sortear de entre los miembros presentes un presidente.

Al inicio de la sesión, y después de constituido el colegio escrutador, los delegados de las juntas electorales deberán entregar al secretario los sobres sellados que contengan las actas de escrutinios de las mesas receptoras que hubieren funcionado en su respectivo local de votación. Éste se cerciorará del estado de los sellos y de las firmas y otorgará el recibo correspondiente, en original y copia. El delegado conservará el original y la copia la remitirá al secretario de la junta electoral.

Inmediatamente, el presidente declarará constituido el colegio, levantándose un acta en que se dejará constancia de los siguientes hechos y circunstancias: a) individualización del colegio, expresándose la correspondiente región, provincia, comuna y circunscripción; b) el local de su funcionamiento; c) las mesas que debe escrutar; d) nombre, profesión y cédula de identidad de sus miembros asistentes; e) el día y hora de la constitución del colegio, y f) la nómina de los miembros del colegio que no hubieren asistido a la reunión. El acta se extenderá en el libro de actas correspondiente y será firmada por los miembros del colegio y el secretario, quien deberá remitirla, para los efectos de las ausencias injustificadas, al juzgado de Policía Local correspondiente.

Ley N° 18.700, art. 86, D.O. 06.05.1988

Artículo 96.- El colegio escrutador, en audiencia pública, procederá con la ayuda de un sistema computacional, a registrar y sumar el número de votos obtenidos por cada candidato en las mesas que debe escrutar y, además, en el caso de elecciones de parlamentarios, a sumar los votos obtenidos por cada lista de candidatos, de acuerdo con el procedimiento del artículo 97 de esta ley y, una vez concluido éste, se extenderá el acta y el cuadro a que se refiere dicha norma.

Para efectos de lo anterior, el Servicio Electoral dotará a cada colegio escrutador de computador con su respectiva impresora y de un software o sistema que permita realizar el ingreso o revisión de los resultados por mesa y candidato, que proceda a realizar las sumas y emita los cuadros y actas a que se refiere el artículo 98. Además, deberá proveer de un manual para el uso de este equipo y su software.

El sistema computacional señalado en los incisos anteriores deberá tener ya registrados los resultados de cada candidato por mesa receptora de Sufragios, que se hubieren ingresado a los sistemas del Servicio Electoral, conforme al artículo 83.

Artículo 97.- El presidente leerá el acta de la mesa en alta voz, debiendo el secretario comprobar los resultados por candidato con los datos ya ingresados al sistema computacional, pudiendo corregirlos, modificarlos o completarlos si ellos faltaren. Los demás miembros del colegio y los apoderados podrán comprobar la exactitud de la lectura con los datos que en definitiva queden registrados en el sistema. Cada uno de los miembros y apoderados podrán a su vez tomar nota separadamente del resultado de las actas a medida que sean leídas, con el objeto de verificar los datos ingresados y las sumas de los votos obtenidos por cada candidato y lista cuando corresponda.

Si faltaren actas de mesas que hubieren funcionado el día de la elección, se dejará constancia expresa en el acta que dichas mesas no fueron escrutadas por el colegio. Si respecto de esas mesas el sistema computacional tuviere registrados sus resultados de acuerdo al ingreso de datos efectuado conforme al artículo 83, se dejará constancia que dichos resultados no fueron revisados por el colegio, por carecer de un ejemplar del acta.

Si las actas contuvieren errores, especialmente discrepancias entre la suma real de los votos de cada candidato, los nulos y blancos y los totales indicados en las actas, se ingresarán igual al sistema los datos que existan, dejándose constancia en el acta de las desigualdades en la suma y de los errores que se hubieren detectado.

Terminada la lectura y el ingreso de resultados al sistema computacional se obtendrá de este último, en forma provisoria, un cuadro de resultados, que contendrá para cada mesa los votos obtenidos por cada candidato y por lista, si correspondiere, además de los votos nulos y blancos y el total de votos escrutados de la mesa. Este cuadro contendrá también la suma total de votos del colegio por cada candidato, y lista si correspondiere, además de la suma total de votos blancos y nulos y total de votos escrutados. El cuadro provisorio se emitirá con el número de copias que sea necesario para que los miembros del colegio y los apoderados puedan revisar los datos ingresados y las sumas, a objeto de que puedan sugerir correcciones cuando consideren que existen errores.

Se efectuarán las correcciones que acuerde la unanimidad de los miembros del colegio, así como las que acuerde la mayoría de los miembros del colegio cuando haya discrepancias respecto del valor correcto de un resultado ingresado, resolviendo el Secretario en caso de empate. En todo caso, se deberá dejar siempre constancia detallada en el acta de la discrepancia surgida, como también de las correcciones u observaciones requeridas por los apoderados y que el colegio no haya considerado.

Artículo 98.- Terminada la revisión y resueltas las discrepancias señaladas en el artículo anterior, se obtendrá del sistema computacional el cuadro de resultados definitivo del colegio, en tres ejemplares.

Deberá levantarse un acta donde se harán constar los siguientes hechos o circunstancias:

a) El día y la hora del término de su labor.

b) Las cifras totales, en número y letras, alcanzadas por los candidatos y por las listas de candidatos en el caso de elecciones Parlamentarias.

c) La cantidad de votos nulos y en blanco emitidos dentro de su territorio jurisdiccional y la circunstancia de haberse practicado la agregación a que se refiere el inciso segundo del artículo siguiente.

d) Los reparos de que hubiere sido objeto el procedimiento observado al hacerse la operación.

e) Un detalle de las mesas que el colegio no pudo escrutar o no pudo revisar por no haber recibido la correspondiente acta de escrutinio.

f) Un detalle de las mesas donde existen desigualdades en el acta entre los totales que ellos muestran y las suma de los votos por candidatos más los nulos y blancos.

g) Todos los demás que determine esta ley o el colegio.

Artículo 99.- Cada uno de los tres ejemplares del cuadro y del acta, deberá ser suscrito por el secretario, por los miembros presentes del colegio y por los candidatos y apoderados que lo desearen.

El primer ejemplar del cuadro se agregará al libro de actas.

De los otros ejemplares del cuadro y del acta, uno se entregará al presidente del colegio y otro al secretario en sobres cerrados y sellados que serán firmados por el lado del cierre por los miembros del colegio, por el secretario y por los apoderados que quisieren suscribirla, dejándose constancia de la hora de su entrega.

Artículo 100.- El presidente y el secretario del colegio remitirán el sobre al Director del Servicio Electoral y al presidente del Tribunal Calificador de Elecciones, respectivamente, por intermedio de la oficina de correos o por el medio más expedito de transporte, dentro de las dos horas siguientes al momento en que lo reciban. El jefe de la oficina de correos o el encargado del medio de transporte deberá otorgar recibo de la recepción, dejando constancia de la hora en que ésta se practique.

Dentro de las veinticuatro horas siguientes al término del funcionamiento del colegio, el secretario hará entrega del libro de actas, al secretario de la junta electoral. En el mismo plazo, también enviará las actas de escrutinio de las mesas receptoras al Servicio Electoral.

Artículo 101.- En los escrutinios de los plebiscitos se anotarán y sumarán, separadamente, los votos emitidos en favor de cada una de las distintas cuestiones planteadas.

En estos escrutinios se seguirán las normas señaladas en los artículos precedentes.

Artículo 102.- Si a las doce de la noche del día de su instalación el colegio no hubiere terminado su labor, la continuará a las diez de la mañana del día siguiente. En caso de interrumpirse por esta causa el escrutinio, se levantará un acta parcial dejando constancia de lo obrado, suscrita por todos los miembros presentes, el secretario y por los apoderados y candidatos que lo desearen.

Artículo 103.- El secretario del colegio electoral deberá obtener del sistema computacional y hacer entrega de una copia certificada por él, del cuadro de resultados definitivo y del acta, a todos los apoderados y candidatos que lo soliciten.

El Secretario estará obligado a agregar al final del libro de actas los reclamos que se presentaren durante el acto, sobre irregularidades en el procedimiento del colegio y de las cuales éste se hubiere negado a dejar constancia. En ningún caso esta agregación retardará el envío de las actas y de los cuadros.

Artículo 104.- El Servicio Electoral deberá dar a conocer los resultados de los escrutinios practicados por los colegios escrutadores a medida que vaya disponiendo de ellos.

Para estos efectos, el Director del Servicio Electoral abrirá el sobre con el acta y cuadro que hubiere recibido del presidente de cada colegio escrutador, comprobará la exactitud de dichos resultados con los contenidos en el sistema computacional, efectuará las correcciones que fueren necesarias para que los resultados del sistema computacional se ajusten al acta y cuadro, y procederá a liberar su información en los términos señalados en el inciso siguiente.

A los resultados de los colegios escrutadores les será aplicable lo dispuesto en los incisos cuarto, quinto y sexto del artículo 185. Estos resultados deberán sustituir a los entregados en forma preliminar por el Servicio Electoral, en virtud de dicho artículo. Al realizar esta sustitución deberá señalarse, en sus informes y boletines, que son los resultados de los colegios escrutadores.

Los partidos políticos y los candidatos independientes que participan en la elección o plebiscito, podrán también disponer de esos mismos resultados en medios magnéticos o digitales no encriptados para efectuar los procesos que estimen convenientes.

Los resultados que entregue el Servicio Electoral en virtud de este artículo deberán señalar su condición de provisorios y sujetos al escrutinio general de los tribunales que correspondan.

Título IV
DE LAS RECLAMACIONES ELECTORALES

Artículo 105.- Cualquier elector podrá interponer reclamaciones de nulidad contra las elecciones y plebiscitos por actos que las hayan viciado, relacionados con: a) la elección o funcionamiento de las mesas receptoras o colegios escrutadores o los procedimientos de las juntas electorales; b) el escrutinio de cada mesa o los que practicaren los colegios escrutadores; c) actos de la autoridad o de personas que hayan coartado la libertad de sufragio; d) falta de funcionamiento de mesas; e) práctica de cohecho, de soborno o uso de fuerza y de violencia, y f) la utilización de un padrón electoral diferente del que establece el artículo 34 de la ley N° 18.556, y que fue sometido a los procesos de auditoría y reclamación señalados en el párrafo 2° del título II y el título III de dicha ley. No procederá en este caso la reclamación de nulidad por las circunstancias señaladas en los artículos 48 y 49 de ley N° 18.556.

Las reclamaciones derivadas de los hechos anteriores sólo procederán si los mismos hubieren dado lugar a la elección de un candidato o de una opción distinta de las que habrían resultado si la manifestación de la voluntad electoral hubiere estado libre del vicio alegado.

Artículo 106.- Cualquier elector podrá solicitar la rectificación de escrutinios cuando, en su opinión, se haya incurrido en omisiones, calificación errada de los votos válidos, marcados, objetados, nulos o en blanco por parte de la mesa, errores en las actas de escrutinios, en sus sumas y totales, diferencias entre las actas o entre ellas y los certificados de escrutinios entregados a los apoderados, resultados mal imputados por los colegios escrutadores o en errores aritméticos.

Las solicitudes de rectificaciones de escrutinios y las reclamaciones de nulidad de elecciones o plebiscitos se presentarán ante el Tribunal Electoral Regional correspondiente al territorio en que se hubieren cometido los hechos que sirvan de fundamento al reclamo, dentro de los seis días siguientes a la fecha de la elección o plebiscito, debiendo acompañarse en el mismo acto los antecedentes en que se funde. Si el Servicio Electoral no hubiere dado a conocer los resultados de algún colegio escrutador antes del sexto día siguiente de la elección, el plazo para efectuar las reclamaciones y rectificaciones que tengan relación con las mesas de dicho colegio escrutador se entenderá prorrogado hasta el día siguiente de la fecha en que el Servicio Electoral entregue la información faltante. Las solicitudes de rectificaciones de escrutinios y las reclamaciones de nulidad de elecciones o plebiscitos que formulen los electores que se encuentren en el territorio nacional respecto de actos electorales celebrados en el extranjero se interpondrán ante el Tribunal Calificador de Elecciones dentro del plazo señalado en el artículo 222 de esta ley.

No se requerirá patrocinio de abogado para deducir solicitud de rectificación y reclamos de nulidad.

Artículo 107.- Dentro del plazo de cinco días, contado desde la resolución que acoja a tramitación el respectivo reclamo o solicitud, se rendirán ante el Tribunal Electoral Regional las informaciones y contrainformaciones que se produzcan, así como las pruebas relativas a los vicios y defectos que pudieren dar lugar a la nulidad.

Vencido el plazo señalado en el inciso anterior, el tribunal remitirá, sin pronunciarse, todos los antecedentes reunidos al Tribunal Calificador de Elecciones.

Artículo 108.- Sin perjuicio de lo establecido en los artículos precedentes, las instancias jurisdiccionales electorales deberán practicar la correspondiente denuncia criminal, cuando los hechos o circunstancias fundantes de la reclamación revistieren características de delito.

Artículo 109.- Tratándose de la elección de Presidente de la República las solicitudes de rectificaciones de escrutinios y las reclamaciones de nulidad se interpondrán directamente ante el Tribunal Calificador de Elecciones, dentro de los seis días siguientes a la fecha de la elección, acompañándose en el mismo acto los antecedentes en que aquéllas se fundaren.

Si el Servicio Electoral no hubiere dado a conocer los resultados de algún colegio escrutador antes del sexto día siguiente de la elección, el plazo para efectuar las reclamaciones y rectificaciones que tengan relación con las mesas de dicho colegio escrutador se entenderá prorrogado hasta el día siguiente de la fecha en que el Servicio Electoral entregue la información faltante.

Dentro del plazo fatal de dos días, contado desde la fecha del respectivo reclamo o solicitud, se rendirán ante el Tribunal las informaciones y contrainformaciones que se produzcan. El Tribunal conocerá, adoptará las medidas para mejor resolver y emitirá su fallo dentro del plazo señalado por el artículo 27 de la Constitución Política de la República. En todo caso, dicho fallo no será susceptible de recurso alguno y su notificación se practicará por el Estado Diario.

Para los efectos de lo dispuesto en el inciso anterior, el Tribunal deberá además dar cumplimiento a las normas establecidas en el título V de la presente ley, en lo que fuere pertinente.

TÍTULO V
DEL ESCRUTINIO GENERAL Y DE LA CALIFICACIÓN DE ELECCIONES

PÁRRAFO 1°
DE LA CITACIÓN AL TRIBUNAL CALIFICADOR Y DEL ESCRUTINIO GENERAL

Artículo 110.- El Tribunal Calificador de Elecciones se entenderá citado por el solo ministerio de la ley, para reunirse a las diez de la mañana del tercer día siguiente a la fecha en que se verifique la respectiva votación o plebiscito, a fin de preparar el conocimiento del escrutinio general y de la calificación de dichos procesos, de resolver las reclamaciones y efectuar las rectificaciones a que hubiere lugar.

Reunido el tribunal en la oportunidad señalada para estos efectos, seguirá sesionando diariamente hasta que cumpla integralmente su cometido.

Artículo 111.- En la primera reunión del tribunal, el secretario dará cuenta de los escrutinios realizados por los colegios escrutadores y de las reclamaciones electorales que se hubieren formulado.

Asimismo, informará acerca de los colegios escrutadores cuyas actas y cuadros no se hubieren recibido en el tribunal hasta esa fecha.

Artículo 112.- El Servicio Electoral deberá poner a disposición del tribunal los resultados de los colegios escrutadores, en formato digital, que sirvieron para generar los cuadros de resultados conforme al inciso primero del artículo 98, los que en todo caso deberán ser concordantes con los cuadros remitidos al tribunal en virtud de lo señalado en el artículo 100.

Artículo 113.- El Tribunal Calificador de Elecciones se abocará al conocimiento del escrutinio general de la elección para Presidente de la República y su calificación, dentro de los plazos establecidos en el inciso primero del artículo 27 de la Constitución Política.

Artículo 114.- Para practicar el escrutinio general el tribunal se apoyará en equipos y sistemas computacionales, debiendo resolver las solicitudes de rectificaciones conjuntamente con el escrutinio y observando las siguientes reglas:

1) Todas las sesiones del tribunal que tengan por objeto practicar el escrutinio general o el escrutinio de alguna mesa en particular serán públicas. A ellas podrán asistir los candidatos y hasta dos apoderados, designados al efecto por cada uno de los partidos políticos y por los candidatos independientes que hayan participado en la elección o plebiscito.

2) Si no se dispusiere del acta y cuadro de uno o más colegios escrutadores, el tribunal requerirá del Servicio Electoral la remisión de todas las actas y cuadros que faltaren y que obren en su poder y procederá a completar el escrutinio general.

3) Respecto de todas aquellas mesas cuyos resultados estén contenidos en los cuadros de resultados de los colegios escrutadores que no hayan sido objeto de observaciones o discrepancias según el acta del mismo colegio, ni hayan sido objeto de una reclamación o de una solicitud de rectificación, y siempre que sean concordantes con resultados contenidos en las actas de las mesas remitidas al tribunal, se practicará el escrutinio

general en base a los resultados de dichos cuadros sin más trámite. Para establecer la concordancia podrán usarse sistemas computacionales.

4) Si algún colegio hubiere dejado de escrutar una o más actas de mesas, ya sea por no haber conseguido las actas o porque aquéllas contuvieren errores u omisiones que impidieren conocer el resultado real y completo de la mesa, el tribunal recurrirá al ejemplar del acta de la mesa que le fue remitida, y procederá a completar el escrutinio.

5) Si, con todo, no fuere posible contar con uno de los ejemplares del acta de las mesas no escrutadas por el colegio escrutador, el tribunal practicará el escrutinio de la mesa en conformidad a las disposiciones de esta ley, sirviéndose para ello del paquete o caja de cédulas que al efecto le remitirá el Servicio Electoral.

6) En relación a las mesas que hayan sido objeto sólo de reclamaciones de nulidad, el tribunal considerará provisoriamente su resultado, según el cuadro del colegio escrutador, a objeto de completar el escrutinio general y en espera de lo que resuelva posteriormente, según lo señalado en los artículos siguientes.

7) En relación a las mesas que hayan sido objeto de observaciones, discrepancias o desigualdades, según el acta del colegio escrutador, o que hayan sido objeto de una solicitud de rectificación, el tribunal procederá a revisar todos los antecedentes que obren en su poder o hayan sido presentados por los requirentes, y cotejará al menos dos ejemplares del acta de escrutinio para poder resolver la rectificación solicitada y los resultados de la mesa, pudiendo, en caso de que lo considere necesario, proceder a practicar el escrutinio de la mesa en conformidad a las disposiciones de esta ley, sirviéndose para ello del paquete o caja de cédulas que al efecto le remitirá el Servicio Electoral.

8) En relación a las mesas del número anterior y en el caso de que existieran discrepancias entre los resultados de al menos dos ejemplares del acta de escrutinio, o discrepancia entre las actas de escrutinio y un certificado de escrutinio emitido por el presidente o secretario de la misma, en virtud del número 8 del artículo 77 de esta ley, que haya sido presentado en una rectificación al Tribunal, éste procederá a resolver la solicitud de rectificación, practicando el escrutinio de la mesa en conformidad a las

disposiciones de esta ley, sirviéndose para ello del paquete o caja de cédulas que al efecto le remitirá el Servicio Electoral.

9) En relación a las mesas del número 7 precedente, que hayan sido objeto de una solicitud de rectificación fundamentada en una mala calificación de los votos que la mesa consideró válidos, nulos o blancos, o que hayan sido equivocadamente asignados a otro candidato, o que siendo considerados como marcados no hayan sido contabilizados para el candidato de la preferencia, y que de estos hechos algún apoderado de mesa o vocal haya dejado observación o constancia en el acta de la mesa, o haya sido impedido por la mesa de hacerlo, el tribunal deberá proceder a resolver la solicitud de rectificación practicando el escrutinio de la mesa en conformidad a las disposiciones de esta ley, sirviéndose para ello del paquete o caja de cédulas que al efecto le remitirá el Servicio Electoral. Lo anterior procederá siempre y cuando la revisión de la totalidad de los votos alegados de todas las mesas sujetas de rectificación pudieren dar lugar a la elección de un candidato distinto o de una opción diferente a la que arrojan los resultados del escrutinio, de no ser revisados estos votos.

PÁRRAFO 2°
DE LA CALIFICACIÓN DE ELECCIONES

Artículo 115.- El Tribunal Calificador de Elecciones procederá de norte a sur al estudio de la elección o plebiscito reclamado. Conociendo de las reclamaciones de nulidad, apreciará los hechos como jurado y al tenor de la influencia que, a su juicio, ellos hayan tenido en el resultado de la elección o plebiscito. Con el mérito de los antecedentes declarará válida o nula la elección o plebiscito y sentenciará conforme a derecho.

Los hechos, defectos o irregularidades que no influyan en el resultado general de la elección o el plebiscito, sea que hayan ocurrido antes, durante o después de la votación, no darán mérito para declarar su nulidad.

Sin embargo, se declararán siempre nulos los actos de las juntas para designar las mesas receptoras, los de las mesas mismas o los de los colegios escrutadores que no hubieren funcionado con, a lo menos, el número mínimo de miembros que señala la ley o en los lugares designados, excepto en este último caso, si se tratare de fuerza mayor, en conformidad a lo establecido en el inciso tercero del artículo 58.

Artículo 116.- Cuando el Tribunal Calificador declare nula la votación en una o más mesas, mandará repetir la o las anuladas sólo en el caso de que ella o ellas den lugar a una decisión electoral o plebiscitaria diferente. La votación se repetirá sólo en las mesas afectadas.

Artículo 117.- En la repetición, las mesas receptoras afectadas funcionarán con la misma integración que hubieren tenido en la votación anulada, salvo que la declaración de nulidad se fundare en la circunstancia de ser nulo el nombramiento de las mesas mismas, o en la adulteración o falsificación del escrutinio, o en el cohecho de los miembros de las mesas, casos en los cuales se renovará el nombramiento por la junta electoral en conformidad a esta ley y tan pronto como lo resuelva el Tribunal Calificador.

Los escrutinios se repetirán por las mesas y colegios que corresponda.

Artículo 118.- Luego de haber fallado todas las reclamaciones en contra de una elección o plebiscito, el tribunal procederá a realizar su escrutinio general, el que incluirá además, en el caso de elecciones parlamentarias, la suma total de votos emitidos en favor de los candidatos de una misma lista o nómina, resultado que determinará los votos de la lista o nómina.

Artículo 119.- Una vez dictada la sentencia sobre todos los reclamos y practicado el escrutinio general, el Tribunal proclamará a los candidatos que hubieren resultado elegidos o el resultado del plebiscito, en su caso.

Artículo 120.- Tratándose de elecciones de Presidente de la República, el tribunal proclamará elegido al candidato que hubiere obtenido más de la mitad de los sufragios válidamente emitidos. Para estos efectos, los votos en blanco y nulos se considerarán como no emitidos.

El acuerdo del Tribunal Calificador de Elecciones por el que proclama al Presidente electo se comunicará por escrito al Presidente de la República, al presidente del senado y al candidato elegido.

Si ninguno de los candidatos a Presidente de la República hubiere obtenido la mayoría absoluta señalada en el inciso primero de este artículo y para los efectos de lo dispuesto en el inciso segundo del artículo 26 de la Constitución Política, el tribunal hará la correspondiente declaración, indicando los candidatos que hayan obtenido las dos más altas mayorías relativas y ordenará su publicación en el Diario Oficial, lo que deberá efectuarse en el día siguiente hábil al del vencimiento del plazo establecido en el inciso primero del artículo 27 de la Constitución.

Artículo 121.- En el caso de elecciones de diputados y senadores, el Tribunal Calificador de Elecciones proclamará elegidos a los candidatos, conforme a las reglas establecidas en el procedimiento que a continuación se detalla:

1) El Tribunal Calificador de Elecciones determinará las preferencias emitidas a favor de cada lista y de cada uno de los candidatos que la integran.

2) Se aplicará el sistema electoral de coeficiente D'Hondt, para lo cual se procederá de la siguiente manera:

a) Los votos de cada lista se dividirán por uno, dos, tres y así sucesivamente hasta la cantidad de cargos que corresponda elegir.

b) Los números que han resultado de estas divisiones se ordenarán en orden decreciente hasta el número correspondiente a la cantidad de cargos que se eligen en cada distrito electoral o circunscripción senatorial.

c) A cada lista o pacto electoral se le atribuirán tantos escaños como números tenga en la escala descrita en la letra b).

3) En el caso de las listas conformadas por un solo partido político, el Tribunal Calificador de Elecciones proclamará electos a los candidatos que hayan obtenido las más altas mayorías individuales de cada lista, de acuerdo al número de cargos que le correspondan a cada una de ellas, luego de aplicar las reglas descritas precedentemente.

4) En el caso de los pactos electorales, se aplicarán las siguientes reglas para determinar cuántos escaños le corresponden a cada uno de ellos:

a) Se calculará el total de los votos de cada partido político o, en su caso, de la suma de cada partido político y las candidaturas independientes asociadas a ese partido.

b) Se dividirá por uno, dos, tres y así sucesivamente, hasta la cantidad de cargos asignados al pacto electoral.

c) A cada partido político o, en su caso, a cada partido y las candidaturas independientes asociadas a éste, se le atribuirán tantos escaños como números tenga en la escala descrita en la letra b) precedente.

d) El Tribunal Calificador de Elecciones proclamará elegidos a los candidatos que hayan obtenido las más altas mayorías individuales de cada partido político o, en su caso, de cada partido, considerando las candidaturas independientes asociadas éste dentro de un pacto electoral, de acuerdo a los cupos obtenidos por cada uno de ellos.

En caso de empate entre candidatos de una misma lista, o entre candidatos de distintas listas que a su vez estén empatadas, el Tribunal Calificador de Elecciones procederá en audiencia pública a efectuar un sorteo entre ellos, y proclamará elegido al que salga favorecido.

Título VI
DEL ORDEN PÚBLICO

Párrafo 1°
De la Fuerza encargada del Orden Público

Artículo 122.- Desde el segundo día anterior a un acto electoral o plebiscitario y hasta el término de las funciones de los colegios escrutadores, el resguardo del orden público corresponderá a las Fuerzas Armadas y a Carabineros.

Los encargados del orden público se constituirán en los locales de votación a partir de las 9 horas del segundo día anterior a la elección o plebiscito.

Artículo 123.- El Presidente de la República designará, con sesenta días de anterioridad a la fecha de una elección o plebiscito, a un oficial de Ejército, de la Armada, de la Fuerza Aérea o de Carabineros, que tendrá el mando de la fuerza encargada de la mantención del orden público en cada una de las regiones del país. Dichos nombramientos se publicarán en el Diario Oficial, al día siguiente hábil de su designación. Estos jefes de fuerza deberán designar con treinta días de anticipación a los oficiales de las Fuerzas Armadas y Carabineros que tendrán el mando de las fuerzas encargadas de la mantención del orden público en las localidades de sus respectivas regiones, en que deban funcionar mesas receptoras de sufragio o colegios escrutadores. Para el caso previsto en el inciso segundo del artículo 26 de la Constitución Política, tales nombramientos se entenderán subsistentes.

Los jefes designados para el mando de las fuerzas, tendrán la responsabilidad directa del mantenimiento del orden público en las respectivas localidades y deberán cumplir con las obligaciones que les encomiende esta ley.

Artículo 124.- El Ministerio del Interior y Seguridad Pública, previa coordinación con el Ministerio de Defensa Nacional, deberá dictar disposiciones para el resguardo del orden público, las que deberán publicarse en el Diario Oficial con no menos de cinco días de anterioridad a la elección o plebiscito. Asimismo, el Ministerio de Defensa Nacional impartirá las instrucciones pertinentes a las fuerzas encargadas de mantener el orden público.

Dichas disposiciones se anotarán en un libro de órdenes que llevará el jefe de las fuerzas de cada localidad y el jefe de fuerza regional, el cual estará a disposición de los candidatos, de sus apoderados y de los representantes de los partidos políticos, quienes podrán verificar personalmente el cumplimiento de las disposiciones y reclamar en cualquier momento ante dicho jefe de la falta de seguridad y garantías individuales que está obligado a mantener para los electores, pudiendo dejarse testimonio en el libro, de los hechos que motivaren esos reclamos.

Artículo 125.- Corresponderá a la fuerza encargada del orden público cuidar que se mantenga el libre acceso a las localidades y locales en que funcionen mesas receptoras de sufragios e impedir toda aglomeración de personas que dificulten a los electores llegar a ellas o que los presionen de obra o de palabra. Asimismo, velarán porque tanto las personas con discapacidad, como quienes las acompañen para asistirlas en el voto, tengan acceso expedito y adecuado al respectivo local de votación. No se impedirá el acceso de ninguna persona que concurra a un local de votación en calidad de asistente de otra con discapacidad, ni siquiera a pretexto de distinción de sexo. Deberán, asimismo, impedir que se realicen manifestaciones públicas.

Artículo 126.- Dicha fuerza no podrá situarse o estacionarse en un radio menor a veinte metros de una mesa receptora de sufragios o del recinto en que funcione un colegio escrutador o una junta electoral, sin perjuicio de lo señalado en el inciso segundo del artículo 130.

Si lo hiciere, deberá retirarse a requerimiento del presidente. En caso contrario, el presidente suspenderá las funciones de la mesa, colegio o junta, y dará cuenta al tribunal competente.

PÁRRAFO 2°
DEL MANTENIMIENTO DEL ORDEN PÚBLICO

Artículo 127.- Se prohíbe la celebración de manifestaciones o reuniones públicas de carácter electoral en el período comprendido entre las cero horas del segundo día anterior a una elección o plebiscito y cuatro horas después de haberse cerrado la votación en las mesas receptoras de sufragios.

Cualquier local público o privado en el cual se realicen actividades de propaganda o se desarrollen reuniones de carácter electoral durante el período indicado, salvo las señaladas en el artículo 168, será clausurado por la fuerza encargada del orden público, hasta dos horas después de haberse cerrado la votación.

Artículo 128.- El día de una elección o plebiscito, hasta dos horas después del cierre de la votación, no podrán realizarse espectáculos o eventos deportivos, artísticos o culturales de carácter masivo, cuando la fuerza encargada del orden público estime que éstos podrían afectar el normal desarrollo del proceso electoral.

El día de la elección o plebiscito, entre las cinco horas de la mañana y dos horas después del cierre de la votación, los establecimientos comerciales no podrán expender bebidas alcohólicas para su consumo en el local o fuera de él, exceptuándose sólo a los hoteles respecto de los pasajeros que pernocten en ellos.

La fuerza encargada del orden público dispondrá la clausura de los recintos en que se infringiere esta disposición.

Artículo 129.- El Ministerio Público y el jefe de las fuerzas podrán inspeccionar las sedes de los partidos políticos y de los candidatos independientes, declaradas según lo dispuesto en el artículo 167, a fin de establecer si en ellas se practicare el cohecho de electores, si existieren armas o explosivos, o se realizaren actividades de propaganda electoral fuera del período señalado en el artículo 31. Deberán llevar a cabo iguales investigaciones en cualquier lugar en que se denuncie la práctica de cohecho, encierro de electores o actividades de propaganda electoral.

Comprobada la comisión o preparación de alguna de esas infracciones, el juez de garantía, a requerimiento del fiscal, dispondrá la clausura del local. En tales casos, se incautarán los elementos destinados a las referidas actividades.

Artículo 130.- Los presidentes de las juntas electorales, mesas receptoras y colegios escrutadores deberán conservar el orden y la libertad de las votaciones y escrutinios, en su caso, y dictar las medidas conducentes a este objetivo, en el lugar en que funcionen y en el recinto comprendido en un radio de veinte metros. No podrán, sin embargo, ordenar el retiro del recinto de los miembros que integren la junta, mesa o colegio, ni de los candidatos y los apoderados.

Asimismo, el delegado de la junta Electoral velará por la conservación del orden y el normal funcionamiento dentro de la oficina electoral a su cargo. Para estos efectos podrá requerir el auxilio de la fuerza encargada del orden público.

Artículo 131.- Asimismo, los presidentes de las juntas electorales, de las mesas receptoras y de los colegios escrutadores deberán velar por el libre acceso al recinto en que funcionen, e impedir que se formen agrupaciones en las puertas o alrededores que entorpezcan el acceso de los electores.

Ante la reclamación de cualquier elector, los presidentes darán las órdenes correspondientes para disolver esas agrupaciones. Si no fueren obedecidos, las harán despejar por la fuerza encargada del orden público y, en caso necesario, suspenderán las funciones de la junta, mesa o colegio.

El presidente de la junta, de la mesa o del colegio requerirá de la jefatura correspondiente a la localidad, el auxilio de la fuerza para continuar funcionando hasta el término de su cometido, y estará obligado a dar cuenta al Ministerio Público, para los fines a que haya lugar. La autoridad requerida dará auxilio inmediatamente.

Artículo 132.- Si los agrupamientos o desórdenes ocurrieren dentro del recinto en que se practicare la votación, el presidente denunciará el hecho a la fuerza encargada de mantener el orden público, y recabará su auxilio para poner a disposición del juez de garantía a los perturbadores del orden. Si entre ellos, alguno reclamare ser elector en el respectivo local y no haber sufragado, se le llamará inmediatamente a votar. Recibido el voto, se cumplirá la orden del presidente.

Por ningún motivo, ni bajo ningún pretexto, el presidente u otro vocal o autoridad podrá hacer salir del recinto a los candidatos, a los apoderados, ni a los inscritos en el registro electoral respectivo antes de haber votado, ni impedir el acceso a él, bajo las penas establecidas en esta ley.

Artículo 133.- Si la junta, mesa o colegio se hubiere visto en la necesidad de suspender sus funciones, las reiniciará dejando constancia en acta de los hechos que dieron lugar a la suspensión.

En el caso de una mesa receptora, su presidente suspenderá la votación hasta que quede libre el acceso de los electores al recinto. La votación suspendida se continuará en el mismo día hasta los límites horarios que señala el artículo 74.

El Presidente dará, en todo caso, aviso de su determinación al delegado de la Junta Electoral respectiva y al juez de garantía competente.

Artículo 134.- En virtud de la autoridad que le confiere esta ley, el Presidente de toda junta electoral, mesa receptora o colegio escrutador o el delegado de la respectiva junta electoral podrá hacer aprehender y conducir detenido a disposición del juez de garantía competente a todo individuo que, con palabras provocativas o de otra manera, incitare a tumultos o desórdenes, acometiere o insultare a algunos de sus miembros, empleare medios violentos para impedir que los electores hagan uso de sus derechos, o que se presentare en estado de ebriedad o repartiere licor entre los concurrentes. Al mismo tiempo, denunciará el hecho al Ministerio Público.

Artículo 135.- El jefe de las fuerzas estará obligado a prestar el auxilio que le pida el presidente de toda junta, mesa receptora o colegio escrutador o el delegado de la respectiva junta electoral, cumpliendo sin más trámite las órdenes que se le impartan y procediendo a los arrestos a que diere lugar tal requerimiento.

Título VII
DE LAS SANCIONES Y PROCEDIMIENTOS JUDICIALES

Párrafo 1º
De las Faltas y de los Delitos

Artículo 136.- El Director responsable de un órgano de prensa, radioemisora o canal de televisión a través del cual se infringiere lo dispuesto en los artículos 31, 33, 34 y 37 será sancionado con multa a beneficio fiscal de diez a doscientas unidades tributarias mensuales. Igual sanción se aplicará a la empresa propietaria o concesionaria del respectivo medio de difusión.

Además de las multas que procedan conforme a este artículo, el Servicio Electoral deberá publicar en su sitio electrónico las sanciones aplicadas.

Artículo 137.- El administrador de un cinematógrafo o sala de exhibición de videos en que se realice propaganda electoral, será sancionado con multa en dinero a beneficio municipal de cinco a veinte unidades tributarias mensuales.

Artículo 138.- El que hiciere propaganda electoral con infracción de lo dispuesto en los artículos 35 o 36 será sancionado con multa a beneficio municipal de diez a cien unidades tributarias mensuales.

El que hiciere propaganda electoral fuera de los plazos establecidos en los artículos 31, 32 y 35, o con infracción a lo dispuesto en el artículo 33, será sancionado con multa de veinte a doscientas unidades tributarias mensuales, a beneficio municipal, sin perjuicio de lo dispuesto por el artículo 3 de la ley N° 19.884. Los gastos efectuados en dicha propaganda serán valorizados al doble de su precio para efectos de calcular el límite que establece el artículo 4 de la ley N° 19.884.

Cualquier persona podrá concurrir ante el director regional del Servicio Electoral respectivo, a fin de que ordene el retiro o supresión de los elementos de propaganda a que se refiere el inciso anterior. La denuncia dará lugar al procedimiento sancionatorio que regula la ley N° 18.556. El Servicio Electoral habilitará un espacio en su sitio electrónico para recibir estas denuncias, las que deberán cumplir con lo dispuesto en el artículo 30 de la ley N° 19.880, que Establece bases de los procedimientos administrativos que rigen los actos de los órganos de la administración del Estado.

Caerán en comiso los elementos que se hayan utilizado para efectuar dicha propaganda.

Artículo 139.- El que suscribiere el patrocinio a una candidatura independiente para Presidente de la República, senador o diputado, sin tener inscripción electoral vigente en la circunscripción senatorial o distrito respectivo o patrocinare más de una candidatura para una elección, será sancionado con una multa de tres unidades tributarias mensuales.

Artículo 140.- El que en el acto de patrocinio de una candidatura independiente prestare falso testimonio, sufrirá las penas de presidio menor en sus grados mínimo a medio y multa de una a tres unidades tributarias mensuales.

Artículo 141.- El notario que autorizare la firma o impresión dactiloscópica de un elector, sin exigir su comparecencia personal en el acto de suscripción del patrocinio a una candidatura, sufrirá la pena de reclusión menor en su grado mínimo a medio.

Artículo 142.- El funcionario del Poder Judicial, del Ministerio Público o de la Administración del Estado que injustificadamente dejare de cumplir con las obligaciones que le impone esta ley, sufrirá la pena de suspensión del cargo en su grado mínimo. En caso de reincidencia se aumentará la pena en un grado, y si nuevamente reincidiere, será destituido de los cargos que desempeñe con el solo mérito de la sentencia ejecutoriada que imponga la pena, quedando además absoluta y perpetuamente inhabilitado para el desempeño de cargos y oficios públicos, sin perjuicio de la responsabilidad civil o administrativa que pudiere corresponderle.

Artículo 143.- El que impidiere ejercer sus funciones a algún miembro de la junta electoral, mesa receptora, colegio escrutador o al delegado de aquélla, sufrirá la pena de presidio menor en su grado mínimo a medio. Igual pena sufrirá el que perturbare el orden en el recinto en que funcione una junta, mesa receptora o colegio escrutador, o en sus alrededores, con el fin de impedir su funcionamiento, desde los diez días anteriores a la fecha de la elección o plebiscito.

Artículo 144.- Sufrirá la pena de reclusión menor en su grado mínimo el miembro de mesas receptoras de sufragios que incurriere en alguna de las siguientes conductas:

1) Cambiar el lugar designado para el funcionamiento de la mesa.

2) Retirarse injustificadamente antes del término de funcionamiento de la mesa receptora, a que se refiere el artículo 74.

3) Admitir el sufragio de personas que no aparezcan en el padrón de la mesa o que no exhiban su cédula nacional de identidad, pasaporte o cédula de identidad para extranjeros vigentes según corresponda.

4) Negar el derecho de sufragio a un elector hábil.

5) Hacer cualquier marca o señal en una cédula para procurar violar el secreto del sufragio o para preconstituir causales para reclamar la nulidad del voto.

6) Impedir la presencia de algún apoderado o miembro de la mesa, sin perjuicio de lo señalado en el inciso quinto del artículo 63.

7) Negarse a tomar nota en actas de cualquier circunstancia del acto eleccionario.

8) Suspender abusivamente la recepción de votos o la realización del escrutinio.

9) Impedir, obstaculizar o dificultar, maliciosamente, el ejercicio del derecho a sufragio de una persona con discapacidad.

10) Recibir sufragios antes de la hora indicada en el inciso primero del artículo 63 o declarar cerrada la votación antes de la hora señalada en el inciso primero del artículo 74.

Artículo 145.- Los miembros de las juntas electorales, mesas receptoras o colegios escrutadores que celebraren acuerdos o funcionaren sin el quórum requerido, sufrirán la pena de reclusión menor en su grado mínimo.

Igual pena sufrirán los que se reunieren en lugares u horas distintas a las señaladas en esta ley.

Artículo 146.- El miembro de mesas y colegios escrutadores y el delegado de la junta electoral que no cumpliere con sus obligaciones de recibir y devolver útiles electorales, sobres, actas o registros en los plazos que establece la ley o lo hiciere posteriormente, sufrirá la pena de reclusión menor en su grado mínimo.

El que perdiere alguna de las especies señaladas en el inciso anterior sufrirá la pena de reclusión menor en sus grados mínimo a máximo.

Artículo 147.- Será sancionado con la pena de reclusión menor en sus grados mínimo a medio, el delegado de la junta electoral que incurriere en alguna de las siguientes conductas:

1) Hacer entrega de los útiles electorales antes de la hora indicada en el inciso primero del artículo 63.

2) No constituir las mesas disponiendo de los voluntarios a los que se refiere el inciso cuarto del artículo 63.

3) Impedir que un apoderado ejerza sus funciones, conforme a lo establecido en esta ley, retirarle las carpetas o credenciales de identificación que se señalan en el artículo 173 o expulsarlo del local de votación.

Artículo 148.- El empleado de empresas de transportes o de correos culpable de la pérdida o destrucción de documentos que le fueren entregados en cumplimiento de las normas de esta ley, sufrirá la pena de reclusión menor en su grado mínimo a máximo. Igual pena sufrirán las personas que tengan responsabilidad en la entrega de los resultados, señaladas en el artículo 185, que omitan el ingreso de los resultados a los sistemas informáticos, los alteren o los destruyan.

Artículo 149.- Será castigado con presidio menor en su grado medio a presidio mayor en su grado mínimo y multa de una a tres unidades tributarias mensuales:

1) El que votare más de una vez en una misma elección o plebiscito.

2) El que suplantare la persona de un elector o pretendiere llevar su nombre para sustituirlo.

3) El que confeccionare actas de escrutinio de una mesa que no hubiere funcionado.

4) El que falsificare, sustrajere, ocultare o destruyere algún padrón de mesa, acta de escrutinio o cédula electoral.

5) El que se apropiare de una urna que contuviere votos emitidos que aún no se hubieren escrutado.

6) El que suplantare la persona del delegado de la junta electoral o de uno de los miembros de una mesa o colegio.

7) El que tuviere cédulas electorales en circunstancias que no sean las previstas por la ley.

8) El que impidiere a cualquier elector ejercer su derecho a sufragar por medios violentos, amenazas o privándolo de su cédula nacional de identidad, pasaporte o cédula de identidad para extranjeros.

9) El que sea sorprendido presionando a un elector con discapacidad, o a la persona que le sirve como asistente.

Artículo 150.- El que en cualquier elección popular, primaria o definitiva, solicitare votos por paga, dádiva o promesa de dinero u otra recompensa o cohechare en cualquier forma a un elector, sufrirá la pena de presidio menor en su grado medio, multa de 10 a 50 unidades tributarias mensuales y la inhabilitación absoluta y perpetua para el desempeño de cargos y oficios públicos.

El que en cualquier elección popular, primaria o definitiva, vendiere su voto o sufragare por dinero u otra dádiva, sufrirá la pena de reclusión menor en su grado mínimo y multa de 1 a 3 unidades tributarias mensuales. Se presumirá que ha incurrido en esta conducta el elector que, en el acto de sufragar, sea sorprendido empleando cualquier procedimiento o medio encaminado a dejar constancia de la preferencia que pueda señalar o haya señalado en la cédula.

En cualquier elección popular, primaria o definitiva, se presumirá, además, que incurre en alguna de estas conductas el que, después de entregada la cédula, acompañare a un elector hasta la mesa, salvo que se trate de discapacitados que hubieren optado por ser asistidos en el acto de votar, con excepción de los casos de delito flagrante.

Artículo 151.- El delegado de la junta electoral o el miembro de una mesa receptora de Sufragios o de un colegio escrutador que no concurriere a sus funciones sufrirá la pena de multa a beneficio municipal de dos a ocho unidades tributarias mensuales, salvo que teniendo una excusa válida de las señaladas en el artículo 49, no hubiese podido presentarla oportunamente.

Artículo 152.- Quienes perciban maliciosamente los bonos a que se refieren los artículos 53 y 94, sufrirán la pena de presidio menor en su grado medio a presidio mayor en su grado mínimo, sin perjuicio del reintegro de las sumas percibidas indebidamente.

Artículo 153.- El que otorgare o utilizare certificado falso para acreditar impedimentos para el desempeño de la función de vocal de mesa o para eludir el cumplimiento de cualquier función contemplada en esta ley, sufrirá la pena de reclusión menor en su grado mínimo a medio.

Artículo 154.- El jefe de las fuerzas que requerido por el presidente de la junta electoral, el delegado de ésta o por el presidente de la mesa receptora de Sufragios o del colegio escrutador, no prestare la debida cooperación, o interviniese para dejar sin efecto las disposiciones de las autoridades electorales, será penado en los términos que establece el artículo 142.

Artículo 155.- Toda infracción o falta de cumplimiento a las disposiciones de esta ley, que no tenga una pena especial, se sancionará con multa de cinco a cincuenta unidades tributarias mensuales.

PÁRRAFO 2°
DE LOS PROCEDIMIENTOS JUDICIALES

Artículo 156.- Las faltas, delitos y crímenes penados en esta ley producen acción pública, sin que el querellante esté obligado a rendir fianza ni caución alguna.

En las querellas contra los jueces no será necesaria la declaración previa de admisibilidad que previene el artículo 328 del Código Orgánico de Tribunales, ni se esperará a que termine la causa en que se supone producido el agravio, como lo dispone el artículo 329 del mismo Código.

Artículo 157.- El conocimiento de las infracciones sancionadas en los artículos 151 y 152, corresponderá al juez de Policía Local de la comuna donde se cometieron tales infracciones, de acuerdo con el procedimiento establecido en la ley N° 18.287, y siempre que éste fuere abogado. En caso contrario deberá ocurrirse al juez de Policía Local abogado de la comuna más cercana.

Sin perjuicio de lo anterior, el conocimiento de las infracciones sancionadas en los artículos 136, 137, 138, y 139, y en general la fiscalización de lo dispuesto en el párrafo 6° del título I corresponderá al Servicio Electoral, de conformidad a su ley orgánica.

Artículo 158.- En materia electoral solamente se reconocen los fueros establecidos por la Constitución Política.

Artículo 159.- Sólo procederá el indulto general o la amnistía en favor de los condenados o imputados en virtud de esta ley.

Artículo 160.- Dentro de los treinta días siguientes a una elección o plebiscito, los presidentes de las juntas electorales deberán formular denuncia en contra de los delegados de la misma, de los miembros de los colegios escrutadores y de los vocales de mesas receptoras de sufragios que no hubieren concurrido a desempeñar sus funciones.

Asimismo, deberán denunciar a los miembros de mesas receptoras y colegios escrutadores que incurrieren en las infracciones que se sancionan en los artículos 145, 146 y 151.

Artículo 161.- Los presidentes de mesas receptoras y de colegios escrutadores, en su caso, deberán denunciar de inmediato a quienes incurrieren en las conductas que sancionan los artículos 149 y 150 de esta ley.

Artículo 162.- Terminado el proceso de calificación de una elección o plebiscito, el Director del Servicio Electoral denunciará, ante los jueces de Policía Local de la comuna correspondiente a la respectiva circunscripción electoral, a los miembros de las juntas electorales, mesas receptoras, colegios escrutadores y delegados de las primeras que hubieren incurrido en omisiones en el cumplimiento de las funciones que establece esta ley.

Artículo 163.- El plazo de prescripción para las faltas, infracciones o delitos establecidos en esta ley, incluidos los delitos conexos a ellos, será de un año contado desde la fecha de la elección correspondiente.

Título VIII
DE LA INDEPENDENCIA E INVIOLABILIDAD
Y DE LAS SEDES Y APODERADOS

Párrafo 1°
De la Independencia e Inviolabilidad

Artículo 164.- Las juntas electorales, las mesas receptoras y los colegios escrutadores obrarán con entera independencia de cualquiera otra autoridad; sus miembros son inviolables y no obedecerán órdenes que les impidan ejercer sus funciones. Sin embargo, estarán sujetos a la fiscalización del Servicio Electoral, para lo cual deberán ceñirse, en el cumplimiento de sus funciones, a las instrucciones sobre procedimiento que dicho servicio imparta.

Artículo 165.- Ninguna autoridad o empleador podrá exigir servicio o trabajo alguno que impida votar a los electores.

En aquellas actividades que deban necesariamente realizarse el día en que se celebrare una elección o plebiscito, los trabajadores podrán ausentarse durante dos horas, a fin de que puedan sufragar, sin descuento de sus remuneraciones.

Artículo 166.- Los empleadores deberán conceder los permisos necesarios, sin descuento de remuneraciones, a los trabajadores que sean designados vocales de mesas receptoras de sufragios, miembros de colegios escrutadores o delegado de la junta electoral.

Párrafo 2°
De las Sedes y de los Apoderados

Artículo 167.- Los partidos políticos y los candidatos independientes, en su caso, declararán la ubicación de las sedes ante la respectiva junta electoral, a lo menos con quince días de anticipación al de la elección o plebiscito.

La declaración formulada para una elección presidencial será válida para la que se celebre posteriormente, si se produjere la situación a que se refiere el inciso segundo del artículo 26 de la Constitución Política.

Las sedes deberán situarse a una distancia no inferior a doscientos metros de los locales en que funcionaren mesas receptoras de sufragios.

El presidente de la junta electoral deberá comunicar a los respectivos jefes de las fuerzas, las ubicaciones de las sedes declaradas, dentro de segundo día de expirado el plazo a que se refiere el inciso primero.

Artículo 168.- Las sedes oficiales de los partidos políticos y de los candidatos, en su caso, podrán funcionar aun en el día de la elección, especialmente para efectos de atender, preparar y distribuir a los apoderados y entregarles sus materiales y recibir copias de las actas de escrutinios. También podrán seguir los escrutinios conforme al artículo 185, sin que les sea permitido realizar propaganda electoral o política, atender electores o realizar reuniones de carácter político antes del cierre de las mesas de votación.

Artículo 169.- Los candidatos a Presidente de la República, los partidos que participen en una elección y los candidatos independientes, podrán designar un apoderado con derecho a voz, pero sin voto, para que asista a las actuaciones que establece esta ley de las respectivas juntas electorales, mesas receptoras de sufragios, colegios escrutadores, oficinas electorales que funcionen en los locales de votación, Tribunales Electorales Regionales y Tribunal Calificador de Elecciones. El mismo derecho tendrán los partidos políticos y los parlamentarios independientes en los plebiscitos nacionales. Tratándose de plebiscitos comunales, este derecho sólo corresponderá a las organizaciones comunitarias y actividades relevantes de la respectiva comuna o agrupación de comunas.

Podrá designarse también un apoderado general titular y uno suplente por cada recinto o local de votación en que funcionaren mesas receptoras de sufragios, para la atención de los apoderados de Mesas.

Servirá de título suficiente para los apoderados generales de local, titular o suplente, así como para los apoderados ante las juntas electorales, colegios escrutadores, Tribunales Electorales y Tribunal Calificador de Elecciones, el nombramiento mediante un poder autorizado ante notario que se les otorgue por los encargados electorales a que se refiere el artículo 10. En el caso de los apoderados de mesa y los apoderados ante la oficina electoral del local de votación, servirá de título suficiente un poder simple otorgado por un apoderado general, sea titular o suplente, que esté presente en el local de votación.

En el caso de las votaciones que se realicen en el extranjero, en conformidad a lo dispuesto en el título XIII, servirá de título suficiente para los apoderados generales de local, titular o suplente y para los apoderados ante las juntas electorales, un poder simple otorgado por los encargados electorales a que se refiere el artículo 10. Asimismo, servirá de título suficiente para los apoderados de mesa y los apoderados ante la oficina electoral del local de votación, un poder simple otorgado por un apoderado general, sea titular o suplente, que se encuentre presente en el local de votación.

En el nombramiento deberán indicarse los nombres y apellidos y la cédula nacional de identidad del apoderado, el candidato o partido que representa, y la junta, mesa, local, colegio, oficina electoral o tribunal ante el cual se acredita. La omisión de cualquiera de esos antecedentes invalidará el nombramiento.

En los plebiscitos, los nombramientos de apoderados que corresponden a los encargados electorales del artículo 10, serán efectuados por el presidente y el secretario del órgano intermedio colegiado regional del partido o por el parlamentario independiente, en su caso.

Artículo 170.- Los apoderados en los plebiscitos comunales serán designados por sorteo en representación de las diversas posiciones, por las organizaciones comunitarias de carácter territorial y funcional inscritas en el registro a que se refiere el artículo 8 de la ley N° 18.893, y de las actividades relevantes de cada comuna, que se encuentren inscritas en el registro respectivo de cada municipalidad, a que hace referencia el artículo 63 de la ley N° 18.695. Sólo se admitirá en cada mesa un apoderado por cada posición.

Las organizaciones a que hace referencia el inciso anterior podrán realizar la propaganda de acuerdo a lo establecido en la presente ley.

Artículo 171.- Para ser designado apoderado se requiere ser ciudadano con derecho a sufragio y no haber sido condenado por delitos sancionados por esta ley o por cualquiera de las leyes que regulan el sistema electoral público. Esta última condición se presumirá siempre existente mientras no se pruebe lo contrario ante el presidente de la respectiva junta, mesa o colegio.

Con todo, no podrán ser designados apoderados los ministros de Estado, subsecretarios, delegados presidenciales regionales, delegados presidenciales provinciales, gobernadores regionales, consejeros regionales y alcaldes, los magistrados de los tribunales superiores de justicia, los jueces que forman parte del Poder Judicial y los de Policía Local, los jefes superiores de servicio y secretarios regionales ministeriales, el Contralor General de la República ni los miembros de las Fuerzas Armadas y de Orden y Seguridad Pública en servicio activo. Tampoco podrán serlo los no videntes y los analfabetos.

Artículo 172.- Si dos o más ciudadanos exhibieren simultáneamente una designación de apoderado ante una misma junta, local de votación, colegio o tribunal, se estimará válida la que tuviere fecha posterior. Si tuvieren la misma fecha, se preferirá a aquel de más edad. En el caso de apoderados de mesa o ante las oficinas electorales se estará a lo que resuelva el apoderado general de local.

Artículo 173.- Los apoderados generales de local, de mesa y ante la oficina electoral del local, se identificarán con una credencial durante el día de la elección o plebiscito, que señale al candidato o partido que representan y que deberán portar a la vista, en el pecho. Podrán también contar con una carpeta para guardar su material de trabajo. El contenido, tamaño y formato de la credencial y carpeta serán regulados por resolución del Consejo del Servicio Electoral.

Los encargados electorales mencionados en el artículo 10 deberán someter ante el Servicio Electoral el formato de las carpetas y credenciales que usarán sus apoderados, dentro de los cuarenta y cinco días anteriores a la elección, para que sea aprobado o rechazado por el Servicio en un plazo no superior a los cinco días de presentado.

Los apoderados tendrán derecho a instalarse en los locales de votación o al lado de los miembros de las mesas receptoras, en las juntas electorales, colegios escrutadores, oficinas electorales o tribunales electorales, observar los procedimientos, formular las objeciones que estimaren convenientes y, cuando corresponda, exigir que se deje constancia de ellas en las actas respectivas, verificar u objetar la identidad de los electores y, en general, tendrán derecho a todo lo que conduzca al buen desempeño de sus mandatos.

La junta, mesa o colegio, deberá hacer constar en acta los hechos cuya anotación pida cualquier apoderado y no podrá denegar el testimonio por motivo alguno.

Artículo 174.- Se entenderá que la designación de apoderados para una elección de Presidente de la República es válida para aquella que deba realizarse posteriormente, si se produjere la situación a que se refiere el inciso segundo del artículo 26 de la Constitución.

Título IX
DE LOS EFECTOS ELECTORALES, DE LAS PUBLICACIONES Y EXENCIONES DE DERECHOS E IMPUESTOS

Párrafo 1º
De los Efectos Electorales

Artículo 175.- Los efectos electorales no susceptibles de ser usados en elecciones y plebiscitos posteriores, serán inutilizados a fin de que el

Director del Servicio Electoral pueda enajenarlos, en propuesta pública, noventa días después de finalizado el respectivo proceso calificatorio.

Con tal objeto, el Tribunal Calificador de Elecciones, junto con comunicar el término del proceso, procederá a enviar a dicho funcionario las actas y cédulas que hubiere requerido, con excepción de aquellas que ordenare expresamente conservar.

Los dineros resultantes de la enajenación ingresarán, con el carácter de fondos propios, al presupuesto del Servicio Electoral.

Artículo 176.- Las municipalidades deberán retirar de los locales de votación inmediatamente después de terminados los comicios, las mesas, urnas y cámaras secretas utilizadas, las que conservarán, por lo menos, hasta que el Tribunal haya terminado el proceso calificatorio.

PÁRRAFO 2°
DE LAS PUBLICACIONES Y DE LAS EXENCIONES DE DERECHOS E IMPUESTOS

Artículo 177.- Las publicaciones que deban hacerse en el Diario Oficial se efectuarán el día 1 o 15 del mes que corresponda, salvo que fuere festivo, en cuyo caso se harán en el primer día hábil inmediatamente siguiente, o cuando la ley expresamente disponga una oportunidad distinta.

Las publicaciones que se ordene hacer en diarios o periódicos, se harán en uno de los de mayor circulación en la localidad respectiva que determine la junta electoral o el Servicio Electoral, en su caso, y si no lo hubiere, en uno de la capital de la provincia o de la región.

El diario o periódico tendrá la obligación de hacer las publicaciones dentro de los plazos establecidos. Por cada día de retardo incurrirá en una multa de diez unidades tributarias mensuales.

Artículo 178.- Las publicaciones e impresiones ordenadas por esta ley, así como los gastos necesarios para el traslado de los útiles electorales serán de cargo del Servicio Electoral.

Estas cuentas deberán ser presentadas directamente a la oficina del Director del Servicio Electoral o a través de la junta electoral respectiva, dentro del término de dos meses, contado desde la elección o plebiscito correspondiente. Vencido ese plazo sin que se hubiere presentado, la deuda prescribirá.

Artículo 179.- Estarán exentas del pago de todo impuesto las actas, declaraciones, certificados, poderes, copias, correspondencia, procesos judiciales y cualquier documento o actuaciones prescritos en esta ley.

Los conservadores, notarios y demás auxiliares de la administración de justicia así como los oficiales del Registro Civil, deberán cumplir gratuitamente con las obligaciones que esta ley prescribe.

Título X
DISPOSICIONES GENERALES

Artículo 180.- El día que se fije para la realización de las elecciones y plebiscitos será feriado legal.

Los plebiscitos comunales se efectuarán en día domingo.

Artículo 181.- El decreto por el cual se convoque a plebiscito nacional incluirá el proyecto de reforma constitucional que hubiere sido rechazado totalmente por el Presidente de la República e insistido por las Cámaras, con arreglo al inciso segundo del artículo 128 de la Constitución Política, o señalará las cuestiones en desacuerdo, en el caso del inciso cuarto del mismo artículo citado, o incluirá el proyecto de reforma ratificado por ambas ramas del nuevo Congreso, en virtud del inciso segundo del artículo 129 de la Constitución Política y respecto del cual el Presidente de la República estuviere en desacuerdo.

Artículo 182.- En los plebiscitos el Tribunal Calificador de Elecciones proclamará aprobadas las proposiciones que hayan obtenido el mayor número de votos. Para estos efectos, los votos en blanco y nulos se considerarán como no emitidos.

El acuerdo de proclamación del plebiscito será comunicado al Presidente de la República.

En los casos de los plebiscitos comunales, el acuerdo será comunicado al alcalde respectivo.

Artículo 183.- Las elecciones de diputados y senadores se harán conjuntamente pero en cédulas separadas, el tercer domingo de noviembre del año anterior a aquel en que deban renovarse la Cámara de diputados y el senado.

Artículo 184.- El Director del Servicio Electoral deberá entregar a los partidos políticos y a los candidatos independientes, dentro de los treinta días contados desde la fecha del término de la calificación de una elección o plebiscito, el resultado completo de la elección, en medios magnéticos o digitales no encriptados. Deberán detallarse a nivel de mesa receptora de sufragios, como a niveles agregados, de colegio escrutador, de comuna, circunscripción electoral, provincia, región y país, como también de distrito y circunscripción senatorial.

Al efecto, el Tribunal Calificador de Elecciones pondrá los referidos resultados a disposición del Director, dentro de los diez días siguientes al término de la calificación.

Artículo 185.- Con objeto de mantener informada a la opinión pública del desarrollo de toda elección o plebiscito, el Servicio Electoral emitirá boletines y desplegará información en su sitio web, respecto de la instalación de las mesas de votación y sobre los resultados que se vayan produciendo, a medida que las mesas culminen su proceso de escrutinio, los que tendrán el carácter de preliminares.

Para estos efectos, el Servicio Electoral, en cada local de votación, acreditará una persona, y a sus ayudantes técnicos, en la oficina electoral de dichos locales, que será responsable de recepcionar las copias del acta de las mesas señalada en el inciso sexto del artículo 78, e incorporar los resultados al sistema computacional en los términos señalados en el artículo 83. En la misma oficina, y con no más de siete días de anticipación a una elección o plebiscito, se podrán instalar las líneas telefónicas y aquellas necesarias para las comunicaciones que se utilizarán el día de dicha elección o plebiscito.

Para el adecuado desempeño de las personas señaladas en el inciso anterior, las municipalidades deberán habilitar una instalación eléctrica en la oficina electoral del local de votación.

Los partidos políticos que participan en la elección o plebiscito, los candidatos independientes en su caso, los medios de comunicación y el público en general, podrán acceder al sitio web que el Servicio Electoral disponga, a objeto de conocer los resultados de la elección, a medida que se vayan ingresando al sistema computacional conforme al artículo 83.

Los resultados deberán estar desplegados de la siguiente forma:

a) A nivel de cada mesa receptora de sufragios, como a niveles agregados de circunscripción electoral, colegio escrutador, comuna, provincia, región y país, como también de distrito electoral y circunscripción senatorial.

b) Respecto de cada candidato, se informará su número de identificación, su nombre, su partido político o su condición de independiente, el subpacto cuando corresponda y el pacto o lista a que pertenece, los votos obtenidos y el porcentaje que ellos representan.

c) Se deberá informar también totales de votos y porcentajes de votación por cada partido político, subpacto si corresponde y por lista o pacto.

d) Cuando el nivel de agregación sea superior al territorio electoral de los candidatos, se informarán los votos y el porcentaje de votación obtenido por cada partido político, subpacto, si corresponde, y por lista o pacto, como también el número total de candidatos presentados.

e) En todos los niveles de agregación se señalará el número de mesas escrutadas respecto del total de mesas que correspondan al nivel de agregación.

f) Los porcentajes de votación del candidato, partido, subpacto si corresponde y pacto o lista se calcularán sobre el total de votos válidos, excluyendo votos nulos y blancos.

g) A nivel de mesa de votación, la condición de estar sus resultados descuadrados, esto es, que el total de la suma de los votos asignados a cada candidato en las actas, más los blancos y los nulos, no correspondan al número total de votantes que sufragaron en la mesa según se consigne en la misma acta. Por cada nivel de agregación, se deberá informar también la cantidad de mesas que, consideradas en los resultados, se encuentran descuadradas, permitiendo acceder a un detalle con la identificación de ellas.

h) En el último informe de resultados preliminares entregado por el Servicio Electoral, se deberá informar para cada nivel de agregación, un detalle con la identificación de las mesas no escrutadas.

i) A partir del porcentaje escrutado que determine el Servicio Electoral y siempre en el último informe de resultados preliminares entregado por éste, deberán indicarse los candidatos que pueden considerarse estimativamente electos de acuerdo a las reglas establecidas en la ley y el número de ellos en los niveles agregados.

Los partidos políticos, los candidatos independientes que participan en la elección o plebiscito y los medios de comunicación que lo soliciten al Servicio Electoral podrán también acceder a esos mismos resultados en archivos magnéticos o digitales no encriptados para efectuar los procesos que estimen convenientes.

Los partidos políticos y los candidatos independientes que participan en la elección podrán acceder y revisar, en el sitio web del Servicio Electoral, las copias digitalizadas o escaneadas de las actas de escrutinios, incorporadas al sistema computacional en virtud de lo señalado en inciso tercero del artículo 83.

El Presidente del Consejo del Servicio Electoral deberá emitir, en forma pública y solemne, boletines parciales y final con los resultados de la elección o plebiscito. Los resultados que entregue el Servicio Electoral en virtud de este artículo tendrán carácter meramente informativo y no constituirán escrutinio para efecto legal alguno, debiendo señalar esta condición en sus informes o boletines.

Artículo 186.- Los jueces de policía local estarán afectos a los N° s 2° y 3° del artículo 323 del Código Orgánico de Tribunales.

Los conservadores de bienes raíces, los notarios y los archiveros judiciales podrán solicitar el permiso a que se refiere el artículo 478 del Código

Orgánico de Tribunales, para dejar de asistir a sus oficinas durante los días en que deben desempeñar las funciones que esta ley les encomienda, manteniendo su calidad de ministros de fe para el ejercicio de las labores propias de su cargo, las que ejercerán separada e indistintamente con el reemplazante.

Este permiso no será computable para los efectos del plazo que fija el artículo indicado en el inciso precedente.

El abogado que se designe para servir las labores propias del cargo de conservador, notario o archivero judicial no podrá sustituir a éstos en sus funciones electorales.

Con el mismo objeto, los secretarios de juzgados podrán ser subrogados en la forma establecida en el Código Orgánico de Tribunales, sin perder su calidad de tales, para los efectos de desempeñar las funciones electorales que les correspondan.

Título XI
DE LOS DISTRITOS ELECTORALES Y CIRCUNSCRIPCIONES SENATORIALES PARA LAS ELECCIONES DE DIPUTADOS Y SENADORES

Artículo 187.- Para la elección de los miembros de la Cámara de Diputados habrá veintiocho distritos electorales, cada uno de los cuales elegirá el número de diputados que se indica en el artículo siguiente.

Artículo 188.- Los distritos electorales serán los siguientes:

1° distrito, constituido por las comunas de Arica, Camarones, Putre y General Lagos, que elegirá 3 diputados.

2° distrito, constituido por las comunas de Iquique, Alto Hospicio, Huara, Camiña, Colchane, Pica y Pozo Almonte, que elegirá 3 diputados.

3° distrito, constituido por las comunas de Tocopilla, María Elena, Calama, Ollagüe, San Pedro de Atacama, Antofagasta, Mejillones, Sierra Gorda y Taltal, que elegirá 5 diputados.

4° distrito, constituido por las comunas de Chañaral, Diego de Almagro, Copiapó, Caldera, Tierra Amarilla, Vallenar, Freirina, Huasco y Alto del Carmen, que elegirá 5 diputados.

5° distrito, constituido por las comunas de La Serena, La Higuera, Vicuña, Paihuano, Andacollo, Coquimbo, Ovalle, Río Hurtado, Combarbalá, Punitaqui, Monte Patria, Illapel, Salamanca, Los Vilos y Canela, que elegirá 7 diputados.

6° distrito, constituido por las comunas de La Ligua, Petorca, Cabildo, Papudo, Zapallar, Puchuncaví, Quintero, Nogales, Calera, La Cruz, Quillota, Hijuelas, Los Andes, San Esteban, Calle Larga, Rinconada, San Felipe, Putaendo, Santa María, Panquehue, Llaillay, Catemu, Olmué, Limache, Villa Alemana y Quilpué, que elegirá 8 diputados.

7° distrito, constituido por las comunas de Valparaíso, Juan Fernández, Isla de Pascua, Viña del Mar, Concón, San Antonio, Santo Domingo, Cartagena, El Tabo, El Quisco, Algarrobo y Casablanca, que elegirá 8 diputados.

8° distrito, constituido por las comunas de Colina, Lampa, Tiltil, Quilicura, Pudahuel, Estación Central, Cerrillos y Maipú, que elegirá 8 diputados.

9° distrito, constituido por las comunas de Conchalí, Renca, Huechuraba, Cerro Navia, Quinta Normal, Lo Prado, Recoleta e Independencia, que elegirá 7 diputados.

10° distrito, constituido por las comunas de Providencia, Ñuñoa, Santiago, Macul, San Joaquín y La Granja, que elegirá 8 diputados.

11° distrito, constituido por las comunas de Las Condes, Vitacura, Lo Barnechea, La Reina y Peñalolén, que elegirá 6 diputados.

12° distrito, constituido por las comunas de La Florida, Puente Alto, Pirque, San José de Maipo y La Pintana, que elegirá 7 diputados.

13° distrito, constituido por las comunas de El Bosque, La Cisterna, San Ramón, Pedro Aguirre Cerda, San Miguel y Lo Espejo, que elegirá 5 diputados.

14° distrito, constituido por las comunas de San Bernardo, Buin, Paine, Calera de Tango, Talagante, Peñaflor, El Monte, Isla de Maipo, Melipilla, María Pinto, Curacaví, Alhué, San Pedro y Padre Hurtado, que elegirá 6 diputados.

15° distrito, constituido por las comunas de Rancagua, Mostazal, Graneros, Codegua, Machalí, Requínoa, Rengo, Olivar, Doñihue, Coinco, Coltauco, Quinta de Tilcoco y Malloa, que elegirá 5 diputados.

16º distrito, constituido por las comunas de San Fernando, Chimbarongo, San Vicente, Peumo, Pichidegua, Las Cabras, Placilla, Nancagua, Chépica, Santa Cruz, Lolol, Pumanque, Palmilla, Peralillo, Navidad, Litueche, La Estrella, Pichilemu, Marchigüe y Paredones, que elegirá 4 diputados.

17º distrito, constituido por las comunas de Curicó, Teno, Romeral, Molina, Sagrada Familia, Hualañé, Licantén, Vichuquén, Rauco, Talca, Curepto, Constitución, Empedrado, Pencahue, Maule, San Clemente, Pelarco, Río Claro y San Rafael, que elegirá 7 diputados.

18º distrito, constituido por las comunas de Linares, Colbún, San Javier, Villa Alegre, Yerbas Buenas, Longaví, Retiro, Parral, Cauquenes, Pelluhue y Chanco, que elegirá 4 diputados.

19º distrito, constituido por las comunas de Chillán, Coihueco, Pinto, San Ignacio, El Carmen, Pemuco, Yungay, Chillán Viejo, San Fabián, Ñiquén, San Carlos, San Nicolás, Ninhue, Quirihue, Cobquecura, Treguaco, Portezuelo, Coelemu, Ránquil, Quillón y Bulnes, que elegirá 5 diputados.

20º distrito, constituido por las comunas de Talcahuano, Hualpén, Concepción, San Pedro de la Paz, Chiguayante, Tomé, Penco, Florida, Hualqui, Coronel y Santa Juana, que elegirá 8 diputados.

21º distrito, constituido por las comunas de Lota, Lebu, Arauco, Curanilahue, Los Álamos, Cañete, Contulmo, Tirúa, Los Ángeles, Tucapel, Antuco, Quilleco, Alto Biobío, Santa Bárbara, Quilaco, Mulchén, Negrete, Nacimiento, San Rosendo, Laja, Cabrero y Yumbel, que elegirá 5 diputados.

22º distrito, constituido por las comunas de Angol, Renaico, Collipulli, Ercilla, Los Sauces, Purén, Lumaco, Traiguén, Victoria, Curacautín, Lonquimay, Melipeuco, Vilcún, Lautaro, Perquenco y Galvarino, que elegirá 4 diputados.

23º distrito, constituido por las comunas de Temuco, Padre Las Casas, Carahue, Nueva Imperial, Saavedra, Cholchol, Teodoro Schmidt, Freire, Pitrufquén, Cunco, Pucón, Curarrehue, Villarrica, Loncoche, Gorbea y Toltén, que elegirá 7 diputados.

24º distrito, constituido por las comunas de Valdivia, Lanco, Mariquina, Máfil, Corral, Panguipulli, Los Lagos, Futrono, Lago Ranco, Río Bueno, La Unión y Paillaco, que elegirá 5 diputados.

25° distrito, constituido por las comunas de Osorno, San Juan de la Costa, San Pablo, Puyehue, Río Negro, Purranque, Puerto Octay, Fresia, Frutillar, Llanquihue, Puerto Varas y Los Muermos, que elegirá 4 diputados.

26° distrito, constituido por las comunas de Puerto Montt, Cochamó, Maullín, Calbuco, Castro, Ancud, Quemchi, Dalcahue, Curaco de Vélez, Quinchao, Puqueldón, Chonchi, Queilén, Quellón, Chaitén, Hualaihué, Futaleufú y Palena, que elegirá 5 diputados.

27° distrito, constituido por las comunas de Coihaique, Lago Verde, Aisén, Cisnes, Guaitecas, Chile Chico, Río Ibáñez, Cochrane, O'Higgins y Tortel, que elegirá 3 diputados.

28° distrito, constituido por las comunas de Natales, Torres del Paine, Punta Arenas, Río Verde, Laguna Blanca, San Gregorio, Porvenir, Primavera, Timaukel, Cabo de Hornos y Antártica, que elegirá 3 diputados.

El número de diputados que se elegirá por distrito se actualizará en los plazos y en la forma que prescribe el artículo 189.

Artículo 189.- Corresponderá al Consejo Directivo del Servicio Electoral actualizar, cada diez años, la asignación de los 155 escaños de diputados entre los 28 distritos establecidos en el artículo anterior, de acuerdo con el siguiente procedimiento:

a) Los 155 escaños se distribuirán proporcionalmente entre los 28 distritos en consideración a la población de cada uno de ellos, en base a los datos proporcionados por el último censo oficial de la población realizado por el Instituto Nacional de Estadísticas. Dicha proporcionalidad consistirá en distribuir a prorrata los cargos entre los distritos electorales, de acuerdo a la fórmula dispuesta en el artículo 121 de esta ley.

b) No obstante lo anterior, ningún distrito podrá elegir menos de 3 ni más de 8 diputados. En el caso que, en virtud del cálculo dispuesto en la letra a), uno o más distritos superen dicho límite, los cargos excedentes volverán a distribuirse en forma proporcional a la población entre los distritos que no hubieren alcanzado el tope.

c) Para los efectos de proceder a la actualización indicada, el Consejo Directivo del Servicio Electoral se constituirá especialmente el tercer día hábil del mes de abril del año subsiguiente al de la realización del último censo oficial. En caso que el año de esta actualización coincidiera con aquel en que se celebran elecciones de diputados, el Consejo Directivo del Servicio Electoral se constituirá especialmente el tercer día hábil del mes de abril del año inmediatamente anterior a dicha elección.

d) El Consejo Directivo del Servicio Electoral tendrá un plazo de diez días para decidir la nueva distribución de escaños. Adoptado el acuerdo, éste se publicará en el Diario Oficial y se notificará a la Cámara de diputados, todo ello dentro de las cuarenta y ocho horas siguientes.

Dentro de los cinco días siguientes a la publicación señalada, cualquier ciudadano podrá recurrir ante el Tribunal Calificador de Elecciones objetando la forma en que el Consejo Directivo del Servicio Electoral aplicó las letras a) y b) de este artículo.

Requerido, el Tribunal dispondrá de diez días para resolver si confirma o modifica el acuerdo del Consejo Directivo del Servicio Electoral. Contra esta decisión no procederá recurso alguno.

En cualquier caso, con o sin recurso, la determinación definitiva de la asignación de escaños deberá publicarse en el Diario Oficial en los primeros diez días del mes de febrero del año de que se trate.

Artículo 190.- El Senado se compone de 50 miembros.

Para la elección de los senadores, cada región constituirá una circunscripción senatorial.

Cada circunscripción elegirá el número de senadores que se indica a continuación:

1º circunscripción, constituida por la XV región de Arica y Parinacota, 2 senadores.

2º circunscripción, constituida por la I región de Tarapacá, 2 senadores.

3º circunscripción, constituida por la II región de Antofagasta, 3 senadores.

4º circunscripción, constituida por la III región de Atacama, 2 senadores.

5º circunscripción, constituida por la IV región de Coquimbo, 3 senadores.

6º circunscripción, constituida por la V región de Valparaíso, 5 senadores.

7º circunscripción, constituida por la región Metropolitana de Santiago, 5 senadores.

8º circunscripción, constituida por la VI región de O'Higgins, 3 senadores.

9º circunscripción, constituida por la VII región del Maule, 5 senadores.

10º circunscripción, constituida por la VIII región del Bío Bío, 3 senadores.

11º circunscripción, constituida por la IX región de La Araucanía, 5 senadores.

12º circunscripción, constituida por la XIV región de Los Ríos, 3 senadores.

13º circunscripción, constituida por la X región de Los Lagos, 3 senadores.

14º circunscripción, constituida por la XI región de Aysén del General Carlos Ibáñez del Campo, 2 senadores.

15º circunscripción, constituida por la XII región de Magallanes y de la Antártica Chilena, 2 senadores.

16º circunscripción, constituida por la XVI Región de Ñuble, 2 senadores.

Título XII
De las Juntas Electorales

Artículo 191.- En cada provincia habrá una junta electoral que tendrá las funciones que esta ley y las demás leyes le encomienden.

Artículo 192.- Sin perjuicio de lo dispuesto en el artículo anterior, el Servicio Electoral, por acuerdo de su Consejo, mediante resolución del Director y previo informe de la junta respectiva, podrá crear temporal o permanentemente otras juntas electorales, cuando lo hagan aconsejable circunstancias tales como la cantidad de población, la dificultad de comunicaciones o las distancias entre los diversos centros poblados.

La resolución designará a los integrantes de las nuevas juntas electorales, establecerá su territorio jurisdiccional y la localidad en que tendrán su sede. Dicha resolución se publicará dentro de quinto día en el Diario Oficial y, además, en un periódico de la localidad respectiva. En caso que no lo hubiere, la publicación se realizará en un periódico correspondiente de la capital provincial o regional. Sin perjuicio de lo anterior, podrán difundirse avisos por otros medios de comunicación social, cuando las circunstancias así lo requieran.

Artículo 193.- Las juntas electorales, en las provincias cuya capital sea asiento de Corte de Apelaciones, estarán integradas por el fiscal judicial de esta última, el defensor público de la capital de la provincia y el conservador de bienes raíces de la misma. Actuará de presidente el primero de los nombrados, y de secretario, el último.

En las demás capitales de provincia, las juntas se integrarán con el defensor público, el notario público y el conservador de bienes raíces de ellas. Actuará de presidente el primero de los nombrados, y de secretario, el último.

Si hubiere más de uno de los funcionarios mencionados en los incisos precedentes, integrará la respectiva junta el más antiguo de ellos en la categoría respectiva.

Si no hubiere alguno de los funcionarios que desempeñen los cargos mencionados en los incisos precedentes, las juntas se integrarán con cualquier funcionario auxiliar de la administración de justicia.

Los miembros de las juntas electorales serán permanentes y conservarán ese carácter en tanto desempeñen la función pública requerida para su designación.

Artículo 194.- Las juntas electorales que cree el Servicio Electoral de acuerdo con las normas del artículo 192 de esta ley se integrarán con el defensor público, un notario y un conservador de bienes raíces que tengan competencia en todo o parte del territorio jurisdiccional que se les asigne y, si hubiere más de uno de ellos, por los que tengan su oficio en la localidad en que tendrá su sede la respectiva junta de acuerdo con su antigüedad en la categoría, excluidos los que deban integrar otras juntas de conformidad con los incisos primero y segundo del artículo anterior.

Si no hubiere alguno de los funcionarios que desempeñen los cargos mencionados en el inciso precedente, las juntas se integrarán con cualquier funcionario auxiliar de la administración de justicia.

En estas juntas actuará como presidente el defensor público o, en su defecto, el miembro que designe el Servicio Electoral, y como secretario, el conservador de bienes raíces o, a falta de éste, el archivero judicial o el notario que nomine el Servicio Electoral. La permanencia de sus miembros será la misma indicada en el inciso final del artículo 193.

Artículo 195.- Para los efectos de la designación de los integrantes de las juntas electorales el Servicio Electoral requerirá de la Corte Suprema la nómina de los correspondientes funcionarios y auxiliares de la administración de justicia señalados en los artículos 193 y 194 de esta ley, con jurisdicción en el territorio de competencia de la junta.

Los miembros serán notificados de su designación por el secretario de la Corte de Apelaciones respectiva, a requerimiento del Servicio Electoral. La notificación se hará personalmente o por carta certificada que contendrá copia íntegra de la resolución. Se entenderá practicada esta última notificación al tercer día hábil siguiente de la recepción de la carta por la oficina de correos.

Las juntas electorales se instalarán el quinto día siguiente a la notificación del último de sus miembros, a las quince horas.

Artículo 196.- Si en alguna provincia no se reuniere el número de funcionarios suficientes para integrar una junta electoral, el Servicio Electoral dispondrá, mediante resolución fundada que será publicada en la forma señalada en el artículo 192 de esta ley, que sus funciones sean cumplidas por la junta electoral de la provincia de la misma región que tenga mayores facilidades de comunicación terrestre con aquélla.

Artículo 197.- Las juntas electorales celebrarán sus sesiones en el oficio del Secretario y podrán funcionar válidamente con dos de sus miembros. Si faltare alguno de ellos, será sustituido por la persona a quien corresponda reemplazarlo en sus funciones.

Corresponderá a los presidentes velar por el fiel y oportuno cumplimiento de las funciones que la ley encomienda a las juntas. Podrán convocarlas cuando lo estimen necesario o lo pidan otros miembros. Las juntas se reunirán, además, en las ocasiones que señale la ley o cuando hubiere asuntos que requieran de su conocimiento, situación que los secretarios informarán de inmediato a los presidentes, caso en el cual aquéllos efectuarán las citaciones correspondientes.

Artículo 198.- De todas las actuaciones de la junta se levantarán actas que se estamparán en un libro denominado protocolo electoral. En ellas se indicará la fecha de la sesión, la individualización de los miembros asistentes, las materias tratadas y las resoluciones adoptadas. Estas actas serán firmadas por todos los miembros asistentes.

El protocolo electoral será público y se sujetará a las reglas que rigen los registros notariales. Copia de él deberá remitirse al Servicio Electoral para su publicación en su sitio web.

El protocolo se mantendrá bajo la custodia del secretario de la junta electoral.

TÍTULO XIII
DE LAS VOTACIONES EN EL EXTRANJERO

PÁRRAFO 1º
DISPOSICIONES GENERALES

Artículo 199.- Este título regula el ejercicio del derecho a sufragio de los chilenos que se encuentren en el extranjero y formen parte del padrón de chilenos en el extranjero para las elecciones primarias presidenciales, las elecciones de Presidente de la República y los plebiscitos nacionales.

Artículo 200.- Las disposiciones contenidas en los títulos I, II, III y IV se aplicarán en forma supletoria a las de este título, en todo lo que no lo contravengan.

Artículo 201.- Para los efectos de este título, se entenderá por consulado las oficinas consulares, incluyendo las secciones consulares de una misión diplomática, a cargo de un funcionario de la planta del servicio exterior del Ministerio de Relaciones Exteriores designado para desempeñar funciones consulares.

PÁRRAFO 2°
DE LOS ACTOS PREPARATORIOS EN EL EXTRANJERO

Artículo 202.- La emisión del sufragio en el extranjero se hará mediante cédulas oficiales de acuerdo a lo establecido en el párrafo 5° del título I.

Artículo 203.- El Servicio Electoral y los consulados deberán informar al electorado en el extranjero sobre las características de las cédulas electorales y la forma de ejercer el derecho a sufragio, a través del envío de correos electrónicos informativos, de afiches impresos en las dependencias del consulado, de la página web del Servicio Electoral o mediante cualquier otro medio idóneo a disposición de los electores, con el objetivo de asegurar el correcto e informado ejercicio del derecho a sufragio en el extranjero.

Artículo 204.- Los embajadores, cónsules y todos los funcionarios de las plantas del Servicio Exterior, secretaría y administración general, agregados y de los servicios dependientes del Ministerio de Relaciones Exteriores que presten servicios en el exterior, así como los empleados locales de las embajadas y consulados de Chile no podrán durante el período de campaña electoral realizar, ejecutar o participar en eventos o manifestaciones públicas que tengan por finalidad la promoción o rechazo de alguna nominación, candidatura o posición plebiscitaria, por ningún medio, sea éste escrito, audiovisual, electrónico o a través de imágenes. Lo anterior, salvo la difusión de la información electoral que disponga el Servicio Electoral mediante las instrucciones que imparta.

Las infracciones a este artículo se sancionarán como falta grave al principio de probidad administrativa y serán conocidas y resueltas por la Contraloría General de la República.

Artículo 205.- Las mesas receptoras de sufragios en el extranjero tienen por finalidad recibir los votos que emitan los electores registrados en el padrón de chilenos en el extranjero, en los procesos electorales y plebiscitarios que se realicen fuera de Chile, y cumplir las demás funciones que señala esta ley.

Cada mesa receptora de sufragios en el extranjero se compondrá de tres vocales elegidos entre los inscritos en el padrón de chilenos en el extranjero y en el respectivo padrón de mesa.

Artículo 206.- Las juntas electorales en el extranjero, a las que se refiere el párrafo 3º de este título, designarán los nombres de los vocales de mesas receptoras de sufragios en el extranjero, según lo dispuesto en los artículos 44 y siguientes, con las salvedades que dispone este artículo. El valor resultante del bono establecido en artículo 53 podrá ser convertido en moneda extranjera, y el procedimiento de pago deberá estar coordinado entre el Ministerio de Relaciones Exteriores y la Tesorería General de la República.

Se formará una lista de nueve nombres, de entre los cuales se escogerán tres que deberán desempeñarse como vocales, conforme al procedimiento establecido en los artículos 46 y 47.

El secretario de la junta electoral enviará la nómina completa de los vocales designados para cada mesa receptora de la respectiva elección, indicando los apellidos y dos primeros nombres de éstos al Servicio Electoral, dentro de las veinticuatro horas siguientes al sorteo. El Servicio Electoral deberá publicar esta nómina en su sitio web, el vigésimo segundo día anterior a la elección o plebiscito. Además, se fijará una copia autorizada de esta nómina en el consulado, a la vista del público. Este mismo procedimiento se aplicará a la publicación a que se refiere el inciso segundo del artículo 51.

Dentro del mismo plazo, el Servicio Electoral deberá comunicar a los vocales su nombramiento, por los medios señalados en el inciso tercero del artículo 6 de la ley N° 18.556. En esta comunicación, el Servicio Electoral deberá señalar la fecha, la hora y el lugar en que la mesa receptora de sufragios funcionará, el nombre de los demás vocales y, si le corresponde, concurrir a la capacitación obligatoria que señala el artículo 55.

Los vocales escogidos para una elección presidencial deberán desempeñar sus funciones en las segundas votaciones que tengan lugar de conformidad a lo dispuesto en el artículo 26 de la Constitución Política de la República. En estos casos no se requerirá de la publicación y comunicación a que se refieren los incisos precedentes, salvo el caso de aquellos vocales que se designen luego de aceptada la excusa o exclusión de otro vocal.

Los vocales podrán excusarse de conformidad al artículo 49 ante la junta electoral respectiva, caso en el cual se deberá proceder conforme al artículo 51.

Artículo 207.- Los locales en los cuales se deberán constituir la o las mesas receptoras de sufragios en el extranjero serán definidos con noventa días de anterioridad al de la elección o plebiscito, por resolución fundada del Servicio Electoral, previo informe de la Dirección General de Asuntos Consulares y de Inmigración del Ministerio de Relaciones Exteriores.

Dicho informe deberá ser entregado al Servicio Electoral al menos ciento veinte días antes de la elección o plebiscito. Deberá contener, como mínimo, el número e individualización de los consulados aptos para ser lugares de votación, con indicación de la infraestructura y personal con que cuenta cada uno de ellos; las zonas geográficas en que se encuentren las mayores concentraciones de población de chilenos en el extranjero, según sus registros, desagregadas por país, consulado y ciudad, y las particularidades de la legislación local que puedan incidir en el proceso eleccionario.

Los lugares de votación deberán estar ubicados preferentemente en los mismos consulados y reunir condiciones de fácil acceso.

Habrá a lo menos un lugar de votación por cada consulado. Por razones fundadas y tomando en consideración el informe al que se refiere el inciso primero, el Servicio Electoral podrá disponer más de un lugar de votación por cada consulado.

El Servicio Electoral publicará en su sitio web la nómina de los locales de votación en el extranjero, el vigésimo segundo día anterior a la elección o plebiscito. Asimismo, al menos con cincuenta días de anticipación a la fecha de la elección o plebiscito, comunicará al cónsul respectivo la lista de locales designados dentro de su territorio jurisdiccional, a objeto de que procure la debida instalación de cada mesa.

Artículo 208.- Una oficina electoral dependiente de la correspondiente junta electoral iniciará sus funciones en el respectivo territorio el día y en el horario que el Consejo Directivo del Servicio Electoral determine mediante resolución. Esta oficina estará a cargo de un delegado de la junta electoral, quien obrará para todo el territorio de la circunscripción electoral que le corresponda.

Los días y horas de funcionamiento de las oficinas electorales en el extranjero serán determinados por resolución del Consejo Directivo del Servicio Electoral.

El día de la votación la oficina electoral funcionará en cada local de votación. Al delegado de la junta electoral, sin perjuicio de las demás tareas que señala esta ley, le corresponderá:

1) Informar a los electores la mesa en que deberán emitir su sufragio. Para ello deberá contar con medios expeditos que le permitan la atención de los electores de toda la circunscripción electoral, especialmente en lo relacionado con su local de votación, su mesa receptora o su condición de encontrarse inhabilitado para votar, indicando la causal.

2) Velar por la debida constitución de las mesas receptoras y, cuando corresponda, designar a los reemplazantes de los vocales que no hubieren concurrido.

3) Entregar a los comisarios de mesa los útiles electorales.

4) Recibir, una vez terminada la votación, los útiles electorales empleados en las mesas.

La instalación de las mesas receptoras en los locales designados en el extranjero será responsabilidad de los delegados de la junta electoral respectivos, debiendo proveer las mesas, sillas y cámaras secretas necesarias para el desarrollo de las votaciones.

Artículo 209.- Al menos veinte días antes de cada elección o plebiscito, el Servicio Electoral pondrá a disposición de los consulados respectivos, a través de la Dirección General de Asuntos Consulares y de Inmigración del Ministerio de Relaciones Exteriores, los útiles destinados a cada una de las mesas receptoras de sufragios del respectivo país. Los consulados custodiarán y trasladarán tales útiles.

Párrafo 3°
Juntas Electorales en el Extranjero

Artículo 210.- En cada país en que exista un consulado habrá al menos una junta electoral que tendrá las funciones que las leyes le encomienden.

Artículo 211.- Las juntas electorales en el extranjero ejercerán sus funciones en el territorio del Estado en que tenga su sede el respectivo consulado.

Sin perjuicio de lo anterior, el Consejo Directivo del Servicio Electoral, mediante resolución fundada y previo informe de la Dirección General de Asuntos Consulares y de Inmigración del Ministerio de Relaciones Exteriores, podrá disponer que se constituya más de una junta electoral dentro de la sede del respectivo consulado o que una junta electoral extienda sus funciones a uno o más Estados contiguos o cercanos a aquél en que tenga su sede dicho consulado, cuando ellos no cuenten con representación consular chilena.

Artículo 212.- Cada junta electoral en el extranjero será presidida por el cónsul e integrada, además, por otro funcionario del Servicio Exterior o, en caso de no haberlo, por un funcionario de las plantas de secretaría y administración general del Ministerio de Relaciones Exteriores o, en su defecto, por un empleado chileno del consulado, designado por el presidente de la junta, en el que recaerá la función de secretario. En caso que alguno de ellos presente imposibilidad para integrar la junta, será sustituido por la persona chilena que lo reemplace en sus funciones, o por quien, para estos efectos, designe el Servicio Electoral.

Si hubiere más de una junta electoral en el territorio del respectivo consulado, las otras juntas electorales serán presididas por otro funcionario del servicio exterior o, en caso de no haberlo, por un funcionario de las plantas de secretaría y administración general del Ministerio de Relaciones Exteriores o, en su defecto, por un empleado chileno del consulado designado por el Servicio Electoral, previo informe de la Dirección General de Asuntos Consulares y de Inmigración del Ministerio de Relaciones Exteriores.

De cualquier cambio en la integración de los miembros de la junta se dejará constancia en un acta firmada por todos ellos.

Las juntas electorales en el extranjero celebrarán sus sesiones en la sede de los respectivos consulados, y sus miembros estarán obligados a asistir, de conformidad a la ley.

Para los efectos del cumplimiento de sus funciones como miembros de las juntas electorales, los funcionarios de los consulados estarán sujetos a las instrucciones impartidas por el Servicio Electoral. El Servicio Electoral, en coordinación con el Ministerio de Relaciones Exteriores, deberá establecer un plan de capacitación para todos los funcionarios del Ministerio que cumplan funciones electorales en este proceso, para lo cual utilizará preferentemente las plataformas web de ambos servicios.

Artículo 213.- Toda comunicación oficial y todo envío de materiales, cualquiera sea su naturaleza, entre el Servicio Electoral y las juntas electorales en el extranjero, se realizará a través de la Dirección General de Asuntos Consulares y de Inmigración del Ministerio de Relaciones Exteriores.

PÁRRAFO 4°
EL ACTO ELECTORAL EN EL EXTRANJERO

Artículo 214.- Las votaciones en el extranjero se efectuarán el mismo día fijado para la elección o plebiscito en territorio nacional y dentro de los horarios que para cada país y ciudad establezca el Consejo Directivo del Servicio Electoral, previo informe de la Dirección General de Asuntos Consulares y de Inmigración del Ministerio de Relaciones Exteriores. El funcionamiento de las mesas receptoras de sufragios en el extranjero se regirá por las normas señaladas en este título, aplicándose supletoriamente, y en todo lo que no sea contrario a éste, lo dispuesto en los párrafos 1° y 2° del título II de esta ley.

Artículo 215.- Si a juicio de la mesa existe disconformidad notoria y manifiesta entre las indicaciones del padrón de mesa y la identidad del elector, recabará la intervención del delegado electoral, quien dirimirá el asunto.

PÁRRAFO 5°
EL ESCRUTINIO LOCAL EN EL EXTRANJERO

Artículo 216.- El escrutinio de los votos emitidos en el extranjero se realizará conforme con lo señalado en el párrafo 3° del título II, con las salvedades establecidas en este artículo.

El escrutinio por mesa en el extranjero deberá iniciarse una vez cerrada la votación, en el mismo lugar en que la mesa haya funcionado.

Concluido el escrutinio por mesas, el secretario, el comisario y el presidente de la mesa receptora de sufragios remitirán los sobres, a los que se refieren los incisos quinto, sexto y séptimo del artículo 78, que contienen los ejemplares del acta, al delegado de la junta electoral, quien deberá enviarlos inmediatamente al cónsul. Éste los hará llegar en forma separada al Presidente del Tribunal Calificador de Elecciones, al colegio escrutador especial correspondiente y al Servicio Electoral, en el más breve plazo, desde el cierre del acta o de la última de ellas si hubiese más de una.

El Servicio Electoral, con el objeto de mantener informada a la opinión pública del desarrollo de la elección o plebiscito en el extranjero, emitirá boletines y desplegará información en su sitio web sobre la instalación de las mesas receptoras de sufragios en el extranjero. En relación a los resultados preliminares del escrutinio señalado en el artículo 185, el Servicio Electoral sólo podrá difundirlos a partir de las dieciocho horas del día en que se celebre la elección en territorio nacional, de acuerdo al huso horario que rija en Chile.

El cónsul, el mismo día de la elección, deberá informar al Director del Servicio Electoral, mediante comunicación telefónica, fax o correo electrónico, los resultados del escrutinio de cada una de las mesas receptoras de sufragios, adjuntando, por cualquiera de estos medios, una copia electrónica de las actas.

Sin perjuicio de lo anterior, los cónsules deberán confeccionar tres valijas diplomáticas especiales. Una contendrá las actas dirigidas al Presidente del Tribunal Calificador de Elecciones; otra, las actas dirigidas al Servicio Electoral, y la última, las actas dirigidas al colegio escrutador especial respectivo, debiendo adoptar los resguardos necesarios para que su despacho se efectúe por vías separadas. Las valijas serán remitidas a la Dirección General de Asuntos Consulares e Inmigración del Ministerio de Relaciones Exteriores dentro de las cuarenta y ocho horas siguientes a la última recepción. Esta Dirección las remitirá de inmediato al Presidente del Tribunal Calificador de Elecciones, a los colegios escrutadores especiales y al Servicio Electoral.

Artículo 217.- Completados todos los escrutinios, llenadas las actas y ensobrados los votos, los delegados de juntas electorales remitirán un paquete al cónsul, con los padrones de mesa que hayan tenido a su cargo, los sobres a que se refiere el artículo 78 y los demás útiles usados en la votación. Cada paquete será sellado y firmado por los vocales de la mesa y deberá registrarse la hora en que esto último se llevó a cabo.

Artículo 218.- Dentro de las veinticuatro horas siguientes a la elección o plebiscito, el cónsul enviará por valija diplomática especial a la

Dirección General de Asuntos Consulares y de Inmigración del Ministerio de Relaciones Exteriores todos los paquetes, sobres y útiles recibidos, la que a su vez los remitirá al Servicio Electoral. El envío se efectuará en paquetes separados por cada mesa receptora, con indicación en su cubierta del consulado a que correspondan y del número de mesa respectivo.

Artículo 219.- Existirá uno o más colegios escrutadores especiales, que tendrán por finalidad reunir las actas de los escrutinios realizados en las mesas receptoras de sufragios en el extranjero, sumar los votos que en ellas se consignen y cumplir las demás funciones que le asigne esta ley. No podrán deliberar ni resolver sobre cuestión alguna relativa a la validez de la votación.

Cada colegio escrutador especial estará constituido por los miembros de una de las juntas electorales de la región Metropolitana y un secretario, designado conforme al procedimiento establecido en el artículo 92.

En la resolución contemplada en el artículo 87, el Servicio Electoral dispondrá el número de colegios escrutadores especiales que existirán, individualizando la junta electoral que los constituirá y asignando a cada uno de ellos un número determinado de mesas. La asignación de mesas se iniciará por la Junta Electoral Primera de Santiago y continuará según el orden correlativo. Esta resolución deberá publicarse en el Diario Oficial, con al menos veinte días de anticipación a la fecha en que se celebrará una elección o plebiscito.

Artículo 220.- Los colegios escrutadores especiales se constituirán a las nueve horas del día lunes subsiguiente al de la elección o plebiscito y se les aplicará lo establecido en el párrafo 2º del título III.

PÁRRAFO 6º
RECLAMACIONES ELECTORALES EN EL EXTRANJERO

Artículo 221.- Las normas relativas a las reclamaciones electorales señaladas en el título IV serán aplicables a los hechos y actos ocurridos en los procesos electorales que se efectúen en el extranjero que puedan haber viciado las elecciones y plebiscitos.

Artículo 222.- Sin perjuicio de lo dispuesto en el título IV respecto de los electores que se encuentren en el territorio nacional, las solicitudes de rectificaciones de escrutinios y las reclamaciones de nulidad que formulen los electores en el extranjero se interpondrán ante el cónsul respectivo dentro de los diez días siguientes al término del acto eleccionario. Para estos efectos, si el Servicio Electoral no hubiere dado a conocer los resultados de algún colegio escrutador especial antes del décimo día siguiente a la elección, el plazo para efectuar las reclamaciones y rectificaciones que tengan relación con las mesas de dicho colegio escrutador especial se entenderá prorrogado hasta el día siguiente de la fecha en que el Servicio Electoral entregue la información faltante. El cónsul deberá remitir copias fidedignas, directamente y sin más trámite, al Tribunal Calificador de Elecciones, por el medio más expedito de que disponga, sin perjuicio de remitir los originales en valija especial dentro de las cuarenta y ocho horas siguientes a su recepción, a la Dirección General de Asuntos Consulares y de Inmigración del Ministerio de Relaciones Exteriores, para que ésta, a su vez, los remita a la mayor brevedad a dicho órgano calificador.

Párrafo 7º
Orden Público en el Extranjero

Artículo 223.- En todos los casos en que la ley dispone la intervención de la fuerza pública durante el acto electoral, el presidente de la mesa receptora de sufragios en el extranjero se limitará a dejar constancia en el acta de los hechos acaecidos, sin perjuicio de efectuar las comunicaciones que fueren procedentes para la realización de las denuncias correspondientes.

Artículo 224.- Los cónsules, conforme a sus facultades, deberán adoptar las providencias necesarias para permitir y resguardar el libre acceso a los locales en que funcionen las mesas receptoras de sufragios en el extranjero y evitar aglomeraciones. Para tales efectos, deberán solicitar apoyo y actuar en forma coordinada con las autoridades locales.

Artículo 225.- Los presidentes de las juntas electorales, los delegados de las juntas electorales y los presidentes de las mesas receptoras de sufragios deberán velar por la conservación del orden y la libertad de las votaciones que se efectúen en el extranjero, para lo cual dispondrán las medidas conducentes a ese objetivo, en el lugar en que funcionen.

Asimismo, el delegado de la junta electoral velará por la conservación del orden y el normal funcionamiento dentro de la oficina electoral a su cargo.

Artículo 226.- En caso de aglomeraciones, manifestaciones o incidentes graves que impidan el desarrollo del acto electoral, el cónsul recurrirá al auxilio de la fuerza pública del país respectivo, ajustándose al ordenamiento legal correspondiente y a las normas del derecho internacional.

Artículo 227.- Si la junta o la mesa se vieren en la necesidad de suspender el acto electoral, comunicarán tal circunstancia al cónsul respectivo, quien podrá disponer la suspensión, dejando constancia en las actas. Asimismo, la junta o la mesa reiniciarán el acto electoral dejando constancia en las actas de los hechos que dieron lugar a la suspensión.

En el caso de una mesa receptora de sufragios, su presidente suspenderá la votación hasta que se restablezcan las condiciones de orden y libertad necesarias para continuar la emisión y recepción de sufragios. La votación suspendida se continuará en el mismo día hasta los límites horarios señalados en el artículo 214.

El presidente de la mesa dará aviso de su determinación al delegado de la junta electoral respectiva.

PÁRRAFO 8°

SANCIONES Y PROCEDIMIENTOS JUDICIALES EN EL EXTRANJERO

Artículo 228.- Sin perjuicio de las normas establecidas en el título VII, se aplicarán a las faltas y delitos establecidos en esta ley cometidos en el extranjero, las reglas especiales que prescriben los artículos siguientes.

Artículo 229.- Tratándose de infracciones a las disposiciones de esta ley cometidas en el extranjero, para las que se establezca multa a beneficio municipal, se aplicará multa de igual entidad a beneficio fiscal, y de ellas, conocerá el Servicio Electoral de conformidad a su ley orgánica constitucional.

Artículo 230.- En los casos en que un funcionario del Servicio Exterior o perteneciente a la planta de secretaría y administración general del Ministerio de Relaciones Exteriores, o un empleado chileno del consulado chileno, incurriere en las faltas establecidas en el artículo 142, sin perjuicio de las sanciones allí contempladas, el Subsecretario de Relaciones Exteriores deberá ordenar la instrucción del sumario administrativo correspondiente.

Artículo 231.- Los miembros de las juntas electorales y de las mesas receptoras de sufragios en el extranjero que tomen conocimiento de hechos que puedan ser constitutivos de faltas o delitos previstos en esta ley, ocurridos en los procesos electorales que tengan lugar en el extranjero, deberán dejar constancia de éstos en las actas correspondiente.

Los presidentes de las juntas y de las mesas deberán comunicar tales hechos al Servicio Electoral, para que los ponga en conocimiento del tribunal competente.

Artículo transitorio.- Toda vez que las leyes hagan referencia a regiones pares, se entenderá por tales las siguientes: Región de Antofagasta, Región de Coquimbo, Región del Libertador General Bernardo O'Higgins, Región de Ñuble, Región del Biobío, Región de Los Ríos, Región de Los Lagos, Región de Magallanes y de la Antártica Chilena, y Región Metropolitana de Santiago.

Asimismo, toda vez que las leyes hagan referencia a regiones impares, se entenderá por tales las siguientes: Región de Arica y Parinacota, Región de Tarapacá, Región de Atacama, Región de Valparaíso, Región del Maule, Región de la Araucanía, y Región de Aysén del General Carlos Ibáñez del Campo.

6. Ley Nº 19.733, sobre libertades de opinión y de información y ejercicio del periodismo

Publicada en el Diario Oficial el 4 de junio del 2001
(Texto vigente con la última modificación realizada
por la Ley Nº 20.709, del 23 de diciembre de 2013)

Título I
DISPOSICIONES GENERALES

Artículo 1º.- La libertad de emitir opinión y la de informar, sin censura previa, constituyen un derecho fundamental de todas las personas. Su ejercicio incluye no ser perseguido ni discriminado a causa de las propias opiniones, buscar y recibir informaciones, y difundirlas por cualquier medio, sin perjuicio de responder de los delitos y abusos que se cometan, en conformidad a la ley.

Asimismo, comprende el derecho de toda persona natural o jurídica de fundar, editar, establecer, operar y mantener medios de comunicación social, sin otras condiciones que las señaladas por la ley.

Se reconoce a las personas el derecho a ser informadas sobre los hechos de interés general.

Artículo 2º.- Para todos los efectos legales, son medios de comunicación social aquellos aptos para transmitir, divulgar, difundir o propagar, en forma estable y periódica, textos, sonidos o imágenes destinados al público, cualesquiera sea el soporte o instrumento utilizado.

Se entenderá por diario todo periódico que se publique a lo menos cuatro días en cada semana y cumpla con los demás requisitos establecidos en la ley.

Artículo 3º.- El pluralismo en el sistema informativo favorecerá la expresión de la diversidad social, cultural, política y regional del país. Con este propósito se asegurará la libertad de fundar, editar, establecer, operar y mantener medios de comunicación social.

Artículo 4°.- Los fondos que establecen los presupuestos del Estado, de sus organismos y empresas y de las municipalidades, destinados a avisos, llamados a concurso, propuestas y publicidad, que tengan una clara identificación regional, provincial o comunal, deberán destinarse mayoritaria y preferentemente a efectuar la correspondiente publicación o difusión en medios de comunicación social regionales, provinciales o comunales.

Anualmente la Ley de Presupuestos del Sector Público contemplará los recursos necesarios para financiar la realización, edición y difusión de programas o suplementos de carácter regional. La asignación de estos recursos será efectuada por los respectivos Consejos Regionales, previo concurso público. Los concursos serán dirimidos por comisiones cuya composición, generación y atribuciones serán determinadas por reglamento. En dicho reglamento deberán establecerse, además, los procedimientos y criterios de selección.

La Ley de Presupuestos del Sector Público contemplará, anualmente, recursos para la realización de estudios sobre el pluralismo en el sistema informativo nacional, los que serán asignados mediante concurso público por la Comisión Nacional de Investigación Científica y Tecnológica.

Título II
DEL EJERCICIO DEL PERIODISMO

Artículo 5°.- Son periodistas quienes estén en posesión del respectivo título universitario, reconocido válidamente en Chile, y aquéllos a quienes la ley reconoce como tales.

Artículo 6°.- Los alumnos de las escuelas de periodismo, mientras realicen las prácticas profesionales exigidas por dichos planteles, y los egresados de las mismas, hasta veinticuatro meses después de la fecha de su egreso, tendrán los derechos y estarán afectos a las responsabilidades que esta ley contempla para los periodistas.

Artículo 7°.- Los directores, editores de medios de comunicación social, las personas a quienes se refieren los artículos 5° y 6° y los corresponsales extranjeros que ejerzan su actividad en el país, tendrán derecho a mantener reserva sobre su fuente informativa, la que se extenderá a los elementos que obren en su poder y que permitan identificarla y no podrán ser obligados a revelarla ni aun judicialmente.

Lo dispuesto en el inciso anterior se aplicará también a las personas que, por su oficio o actividad informativa hayan debido estar necesariamente presentes en el momento de haberse recibido la información.

El que haga uso del derecho consagrado en el inciso primero será personalmente responsable de los delitos que pudiere cometer por la información difundida.

Artículo 8°.- El medio de comunicación social que difunda material informativo identificándolo como de autoría de un periodista o persona determinados, con su nombre, cara o voz, no podrá introducirle alteraciones substanciales sin consentimiento de éste; será responsable de dichas alteraciones y, a petición del afectado, deberá efectuar la correspondiente aclaración. Este derecho del afectado caducará si no lo ejerce dentro de los seis días siguientes.

El periodista o quien ejerza la actividad periodística no podrá ser obligado a actuar en contravención a las normas éticas generalmente aceptadas para el ejercicio de su profesión.

La infracción a lo establecido en los incisos precedentes, cuando el afectado sea un periodista contratado o quien sea contratado para ejercer funciones periodísticas por el respectivo medio de comunicación social, constituirá incumplimiento grave del empleador a las obligaciones que impone el contrato de trabajo.

Título III
DE LAS FORMALIDADES DE FUNCIONAMIENTO DE LOS MEDIOS DE COMUNICACIÓN SOCIAL

Artículo 9°.- En los casos en que la ley permita que el propietario de un medio de comunicación social sea una persona natural, ésta deberá tener domicilio en el país y no haber sido condenada por delito que merezca pena aflictiva. Tratándose de personas jurídicas, éstas deberán tener domicilio en Chile y estar constituidas en el país o tener agencia autorizada para operar en territorio nacional. Su presidente y sus administradores o representantes legales deberán ser chilenos y no haber sido condenados por delito que merezca pena aflictiva. La condena a la pena señalada hará cesar al afectado, de inmediato, en toda función o actividad relativa a la dirección, administración o representación en el medio de comunicación social en que la desempeñe.

Todo medio de comunicación social deberá proporcionar información fidedigna acerca de sus propietarios, controladores directos o indirectos, arrendatarios, comodatarios o concesionarios, según fuere el caso. Si ellos fueren una o más personas, dicha información comprenderá la que sea conducente a la individualización de las personas naturales y jurídicas que tengan participación en la propiedad o tengan su uso, a cualquier título. Asimismo, comprenderá las copias de los documentos que acrediten la constitución y estatutos de las personas jurídicas que sean socias o accionistas, salvo en los casos de sociedades anónimas abiertas, así como las modificaciones de los mismos, según correspondiere. La referida información será de libre acceso al público y deberá encontrarse permanentemente actualizada y a su disposición en el domicilio del respectivo medio de comunicación social y de las autoridades que la requieran en el ejercicio de sus competencias.

Las concesiones para radiodifusión sonora de libre recepción solicitadas por personas jurídicas con participación de capital extranjero superior al diez por ciento, sólo podrán otorgarse si se acredita, previamente, que en su país de origen se otorga a los chilenos derechos y obligaciones similares a las condiciones de que gozarán estos solicitantes en Chile. Igual exigencia deberá cumplirse para adquirir una concesión ya existente. La infracción al cumplimiento de esta condición significará la caducidad de pleno derecho de la concesión.

Artículo 10.- Los medios de comunicación social deberán tener un director responsable y, a lo menos, una persona que lo reemplace.

El director y quienes lo reemplacen deberán ser chilenos, tener domicilio y residencia en el país, no tener fuero, estar en pleno goce de sus derechos civiles y políticos, no haber sido condenados por delito que merezca pena aflictiva y, en los dos últimos años, no haber sido condenados como autores de delitos reiterados o como reincidentes en delitos penados por esta ley. La condena a pena aflictiva hará cesar al afectado, de inmediato, en toda función o actividad relativa a la administración del medio.

Para ejercer los cargos de jefe de prensa o periodista, cuando así lo requiera la respectiva planta, en algún órgano de la administración centralizada o descentralizada del Estado, o en alguna de sus empresas, se requerirá estar en posesión del título de periodista, de acuerdo a lo establecido en el inciso precedente.

La nacionalidad chilena no se exigirá si el medio de comunicación social usare un idioma distinto del castellano.

Artículo 11.- Los medios de comunicación social podrán iniciar sus actividades una vez que hayan cumplido con las exigencias de los artículos anteriores.

Sin perjuicio de las normas de esta ley, el otorgamiento de concesiones o permisos de servicios de radiodifusión sonora o televisiva de libre recepción o servicios limitados de televisión, su ejercicio e iniciación de actividades se regirán por las leyes respectivas.

La iniciación de actividades de los medios escritos de comunicación social se informará a la Gobernación Provincial o Intendencia Regional que corresponda al domicilio del medio mediante presentación, de la que esa Gobernación o Intendencia enviará copia al Director de la Biblioteca Nacional. La presentación deberá contener las siguientes enunciaciones:

a) El nombre del diario, revista o periódico, señalando los períodos que mediarán entre un número y otro;

b) El nombre completo, profesión, domicilio y los documentos que acrediten la identidad del propietario, si fuere persona natural, o de las personas que tienen la representación legal de la sociedad, si se tratare de una persona jurídica;

c) El nombre completo, domicilio y los documentos que acrediten la identidad del director y de la o las personas que deban substituirlo, con indicación del orden de precedencia en que ellas deben asumir su reemplazo;

d) La ubicación de sus oficinas principales, y

e) Tratándose de una persona jurídica, los documentos en que consten sus socios o accionistas y el porcentaje, monto y modalidades de su participación en la propiedad o en el capital de la empresa o, en su caso, los documentos de apertura de la agencia, sus estatutos y los mandatos de sus representantes legales.

Asimismo, cualquier cambio que se produzca en las menciones anteriores deberá ser comunicado de igual forma, dentro de los quince días siguientes, o dentro de sesenta días si afectase a alguna de las expresadas en la letra e). Con todo, no requerirán ser informados los cambios en los accionistas o en la participación en el capital, cuando el propietario del medio de comunicación social sea una sociedad anónima abierta.

El Director de la Biblioteca Nacional deberá llevar un registro actualizado de los medios escritos de comunicación social existentes en el país, con indicación de los antecedentes señalados en este artículo.

Las disposiciones precedentes no se aplicarán a las publicaciones que se distribuyan internamente en instituciones públicas o privadas.

Artículo 12.- En la primera página o en la página editorial o en la última, y siempre en un lugar destacado de todo diario, revista o escrito periódico, y al iniciarse y al finalizar las transmisiones diarias de todo servicio de radiodifusión sonora o televisiva de libre recepción o servicios limitados de televisión, se indicará el nombre y el domicilio del propietario o concesionario, en su caso, o del representante legal, si se tratare de una persona jurídica. Las mismas menciones deberán hacerse respecto del director responsable.

Artículo 13.- Todo impreso, grabación sonora o producción audiovisual o electrónica realizados en el país y destinados a la comercialización, deberá incluir el nombre de la persona responsable o establecimiento que ejecutó la impresión o producción, así como el lugar y la fecha correspondiente, sin perjuicio de cumplir, en su caso, con los demás requisitos fijados por la ley. En el caso de los libros, se colocará en un lugar visible la cantidad de ejemplares.

Artículo 14.- Las personas o establecimientos a que se refiere el artículo anterior, deberán enviar a la Biblioteca Nacional, al tiempo de su publicación, la cantidad de cinco ejemplares de todo impreso, cualesquiera sea su naturaleza.

En el caso de las publicaciones periódicas, el Director de la Biblioteca Nacional estará facultado para suscribir convenios con los responsables de dichos medios para establecer modalidades de depósito legal mixto, reduciendo el número de ejemplares en papel, sustituyendo el resto por reproducciones de los mismos en microfilms y/o soportes electrónicos.

De las publicaciones impresas en regiones, de los cinco ejemplares, dos de estos deberán depositarse en la biblioteca pública de la región que designe el Director de la Biblioteca Nacional.

La Biblioteca Nacional podrá rechazar y exigir un nuevo ejemplar, si alguno de los ejemplares depositados, en cualquier soporte, exhibe deficiencias o algún deterioro que impida su consulta o conservación.

En el caso de las grabaciones sonoras o producciones audiovisuales o electrónicas destinadas a la comercialización, tales personas o establecimientos depositarán dos ejemplares de cada una.

La obligación que establece este artículo deberá cumplirse dentro del plazo máximo de treinta días.

Tratándose de creaciones cinematográficas, la obligación se entenderá cumplida al depositarse una copia en formato original y una en formato digital en la Cineteca Nacional y otra, también en formato digital, en la Biblioteca Nacional.

La obligación que establece este artículo deberá cumplirse dentro del plazo máximo de noventa días. En caso de incumplimiento de lo dispuesto en los incisos primero y tercero, junto con la denuncia correspondiente, podrá exigirse la entrega de los ejemplares a la persona natural o jurídica responsable de la producción editorial de los mismos, dentro de sesenta días contados desde el vencimiento del plazo anterior.

Los organismos del Estado no podrán adquirir obras impresas, grabaciones sonoras o producciones electrónicas o audiovisuales, fílmicas o cinematográficas, de los editores, productores o realizadores que no den cumplimiento a la obligación establecida en este artículo, ni otorgar financiamiento a éstos a través de fondos o subvenciones. Para estos efectos, la Biblioteca Nacional deberá certificar que no ha efectuado denuncias relativas a esta infracción.

Artículo 15.- Los servicios de radiodifusión sonora o televisiva de libre recepción y los servicios limitados de televisión, respecto de sus programas de origen nacional, estarán obligados a dejar copia o cinta magnetofónica y a conservarla durante veinte días, de toda noticia, entrevista, charla, comentario, conferencia, disertación, editorial, discurso o debate que haya transmitido.

TÍTULO **IV**
DEL DERECHO DE ACLARACIÓN Y DE RECTIFICACIÓN

Artículo 16.- Toda persona natural o jurídica ofendida o injustamente aludida por algún medio de comunicación social, tiene derecho a que su aclaración o rectificación sea gratuitamente difundida, en las condiciones que se establecen en los artículos siguientes, por el medio de comunicación social en que esa información hubiera sido emitida.

Artículo 17.- El ofendido o injustamente aludido por un servicio de radiodifusión sonora o televisiva de libre recepción o un servicio limitado de televisión tendrá derecho, pagando sólo el valor del material que se emplee en la reproducción o proporcionando el que se usará para ello, a requerir directamente la entrega de una copia fiel de la transmisión a que se refiere el artículo 15, la que deberá ser puesta a su disposición dentro de quinto día. En caso de que el respectivo servicio no hiciere entrega de la copia dentro de plazo o se negare injustificadamente a hacerlo, y juez con competencia en lo criminal la estimara pertinente para acreditar un posible hecho delictivo, a solicitud del interesado y a su costa podrá requerir el envío de la copia, para ponerla a disposición de éste. El director responsable o quien lo reemplace deberá entregar al tribunal la copia fiel de la transmisión dentro de tercero día, contado desde que se le notifique la resolución que ordene enviarla.

Artículo 18.- La obligación del medio de comunicación social de difundir gratuitamente la aclaración o la rectificación regirá aun cuando la información que la motiva provenga de una inserción. En este caso, el medio podrá cobrar el costo en que haya incurrido por la aclaración o la rectificación a quien haya ordenado la inserción.

Las aclaraciones y las rectificaciones deberán circunscribirse, en todo caso, al objeto de la información que las motiva y no podrán tener una extensión superior a mil palabras o, en el caso de la radiodifusión sonora o televisiva de libre recepción o servicios limitados de televisión, a dos minutos.

Este requerimiento deberá dirigirse a su director, o a la persona que deba reemplazarlo, dentro del plazo de veinte días, contado desde la fecha de la edición o difusión que lo motive.

Los notarios y los receptores judiciales estarán obligados a notificar el requerimiento a simple solicitud del interesado. La notificación se hará por medio de una cédula que contendrá íntegramente el texto de la aclaración o rectificación, la que será entregada al director o a la persona que legalmente lo reemplace, en el domicilio legalmente constituido.

Artículo 19.- El escrito de aclaración o de rectificación deberá publicarse íntegramente, sin intercalaciones, en la misma página, con características similares a la información que lo haya provocado o, en su defecto, en un lugar destacado de la misma sección.

En el caso de servicios de radiodifusión sonora o televisiva de libre recepción o servicios limitados de televisión, la aclaración o la rectificación deberá difundirse en el mismo horario y con características similares a la transmisión que la haya motivado.

La difusión destinada a rectificar o aclarar se hará, a más tardar, en la primera edición o transmisión que reúna las características indicadas y que se efectúe después de las veinticuatro horas siguientes a la entrega de los originales que la contengan. Si se tratare de una publicación que no aparezca todos los días, la aclaración o la rectificación deberán entregarse con una antelación de, a lo menos, setenta y dos horas.

El director del medio de comunicación social no podrá negarse a difundir la aclaración o rectificación, salvo que ella no se ajuste a las exigencias del inciso segundo del artículo 18, o suponga la comisión de un delito. Se presumirá su negativa si no se difundiere la aclaración o rectificación en la oportunidad señalada en el inciso anterior, o no la publicare o difundiere en los términos establecidos en los incisos primero o segundo, según corresponda.

Si el medio hiciere nuevos comentarios a la aclaración o rectificación, el afectado tendrá derecho a réplica según las reglas anteriores. En todo caso, los comentarios deberán hacerse en forma tal, que se distingan claramente de la aclaración o rectificación.

Artículo 20.- El derecho a que se refiere este Título prescribirá dentro del plazo de veinte días, contado desde la fecha de la emisión. Sólo podrá ser ejercido por la persona ofendida o injustamente aludida, o por su mandatario o apoderado, o, en caso de fallecimiento o ausencia de aquélla, por su cónyuge o por sus parientes por consanguinidad o por afinidad hasta el segundo grado inclusive.

Artículo 21.- No se podrá ejercer el derecho de aclaración o rectificación con relación a las apreciaciones personales que se formulen en comentarios especializados de crítica política, literaria, histórica, artística, científica, técnica y deportiva, sin perjuicio de la sanción a que pueden dar lugar esos artículos, si por medio de su difusión se cometiere algunos de los delitos penados en esta ley.

TÍTULO V
DE LAS INFRACCIONES, DE LOS DELITOS, DE LA RESPONSABILIDAD Y DEL PROCEDIMIENTO

PÁRRAFO 1°
DE LAS INFRACCIONES AL TÍTULO III

Artículo 22.- Las infracciones al Título III se sancionarán con multa de dos a treinta unidades tributarias mensuales. Además, en su sentencia, el tribunal deberá fijar un plazo para que el denunciado dé cabal cumplimiento a la norma infringida, si procediere.

Ejecutoriada que sea la sentencia, el tribunal aplicará una nueva multa por cada publicación aparecida o transmisión efectuada sin que se haya dado cumplimiento a la obligación respectiva. Tratándose de infracción a los artículos 9°, inciso primero 10 y 11, el tribunal dispondrá, además, la suspensión del medio de comunicación social mientras subsista el incumplimiento.

Serán responsables solidarios del pago de las multas el director y el propietario o concesionario del medio de comunicación social.

Artículo 23.- El conocimiento y resolución de las denuncias por estas infracciones corresponderá al juez de letras en lo civil del domicilio del medio de comunicación social.

Estas infracciones podrá denunciarlas cualquier persona y, en especial, el Gobernador Provincial o el Intendente Regional o el Director de la Biblioteca Nacional, en el caso del artículo 11.

Artículo 24.- El procedimiento se sujetará a las reglas siguientes:

a) La denuncia deberá señalar claramente la infracción cometida, los hechos que la configuran y adjuntar los medios de prueba que los acrediten, en su caso.

b) El tribunal dispondrá que ésta sea notificada de conformidad a lo establecido en el inciso final del artículo 18. En igual forma se notificará la sentencia que se dicte.

c) El denunciado deberá presentar sus descargos dentro de quinto día hábil y adjuntar los medios de prueba que acrediten los hechos en que los funda. De no disponer de ellos, expresará esta circunstancia y el tribunal fijará una audiencia, para dentro de quinto día hábil, a fin de recibir la prueba ofrecida y no acompañada.

d) La sentencia definitiva se dictará dentro de tercero día de vencido el plazo a que se refiere la letra anterior, sea que el denunciado haya o no presentado descargos. Si el tribunal decretó una audiencia de prueba, este plazo correrá una vez vencido el plazo fijado para ésta.

e) Las resoluciones se dictarán en única instancia y se notificarán por el estado diario.

f) La sentencia definitiva será apelable en ambos efectos. El recurso deberá interponerse en el término fatal de cinco días, contados desde la notificación de la parte que lo entabla, deberá contener los fundamentos de hecho y de derecho en que se apoya y las peticiones concretas que se formulan.

Deducida la apelación, el tribunal elevará de inmediato los autos a la Corte de Apelaciones. Esta resolverá en cuenta, sin esperar la comparecencia de ninguna de las partes, dentro de los seis días hábiles siguientes a la fecha de ingreso del expediente a la secretaría del tribunal.

Artículo 25.- Las acciones para perseguir las infracciones al Título III prescribirán en el plazo de un año contado desde su comisión.

PÁRRAFO 2º
DE LAS INFRACCIONES AL TÍTULO IV

Artículo 26.- El conocimiento y resolución de las denuncias o querellas por infracciones al Título IV, corresponderá al tribunal con competencia en lo criminal del domicilio del medio de comunicación social.

Artículo 27.- El procedimiento se sujetará a las normas establecidas en el artículo 24, con las siguientes modificaciones:

a) El plazo para presentar los descargos será de tres días hábiles, y

b) No habrá término especial de prueba.

Artículo 28.- El tribunal, en la resolución que ordene publicar o emitir la aclaración o la rectificación, o su corrección, fijará plazo para ello y, además, podrá aplicar al director una multa de cuatro a doce unidades tributarias mensuales.

Ejecutoriada la sentencia condenatoria, si no se publica la aclaración o rectificación dentro del plazo señalado por el tribunal, y en los términos establecidos en los incisos primero y segundo o del artículo 19, según el caso, el director del medio será sancionado con multa de doce a cien unidades tributarias mensuales y se decretará la suspensión inmediata del medio de comunicación social. El tribunal alzará la suspensión decretada desde el momento en que el director pague la multa y acompañe declaración jurada en que se obligue a cumplir cabalmente la obligación impuesta en la primera edición o transmisión más próxima.

Serán responsables solidarios del pago de las multas el director y el propietario o concesionario del medio de comunicación social.

Cuando por aplicación de las disposiciones de este artículo un medio de comunicación social fuere suspendido temporalmente, su personal percibirá, durante el lapso de la suspensión, todas las remuneraciones a que legal o contractualmente tuviere derecho, en las mismas condiciones como si estuviere en funciones.

PÁRRAFO 3º

DE LOS DELITOS COMETIDOS A TRAVÉS DE UN MEDIO DE COMUNICACIÓN SOCIAL

Artículo 29.- Los delitos de calumnia e injuria cometidos a través de cualquier medio de comunicación social, serán sancionados con las penas corporales señaladas en los artículos 413, 418, inciso primero, y 419 del Código Penal, y con multas de veinte a ciento cincuenta unidades tributarias mensuales en los casos del Nº 1 del artículo 413 y del artículo 418;

de veinte a cien unidades tributarias mensuales en el caso del N° 2 del artículo 413 y de veinte a cincuenta unidades tributarias mensuales en el caso del artículo 419.

No constituyen injurias las apreciaciones personales que se formulen en comentarios especializados de crítica política, literaria, histórica, artística, científica, técnica y deportiva, salvo que su tenor pusiere de manifiesto el propósito de injuriar, además del de criticar.

Artículo 30.- Al inculpado de haber causado injuria a través de un medio de comunicación social, no le será admitida prueba de verdad acerca de sus expresiones, sino cuando hubiere imputado hechos determinados y concurrieren a lo menos una de las siguientes circunstancias:

a) Que la imputación se produjere con motivo de defender un interés público real;

b) Que el afectado ejerciere funciones públicas y la imputación se refiriere a hechos propios de tal ejercicio.

En estos casos, si se probare la verdad de la imputación, el juez procederá a sobreseer definitivamente o absolver al querellado, según correspondiere.

Para lo dispuesto en el presente artículo se considerarán como hechos de interés público de una persona los siguientes:

a) Los referentes al desempeño de funciones públicas;

b) Los realizados en el ejercicio de una profesión u oficio y cuyo conocimiento tenga interés público real;

c) Los que consistieren en actividades a las cuales haya tenido libre acceso el público, a título gratuito u oneroso;

d) Las actuaciones que, con el consentimiento del interesado, hubieren sido captadas o difundidas por algún medio de comunicación social;

e) Los acontecimientos o manifestaciones de que el interesado haya dejado testimonio en registros o archivos públicos, y

f) Los consistentes en la comisión de delitos o participación culpable en los mismos.

Se considerarán como pertinentes a la esfera privada de las personas los hechos relativos a su vida sexual, conyugal, familiar o doméstica, salvo que ellos fueren constitutivos de delito.

Artículo 31.- El que por cualquier medio de comunicación social, realizare publicaciones o transmisiones destinadas a promover odio u hostilidad respecto de personas o colectividades en razón de su raza, sexo, religión o nacionalidad, será penado con multa de veinticinco a cien unidades tributarias mensuales. En caso de reincidencia, se podrá elevar la multa hasta doscientas unidades tributarias mensuales.

Artículo 32.- La difusión de noticias o informaciones emanadas de juicios, procesos o gestiones judiciales pendientes o afinados, no podrá invocarse como eximente o atenuante de responsabilidad civil o penal, cuando dicha difusión, por sí misma, sea constitutiva de los delitos de calumnia, injuria o ultraje público a las buenas costumbres.

Se exceptúan de lo dispuesto en el inciso anterior las publicaciones jurídicas de carácter especializado, las que no darán lugar a responsabilidad civil ni penal por la difusión de noticias o informaciones de procesos o gestiones judiciales que estuvieren afinados o, si se encontraren pendientes, siempre que no se individualice a los interesados.

Artículo 33.- Se prohíbe la divulgación, por cualquier medio de comunicación social, de la identidad de menores de edad que sean autores, cómplices, encubridores o testigos de delitos, o de cualquier otro antecedente que conduzca a ella.

Esta prohibición regirá también respecto de las víctimas de alguno de los delitos contemplados en el Título VII, «Crímenes y simples delitos contra el orden de las familias y contra la moralidad pública», del Libro II del Código Penal, a menos que consientan expresamente en la divulgación.

La infracción a este artículo será sancionada con multa de treinta a ciento cincuenta unidades tributarias mensuales. En caso de reiteración, la multa se elevará al doble.

Artículo 34.- El que cometiere alguno de los delitos de ultraje público a las buenas costumbres contemplados en los artículos 373 y 374 del Código Penal, a través de un medio de comunicación social, será castigado con reclusión menor en su grado mínimo a medio y multa de once a ochenta unidades tributarias mensuales.

Constituirá circunstancia agravante al ultraje público a las buenas costumbres, la incitación o promoción de la perversión de menores de edad o que el delito se cometiere dentro del radio de doscientos metros de una escuela, colegio, instituto o cualquier establecimiento educacional o de asilo destinado a niños y jóvenes.

Artículo 35.- Los medios de comunicación social están exentos de responsabilidad penal respecto de la publicación de las opiniones vertidas por los parlamentarios en los casos señalados en el inciso primero del artículo 58 de la Constitución Política, y de los alegatos hechos por los abogados ante los tribunales de justicia.

Artículo 36.- El que, fuera de los casos previstos por la Constitución o la ley, y en el ejercicio de funciones públicas, obstaculizare o impidiere la libre difusión de opiniones o informaciones a través de cualquier medio de comunicación social, sufrirá la pena de reclusión menor en su grado mínimo o multa de cuarenta a cien unidades tributarias mensuales.

Artículo 37.- Derogado

Artículo 38.- Cualquier hecho o acto relevante relativo a la modificación o cambio en la propiedad de un medio de comunicación social, deberá ser informado a la Fiscalía Nacional Económica, dentro de treinta días de ejecutado.

Con todo, tratándose de medios de comunicación social sujetos al sistema de concesión otorgada por el Estado, el hecho o acto relevante deberá contar, previo a su perfeccionamiento, con informe de la Fiscalía Nacional Económica referido a su efecto sobre la competencia, la que deberá emitirlo dentro de los treinta días siguientes a la recepción de los antecedentes. En caso que el informe sea desfavorable, el Fiscal Nacional Económico deberá comunicarlo al Tribunal para efectos de lo dispuesto en el artículo 31 del decreto con fuerza de ley N° 1, de 2005, del Ministerio de Economía, Fomento y Reconstrucción. De no evacuarse el informe dentro del referido plazo, se entenderá que no amerita objeción alguna por parte de la Fiscalía.

Artículo 39.- La responsabilidad penal y civil por los delitos y abusos que se cometan en el ejercicio de las libertades que consagra el inciso primero del número 12° del artículo 19 de la Constitución Política de la República, se determinará por las normas de esta ley y las de los Códigos respectivos.

Se considerará también autor, tratándose de los medios de comunicación social, al director o a quien legalmente lo reemplace al efectuarse la publicación o difusión, salvo que se acredite que no hubo negligencia de su parte.

Artículo 40.- La acción civil para obtener la indemnización de daños y perjuicios derivada de delitos penados en esta ley se regirá por las reglas generales.

La comisión de los delitos de injuria y calumnia a que se refiere el artículo 29, dará derecho a indemnización por el daño emergente, el lucro cesante y el daño moral.

Artículo 41.- La justicia ordinaria será siempre competente para conocer de los delitos cometidos por civiles con motivo o en razón del ejercicio de las libertades de opinión e información declaradas en el inciso primero del número 12° del artículo 19 de la Constitución Política de la República.

Esta regla de competencia prevalecerá sobre toda otra que pudiera alterar sus efectos, en razón de la conexidad de los delitos, del concurso de delincuentes o del fuero que goce alguno de los inculpados.

Artículo 42.- Siempre que alguno de los ofendidos lo exigiere, el tribunal de la causa ordenará la difusión, en extracto redactado por el secretario del tribunal, de la sentencia condenatoria recaída en un proceso por alguno de los delitos a que se refiere el párrafo 3º del Título IV de esta ley, en el medio de comunicación social en que se hubiere cometido la infracción, a costa del ofensor.

Si no se efectuare la publicación dentro del plazo señalado por el tribunal, se aplicará lo dispuesto en el inciso segundo del artículo 28.

PÁRRAFO 4º

DE LOS DELITOS COMETIDOS CONTRA LAS LIBERTADES DE OPINIÓN Y DE INFORMACIÓN (DEROGADO)

Artículo 43.- Derogado

PÁRRAFO 5º

DE LA RESPONSABILIDAD Y DEL PROCEDIMIENTO APLICABLES A LOS DELITOS DE QUE TRATA ESTA LEY

Artículo 44.- Derógase el número 1º del artículo 158 del Código Penal.

Artículo 45.- Incorpórase el siguiente inciso final al artículo 504 del Código de Procedimiento Penal: «La sentencia condenatoria por el artículo 374 del Código Penal ordenará la destrucción total o parcial, según proceda, de los impresos o de las grabaciones sonoras o audiovisuales de cualquier tipo que se hayan decomisado durante el proceso.».

Artículo 46.- Introdúcense en la ley Nº 12.927, sobre Seguridad del Estado, las siguientes modificaciones:

a) Reemplázase la letra b) del artículo 6º, por la siguiente: «b) Los que ultrajaren públicamente la bandera, el escudo, el nombre de la patria o el himno nacional;».

b) Derógase el artículo 16.

c) Reemplázase el artículo 17 por el siguiente: «**Artículo 17.-** La responsabilidad penal por los delitos previstos y sancionados en esta ley, cometidos a través de un medio de comunicación social, se determinará de conformidad a lo prescrito en el artículo 39 de la ley sobre las libertades de opinión e información y ejercicio del periodismo.».

d) Deróganse los artículos 18, 19, 20 y 21.

Artículo 47.- Intercálase en el número 2° del artículo 50 del Código Orgánico de Tribunales, entre las palabras «los Ministros de Estado,» y la expresión «los Intendentes y Gobernadores» lo siguiente: «Senadores, Diputados, miembros de los Tribunales Superiores de Justicia, Contralor General de la República, Comandantes en Jefe de las Fuerzas Armadas, General Director de Carabineros de Chile, Director General de la Policía de Investigaciones de Chile,».

Artículo 48.- Derógase la ley N° 16.643, sobre Abusos de Publicidad, a excepción de su artículo 49.

Artículo transitorio.- Para efectos de lo establecido en el inciso segundo del artículo 4° de esta ley, durante el año 2010 podrán financiarse también, en las regiones declaradas zona de catástrofe con motivo del terremoto del 27 de febrero de 2010, la reconstrucción o reparación de infraestructura dañada de los medios de comunicación social, incluyendo equipos, instalaciones, antenas y bienes inmuebles donde éstos funcionen en forma permanente.

En todas las regiones del país se podrá postular, además, al financiamiento de los proyectos de adquisición e instalación de grupos generadores electrógenos para los servicios de radiodifusión sonora.

7. Ley Nº 18.415, Orgánica Constitucional de los Estados de Excepción

Publicada en el Diario Oficial el 14 de junio de 1984
(Texto vigente con la última modificación realizada
por la Ley Nº 18.906, del 24 de enero de 1990)

Artículo 1º.- El ejercicio de los derechos y garantías que la Constitución Política asegura a todas las personas, sólo puede ser afectado en las situaciones en que ésta lo autoriza y siempre que se encuentren vigentes los estados de excepción que ella establece.

Artículo 2º.- Declarado el estado de asamblea, las facultades conferidas al Presidente de la República podrán ser delegadas, total o parcialmente, en los Comandantes en Jefe de las Unidades de las Fuerzas Armadas que él designe, con excepción de las de prohibir el ingreso al país a determinadas personas o de expulsarlas del territorio.

Artículo 3º.- Durante el estado de sitio, las facultades conferidas al Presidente de la República podrán ser delegadas, total o parcialmente, en los Intendentes, Gobernadores o jefes de la Defensa Nacional que él designe.

Artículo 4º.- Declarado el estado de emergencia, las facultades conferidas al Presidente de la República podrán ser delegadas, total o parcialmente, en los jefes de la Defensa Nacional que él designe.

Artículo 5º.- Para los efectos de lo previsto en el inciso primero del Nº 6º del artículo 41 de la Constitución Política de la República, durante el estado de emergencia, el jefe de la Defensa Nacional que se designe tendrá los siguientes deberes y atribuciones:
1) Asumir el mando de las Fuerzas Armadas y de Orden y Seguridad Pública que se encuentren en la zona declarada en estado de emergencia,

para los efectos de velar por el orden público y de reparar o precaver el daño o peligro para la seguridad nacional que haya dado origen a dicho estado, debiendo observar las facultades administrativas de las autoridades institucionales colocadas bajo su jurisdicción;

2) Dictar normas tendientes a evitar la divulgación de antecedentes de carácter militar;

3) Autorizar la celebración de reuniones en lugares de uso público, cuando corresponda, y velar porque tales reuniones no alteren el orden interno;

4) Controlar la entrada y salida de la zona declarada en estado de emergencia y el tránsito en ella;

5) Dictar medidas para la protección de las obras de arte y de los servicios de utilidad pública, centros mineros, industriales y otros;

6) Impartir todas las instrucciones para el mantenimiento del orden interno dentro de la zona, y

7) Las demás que le otorguen las leyes en su calidad de tal.

Artículo 6°.- Declarado el estado de catástrofe, las facultades conferidas al Presidente de la República podrán ser delegadas, total o parcialmente, en los jefes de la Defensa Nacional que él designe.

Artículo 7°.- Para los mismos efectos señalados en el artículo 5° de esta ley, durante el estado de catástrofe, el jefe de la Defensa Nacional que se designe tendrá los siguientes deberes y atribuciones:

1) Los contemplados en los números 1, 4 y 5 del artículo 5°;

2) Ordenar el acopio, almacenamiento o formación de reservas de alimentos, artículos y mercancías que se precisen para la atención y subsistencia de la población en la zona y controlar la entrada y salida de tales bienes;

3) Determinar la distribución o utilización gratuita u onerosa de los bienes referidos para el mantenimiento y subsistencia de la población de la zona afectada;

4) Establecer condiciones para la celebración de reuniones en lugares de uso público;

5) Impartir directamente instrucciones a todos los funcionarios del Estado, de sus empresas o de las municipalidades que se encuentren en la zona, con el exclusivo propósito de subsanar los efectos de la calamidad pública;

6) Difundir por los medios de comunicación social las informaciones necesarias para dar tranquilidad a la población;

7) Dictar las directrices e instrucciones necesarias para el mantenimiento del orden en la zona, y

8) Las demás que le otorguen las leyes en su calidad de tal.

Artículo 8°.- Los estados de excepción constitucional se declararán mediante decreto supremo firmado por el Presidente de la República y los Ministros del Interior y de Defensa Nacional, y comenzarán a regir desde la fecha de su publicación en el Diario Oficial. Los estados de asamblea y de catástrofe podrán declararse por un plazo máximo de noventa días, pero el Presidente de la República podrá solicitar nuevamente su prórroga o su nueva declaración si subsisten las circunstancias que lo motivan. Los estados de sitio y emergencia se declararán y prorrogarán en la forma que establecen las normas constitucionales pertinentes.

El decreto que declare el estado de sitio con el acuerdo del Congreso Nacional deberá publicarse dentro del plazo de tres días, contado desde la fecha del acuerdo aprobatorio, o bien contado desde el vencimiento del plazo de diez días que señala el artículo 40 N° 2°, inciso segundo, de la Constitución, si no hubiere habido pronunciamiento del Congreso.

Sin embargo, si el Presidente de la República aplicare el estado de sitio con el sólo acuerdo del Consejo de Seguridad Nacional, dicho estado comenzará a regir a contar de la fecha del acuerdo, sin perjuicio de su publicación en el Diario Oficial dentro de tercero día.

Para decretar el estado de asamblea bastará la existencia de una situación de guerra externa y no se requerirá que la declaración de guerra haya sido autorizada por ley.

Artículo 9°.- El Presidente de la República delegará las facultades que le correspondan y ejercerá sus atribuciones mediante decreto supremo, exento del trámite de toma de razón.

Las atribuciones del Presidente de la República podrán ejercerse mediante decreto supremo, exento del trámite de toma de razón firmado por el Ministro del Interior bajo la fórmula «Por Orden del Presidente de la República». Tratándose de las atribuciones correspondientes al estado de asamblea se requerirá además la firma del Ministro de Defensa.

Artículo 10.- Las facultades que el Presidente de la República delegue en las autoridades que señala esta ley serán ejercidas, dentro de la respectiva jurisdicción, mediante la dictación de resoluciones, órdenes o instrucciones exentas del trámite de toma de razón.

Tratándose de Comandantes en Jefe o jefes de la Defensa Nacional, éstos podrán dictar, además, los bandos que estimaren convenientes.

Artículo 11.- Todas las medidas que se adopten en virtud de los estados de excepción deberán ser difundidas o comunicadas, en la forma que la autoridad determine.

En ningún caso esta difusión podrá implicar una discriminación entre medios de comunicación del mismo género.

Artículo 12.- Entiéndese que se suspende una garantía constitucional cuando temporalmente se impide del todo su ejercicio durante la vigencia de un estado de excepción constitucional.

Asimismo, entiéndese que se restringe una garantía constitucional cuando, durante la vigencia de un estado de excepción, se limita su ejercicio en el fondo o en la forma.

Artículo 13.- Las medidas que se adopten durante los estados de excepción en ningún caso podrán prolongarse más allá de la vigencia de dichos estados.

Si, en conformidad con lo dispuesto en el inciso final del N° 2° del artículo 40 de la Constitución, el estado de sitio fuere prorrogado, las medidas adoptadas en su virtud subsistirán durante la prórroga.

En el caso del inciso tercero del N° 2° del artículo 40 de la Constitución, todas las medidas que el Presidente de la República hubiere aplicado en virtud de dicha disposición quedarán sin efecto si el Congreso rechazare la proposición de declarar el estado de sitio.

Artículo 14.- La persona afectada con la medida de expulsión del territorio de la República o de prohibición de ingreso al país durante el estado de asamblea, podrá solicitar la reconsideración de la respectiva medida, sin perjuicio de que la propia autoridad la deje sin efecto en la oportunidad que ella misma determine.

Artículo 15.- Declarado el estado de asamblea o el de sitio por causa de guerra interna y nombrado el Comandante en Jefe de un Ejército para operar contra el enemigo extranjero o contra fuerzas rebeldes o sediciosas organizadas militarmente, cesará la competencia de los tribunales militares en tiempo de paz y comenzará la de los tribunales militares en tiempo de guerra, en todo el territorio declarado en estado de asamblea o de sitio.

Artículo 16.- La medida de traslado sólo podrá cumplirse en localidades urbanas.

Para los efectos de esta ley, entiéndese por localidad urbana aquella que se encuentra dentro del radio urbano en que tenga su asiento una municipalidad.

Artículo 17.- En los casos en que se dispusieren requisiciones de bienes o establecieren limitaciones al ejercicio del derecho de propiedad, habrá lugar a la indemnización de perjuicios en contra del Fisco, siempre que los mismos sean directos. La interposición de dicha acción no suspenderá, en caso alguno, la respectiva medida.

Artículo 18.- La autoridad al hacer una requisición practicará un inventario detallado de los bienes, dejando constancia del estado en que se encuentren. Copia de este inventario deberá entregarse dentro de cuarenta y ocho horas a quien tuviere el o los bienes en su poder al momento de efectuar la requisición.

En el caso de las limitaciones que se impongan al derecho de propiedad, bastará que la autoridad notifique al afectado, dejándole copia del documento que dispuso la respectiva limitación.

Artículo 19.- El monto de la indemnización y su forma de pago serán determinados de común acuerdo entre la autoridad que ordenó la requisición y el afectado por la medida. Este acuerdo deberá ser, en todo caso, aprobado por la autoridad de Gobierno Interior correspondiente al lugar donde se practicó, dentro del plazo de diez días de adoptado. A falta de acuerdo, el afectado podrá recurrir, dentro del plazo de treinta días, ante el Juez de Letras en lo Civil competente. El Tribunal dará a esta presentación una tramitación incidental, fijando en su sentencia el monto definitivo de la indemnización que corresponda, la que deberá ser pagada en dinero efectivo y al contado.

Artículo 20.- La acción indemnizatoria prescribirá en el plazo de un año, contado desde la fecha de término del estado de excepción.

Artículo 21.- Las expensas de conservación y aprovechamiento de los bienes requisados o que fueren objeto de alguna limitación del dominio serán siempre de cargo fiscal.

Artículo 22.- Deróganse todas las normas que autoricen para suspender, restringir o limitar los derechos constitucionales en situaciones de excepción.

8. Ley N° 18.314, determina conductas terroristas y fija su penalidad

Publicada en el Diario Oficial el 17 de mayo de 1984
(Texto vigente con la última modificación realizada
por la Ley N° 20.830, del 21 de abril de 2015)

Capítulo I
DE LAS CONDUCTAS TERRORISTAS Y SU PENALIDAD

Artículo 1°.- Constituirán delitos terroristas los enumerados en el artículo 2°, cuando el hecho se cometa con la finalidad de producir en la población o en una parte de ella el temor justificado de ser víctima de delitos de la misma especie, sea por la naturaleza y efectos de los medios empleados, sea por la evidencia de que obedece a un plan premeditado de atentar contra una categoría o grupo determinado de personas, sea porque se cometa para arrancar o inhibir resoluciones de la autoridad o imponerle exigencias.

La presente ley no se aplicará a las conductas ejecutadas por personas menores de 18 años.

La exclusión contenida en el inciso anterior no será aplicable a los mayores de edad que sean autores, cómplices o encubridores del mismo hecho punible. En dicho caso la determinación de la pena se realizará en relación al delito cometido de conformidad a esta ley.

Artículo 2°.- Constituirán delitos terroristas, cuando cumplieren lo dispuesto en el artículo anterior:

1.- Los de homicidio sancionados en el artículo 391; los de lesiones establecidos en los artículos 395, 396, 397 y 398; los de secuestro y de sustracción de menores castigados en los artículos 141 y 142; los de envío de cartas o encomiendas explosivas del artículo 403 bis; los de incendio y estragos, descritos en los artículos 474, 475, 476 y 480, y las infracciones contra la salud pública de los artículos 313 d), 315 y 316, todos del Código

Penal. Asimismo, el de descarrilamiento contemplado en los artículos 105, 106, 107 y 108 de la Ley General de Ferrocarriles.

2.- Apoderarse o atentar en contra de una nave, aeronave, ferrocarril, bus u otro medio de transporte público en servicio, o realizar actos que pongan en peligro la vida, la integridad corporal o la salud de sus pasajeros o tripulantes.

3.- El atentado en contra de la vida o la integridad corporal del Jefe del Estado o de otra autoridad política, judicial, militar, policial o religiosa, o de personas internacionalmente protegidas, en razón de sus cargos.

4.- Colocar, enviar, activar, arrojar, detonar o disparar bombas o artefactos explosivos o incendiarios de cualquier tipo, armas o artificios de gran poder destructivo o de efectos tóxicos, corrosivos o infecciosos.

5.- La asociación ilícita cuando ella tenga por objeto la comisión de delitos que deban calificarse de terroristas conforme a los números anteriores y al artículo 1º.

Artículo 3º.- Los delitos señalados en los números 1.- y 3.- del artículo 2º serán sancionados con las penas previstas para ellos en el Código Penal, en la Ley Nº 12.927 o en la Ley General de Ferrocarriles, en sus respectivos casos, aumentadas en uno, dos o tres grados. Con todo, en el caso de los numerales 1º y 2º del artículo 476 del Código Penal, la pena se aumentará en uno o dos grados, y en el caso del numeral 3º del artículo 476, se aplicarán las sanciones previstas en dicha disposición, con excepción de la pena de presidio mayor en su grado mínimo.

Los delitos contemplados en el número 2.- del artículo 2º serán sancionados con presidio mayor en cualquiera de sus grados. Si se ocasionare la muerte o lesiones graves de alguno de los tripulantes o pasajeros de cualquiera de los medios de transporte mencionados en dicho número, se impondrá la pena de presidio mayor en su grado máximo a presidio perpetuo calificado.

Los delitos señalados en el número 4 del artículo 2º serán penados con presidio mayor en cualquiera de sus grados.

El delito de asociación ilícita para la comisión de actos terroristas será penado conforme a los artículos 293 y 294 del Código Penal, y las penas allí previstas se aumentarán en dos grados, en los casos del artículo 293 y en un grado en los del artículo 294. Será también aplicable lo dispuesto en el artículo 294 bis del mismo Código.

Artículo 3º bis.- Para efectuar el aumento de penas contemplado en el artículo precedente, el tribunal determinará primeramente la pena que hubiere correspondido a los responsables, con las circunstancias del caso, como si no se hubiere tratado de delitos terroristas, y luego la elevará en el número de grados que corresponda.

Artículo 4º.- Podrá disminuirse la pena hasta en dos grados respecto de quienes llevaren a cabo acciones tendientes directamente a evitar o aminorar las consecuencias del hecho incriminado, o dieren informaciones o proporcionaren antecedentes que sirvieren efectivamente para impedir o prevenir la perpetración de otros delitos terroristas, o bien, para detener o individualizar a responsables de esta clase de delitos.

Artículo 5º.- Sin perjuicio de las penas accesorias que correspondan de acuerdo con las normas generales, a los condenados por alguno de los delitos contemplados en los artículos 1º y 2º les afectarán las inhabilidades a que se refiere el artículo 9º de la Constitución Política del Estado.

Artículo 6º.- Derogado.

Artículo 7º.- La tentativa de cometer alguno de los delitos a que se refiere esta ley se castigará con la pena asignada al respectivo ilícito, rebajada en uno o dos grados. La conspiración para cometer alguno de esos delitos se sancionará con la pena señalada por la ley al delito rebajada en dos grados. Lo expuesto en el presente inciso es sin perjuicio de lo dispuesto en el artículo 3º bis.

La amenaza seria y verosímil de cometer alguno de los delitos mencionados en esta ley será sancionada con las penas de la tentativa del delito respectivo, sin efectuarse los aumentos de grados señalados en el artículo

3°. Lo expuesto precedentemente no tendrá lugar si el hecho mereciere mayor pena de acuerdo al artículo 296 del Código Penal.

Artículo 8°.- El que por cualquier medio, directa o indirectamente, solicite, recaude o provea fondos con la finalidad de que se utilicen en la comisión de cualquiera de los delitos terroristas señalados en el artículo 2°, será castigado con la pena de presidio menor en su grado medio a presidio mayor en su grado mínimo, a menos que en virtud de la provisión de fondos le quepa responsabilidad en un delito determinado, caso en el cual se le sancionará por este último título, sin perjuicio de lo dispuesto en el artículo 294 bis del Código Penal.

Artículo 9°.- Quedará exento de responsabilidad penal quien se desistiere de la tentativa de cometer algunos de los delitos previstos en esta ley, siempre que revele a la autoridad su plan y las circunstancias del mismo.

En los casos de conspiración o de tentativa en que intervengan dos o más personas como autores, inductores o cómplices, quedará exento de responsabilidad penal quien se desistiere cumpliendo con la exigencia prevista en el inciso precedente, siempre que por su conducta haya conseguido efectivamente impedir la consumación del hecho o si la autoridad ha logrado igual propósito como consecuencia de las informaciones o datos revelados por quien se ha desistido. De producirse la consumación del delito, se estará a lo dispuesto en el artículo 4°.

Capítulo II
De la Jurisdicción y del Procedimiento

Artículo 10.- Las investigaciones a que dieren lugar los delitos previstos en esta ley se iniciarán de oficio por el Ministerio Público o por denuncia o querella, de acuerdo con las normas generales.

Sin perjuicio de lo anterior, también podrán iniciarse por querella del Ministro del Interior, de los Intendentes Regionales, de los Gobernadores Provinciales y de los Comandantes de Guarnición.

Artículo 11.- Siempre que las necesidades de la investigación así lo requieran, a solicitud del fiscal y por resolución fundada, el juez de garantía podrá ampliar hasta por diez días los plazos para poner al detenido a su disposición y para formalizar la investigación.

En la misma resolución que amplíe el plazo, el juez de garantía ordenará que el detenido ingrese en un recinto penitenciario y que el detenido sea examinado por el médico que el juez designe, el cual deberá practicar el examen e informar al tribunal el mismo día de la resolución. El nombramiento en ningún caso podrá recaer en un funcionario del organismo policial que hubiere efectuado la detención o en cuyo poder se encontrare el detenido.

La negligencia grave del juez en la debida protección del detenido será considerada como infracción a sus deberes, de acuerdo con el artículo 324 del Código Orgánico de Tribunales.

El juez podrá revocar en cualquier momento la autorización que hubiere dado y ordenar que se ponga al detenido inmediatamente a su disposición y se formalice la investigación dentro de tercero día contado desde la detención o, si este plazo ya hubiere transcurrido, dentro de las veinticuatro horas siguientes.

Artículo 12.- Las diligencias ordenadas por el Ministerio Público, y autorizadas por el juez de garantía cuando corresponda, serán cumplidas por las Fuerzas de Orden y Seguridad Pública, separada o conjuntamente según lo disponga la respectiva comunicación, o resolución en su caso.

Artículo 13.- DEROGADO

Artículo 14.- En los casos del artículo 1° de esta ley, durante la audiencia de formalización de la investigación o una vez formalizada ésta, si procediere la prisión preventiva del imputado, el Ministerio Público podrá pedir al juez de garantía que decrete, además, por resolución fundada, todas o algunas de las siguientes medidas:

1.- Recluir al imputado en lugares públicos especialmente destinados a este objeto.

2.- Establecer restricciones al régimen de visitas.

3.- Interceptar, abrir o registrar sus comunicaciones telefónicas e informáticas y su correspondencia epistolar y telegráfica.

Las medidas indicadas precedentemente no podrán afectar la comunicación del imputado con sus abogados y la resolución que las imponga sólo será apelable en el efecto devolutivo.

Sin perjuicio de lo anterior, en cualquier momento el Ministerio Público podrá solicitar autorización judicial para la realización de diligencias de investigación que la requieran, en los términos del artículo 236 del Código Procesal Penal.

En ningún caso las medidas a que se refiere este artículo podrán adoptarse en contra de los Ministros de Estado, los subsecretarios, los parlamentarios, los jueces, los miembros del Tribunal Constitucional y del Tribunal Calificador de Elecciones, el Contralor General de la República, los Generales y los Almirantes.

Artículo 15.- Sin perjuicio de las reglas generales sobre protección a los testigos contempladas en el Código Procesal Penal, si en la etapa de investigación el Ministerio Público estimare, por las circunstancias del caso, que existe un riesgo cierto para la vida o la integridad física de un testigo o de un perito, como asimismo de su cónyuge, o conviviente civil, ascendientes, descendientes, hermanos u otras personas a quienes se hallaren ligados por relaciones de afecto, dispondrá, de oficio o a petición de parte, las medidas especiales de protección que resulten adecuadas.

Para proteger la identidad de los que intervengan en el procedimiento, su domicilio, profesión y lugar de trabajo, el fiscal podrá aplicar todas o alguna de las siguientes medidas:

a) que no conste en los registros de las diligencias que se practiquen sus nombres, apellidos, profesión u oficio, domicilio, lugar de trabajo, ni cualquier otro dato que pudiera servir para su identificación, pudiendo utilizar una clave u otro mecanismo de verificación para esos efectos.

b) que su domicilio sea fijado, para notificaciones y citaciones, en la sede de la fiscalía o del tribunal, debiendo el órgano interviniente hacerlas llegar reservadamente a su destinatario, y

c) que las diligencias que tuvieren lugar durante el curso de la investigación, a las cuales deba comparecer el testigo o perito protegido, se realicen en un lugar distinto de aquél donde funciona la fiscalía, y de cuya ubicación no se dejará constancia en el registro respectivo.

Cualquiera de los intervinientes podrá solicitar al juez de garantía la revisión de las medidas resueltas por el Ministerio Público.

Artículo 16.- El tribunal podrá decretar la prohibición de revelar, en cualquier forma, la identidad de testigos o peritos protegidos, o los antecedentes que conduzcan a su identificación. Asimismo, podrá decretar la prohibición para que sean fotografiados, o se capte su imagen a través de cualquier otro medio.

La infracción de estas prohibiciones será sancionada con la pena de reclusión menor en su grado medio a máximo, tratándose de quien proporcionare la información. En caso de que la información fuere difundida por algún medio de comunicación social, se impondrá a su director, además, una multa de diez a cincuenta ingresos mínimos.

Artículo 17.- De oficio o a petición del interesado, durante el desarrollo del juicio, o incluso una vez que éste hubiere finalizado, si las circunstancias de peligro se mantienen, el Ministerio Público o el tribunal otorgarán protección policial a quien la necesitare, de conformidad a lo prevenido en el artículo 308 del Código Procesal Penal.

Artículo 18.- Las declaraciones de testigos y peritos, cuando se estimare necesario para su seguridad personal, podrán ser recibidas anticipadamente en conformidad con el artículo 191 del Código Procesal Penal. En este caso, el juez de garantía podrá disponer que los testimonios de estas personas se presten por cualquier medio idóneo que impida su identificación física normal. Igual sistema de declaración protegida podrá disponerse por el tribunal de juicio oral en lo penal, en su caso.

Si las declaraciones se han de prestar de conformidad al inciso precedente, el juez deberá comprobar en forma previa la identidad del testigo o perito, en particular los antecedentes relativos a sus nombres y apellidos, edad, lugar de nacimiento, estado, profesión, industria o empleo y residencia o domicilio.

Consignada en el registro tal comprobación, el tribunal podrá resolver que se excluya del debate cualquier referencia a la identidad que pudiere poner en peligro la protección de ésta.

En ningún caso la declaración de cualquier testigo o perito protegido podrá ser recibida e introducida al juicio sin que la defensa haya podido ejercer su derecho a contrainterrogarlo personalmente. El defensor podrá dirigir al testigo o perito protegido las interrogaciones tendientes a establecer su credibilidad o acreditación y a esclarecer los hechos sobre los cuales depone, siempre que dichas preguntas no impliquen un riesgo de revelar su identidad. Lo expuesto en este inciso se aplicará a quien se encuentre en el caso del artículo 9º.

Artículo 19.- Las medidas de protección antes descritas podrán ir acompañadas, en caso de ser estrictamente necesario, de medidas complementarias, tal como la provisión de los recursos económicos suficientes para el cambio de domicilio u otra que se estime idónea en función del caso.

Artículo 20.- El tribunal, en caso de ser estrictamente indispensable para la seguridad de estas personas podrá, con posterioridad al juicio, autorizarlas para cambiar de identidad.

La Dirección Nacional del Servicio de Registro Civil e Identificación adoptará todos los resguardos necesarios para asegurar el carácter secreto de esta medida, conforme al reglamento que se dicte al efecto.

Todas las actuaciones judiciales y administrativas a que dé lugar esta medida serán secretas. El funcionario del Estado que violare este sigilo será sancionado con la pena de presidio menor en sus grados medio a máximo.

Quienes hayan sido autorizados para cambiar de identidad sólo podrán usar sus nuevos nombres y apellidos en el futuro. El uso malicioso de su anterior identidad y la utilización fraudulenta de la nueva, serán sancionados con la pena de presidio menor en su grado mínimo.

Artículo 21.- Cuando se trate de la investigación de los delitos a que se refiere esta ley, si el

Ministerio Público estimare que existe riesgo para la seguridad de testigos o peritos, podrá disponer que determinadas actuaciones, registros o documentos sean mantenidos en secreto respecto de uno o más intervinientes, en los términos que dispone el artículo 182 del Código Procesal Penal. El plazo establecido en el inciso tercero de esta última disposición podrá ampliarse hasta por un total de seis meses.

El que revelare actuaciones, registros o documentos ordenados mantener en secreto será castigado con presidio menor en sus grados medio a máximo.

Artículo 22.- DEROGADO

Artículo 23.- En el caso de condena por delito terrorista y por otro tipo de delito, se cumplirá

la pena asignada al o los delitos de esta ley y, posteriormente, las otras penas, contándose aquélla desde la fecha de la detención, cualquiera haya sido el delito que la motivó.

Artículo transitorio.- Los procesos que actualmente se tramitan en conformidad a las disposiciones del decreto ley N° 3.627, de 1981, cuyo texto fue modificado por el decreto ley N° 3.655, de ese mismo año, continuarán siendo de conocimiento de los Tribunales que dicho texto legal establece.

9. Ley N° 12.927, de Seguridad del Estado
Publicada en el Diario Oficial el 6 de agosto de 1958
(Decreto N° 890, del Ministerio del Interior, del 26 de
agosto de 1976, que fija el texto actualizado y refundido
de la Ley N° 12.927. Con la última modificación realizada
por la Ley N° 20.477, del 30 de diciembre de 2010)

Título I
DELITOS CONTRA LA SOBERANÍA NACIONAL Y
LA SEGURIDAD EXTERIOR DEL ESTADO

ARTÍCULO 1°.- Además de los delitos previstos en el Título I del Libro
II del Código Penal y en el Título II del Libro III del Código de Justicia
Militar, y en otras leyes, cometen delito contra la soberanía nacional:

a) Los que de hecho ofendieren gravemente el sentimiento patrio o el
de independencia política de la Nación;

b) Los que de palabra o por escrito o valiéndose de cualquier otro
medio, propiciaren la incorporación de todo o parte del territorio nacional
a un Estado extranjero;

c) Los que prestaren ayuda a una potencia extranjera con el fin de
desconocer el principio de autodeterminación del pueblo chileno o de someterse al dominio político de dicha potencia;

d) Los que mantengan relaciones con gobiernos, entidades u organizaciones extranjeras o reciban de ellos auxilios materiales, con el fin de
ejecutar hechos que las letras anteriores penan como delitos;

e) Los que para cualquiera de los fines delictuosos señalados en las
letras precedentes se colocaren en Chile al servicio de una potencia extranjera, y

f) Los que para cometer los delitos previstos en las letras precedentes,
se asociaren en partidos políticos, movimientos o agrupaciones.

ARTÍCULO 2°.- Los delitos previstos en el artículo anterior serán castigados con presidio, relegación o extrañamiento menores en sus grados medio a máximo.

La sentencia condenatoria impondrá, además, las penas accesorias de inhabilitación para cargos y oficios públicos y derechos políticos, de acuerdo con las normas de los artículos 29° y 30° del Código Penal.

ARTÍCULO 3°.- Dictada sentencia condenatoria contra un extranjero por alguno de los delitos previstos en este Título, el Presidente de la República ordenará su expulsión del territorio nacional, una vez cumplida la pena. La expulsión no procederá, sin embargo, respecto de los extranjeros que tengan cónyuge o hijos chilenos.

Título II
DELITOS CONTRA LA SEGURIDAD INTERIOR DEL ESTADO

ARTÍCULO 4°.- Sin perjuicio de lo dispuesto en el Título II del Libro II del Código Penal y en otras leyes, cometen delito contra la seguridad interior del Estado los que en cualquiera forma o por cualquier medio, se alzaren contra el Gobierno constituido o provocaren la guerra civil, y especialmente:

a) Los que inciten o induzcan a la subversión del orden público o a la revuelta, resistencia o derrocamiento del Gobierno constituido y los que con los mismos fines inciten, induzcan o provoquen a la ejecución de los delitos previstos en los Títulos I y II del Libro II del Código Penal, o de los de homicidio, robo o incendio y de los contemplados en el artículo 480° del Código Penal;

b) Los que inciten o induzcan, de palabra o por escrito o valiéndose de cualquier otro medio, a las Fuerzas Armadas, de Carabineros, Gendarmería o Policías, o a individuos pertenecientes a ellas, a la indisciplina, o al desobedecimiento de las órdenes del Gobierno constituido o de sus superiores jerárquicos;

c) Los que se reúnan, concierten o faciliten reuniones destinadas a proponer el derrocamiento del Gobierno constituido o a conspirar contra su estabilidad;

d) Los que inciten, induzcan, financien o ayuden a la organización de milicias privadas, grupos de combate u otras organizaciones semejantes y a los que formen parte de ellas, con el fin de sustituir a la fuerza pública, atacarla o interferir en su desempeño, o con el objeto de alzarse contra los poderes del Estado o atentar contra las autoridades a que se refiere la letra b) del artículo 6°;

e) Los empleados públicos del orden militar o de Carabineros, policías o gendarmerías, que no cumplieren las órdenes que en el ejercicio legítimo de la autoridad les imparta el Gobierno constituido, o retardaren su cumplimiento o procedieren con negligencia culpable;

f) Los que propaguen o fomenten, de palabra o por escrito o por cualquier otro medio, doctrinas que tiendan a destruir o alterar por la violencia el orden social o la forma republicana y democrática de Gobierno;

g) Los que propaguen de palabra o por escrito o por cualquier otro medio en el interior, o envíen al exterior, noticias o informaciones tendenciosas o falsas destinadas a destruir el régimen republicano y democrático de Gobierno, o a perturbar el orden constitucional, la seguridad del país, el régimen económico o monetario, la normalidad de los precios, la estabilidad de los valores y efectos públicos y el abastecimiento de las poblaciones, y los chilenos que, encontrándose fuera del país, divulguen en el exterior tales noticias.

ARTÍCULO 5°.- Los delitos previstos en el artículo anterior serán castigados con presidio, relegación o extrañamiento menores en sus grados medio a máximo, sin perjuicio de las penas accesorias que correspondan según las reglas generales del Código Penal.

Regirá lo dispuesto en el artículo 3° de esta ley.

En tiempo de guerra externa la pena será de presidio, relegación o extrañamiento mayores en cualquiera de sus grados.

ARTÍCULO 5 A.- Los que con el propósito de alterar el orden constitucional o la seguridad pública, atentaren contra la vida o integridad física de las personas sufrirán la pena de presidio mayor en cualquiera de sus grados. Si se diere muerte a la víctima del delito o se le infirieren lesiones graves, se aplicará la pena en su grado máximo.

En los casos en que el atentado se realizare en razón del cargo que una persona desempeñe, haya desempeñado o esté llamada a desempeñar, la pena será de presidio mayor en su grado medio a presidio perpetuo. Si se diere muerte a la víctima del delito o se le infirieren lesiones graves, la pena será de presidio mayor en su grado máximo a presidio perpetuo calificado.

Las mismas penas señaladas en el inciso anterior se aplicarán si la víctima fuere cónyuge, ascendiente, descendiente o colateral hasta el segundo grado de consanguinidad de la persona en él indicada.

ARTÍCULO 5 B.- Los que con el propósito de alterar el orden constitucional o la seguridad pública o de imponer exigencias o arrancar decisiones a la autoridad privaren de libertad a una persona, serán castigados con presidio mayor en su grado mínimo a presidio mayor en su grado medio. Si el secuestro durare más de cinco días, o si se exigiere rescate o se condicionare la libertad en cualquiera forma, la pena será de presidio mayor en su grado máximo.

Igual pena a la señalada en el inciso anterior de aplicará si el delito se realizare en razón del cargo que una persona desempeñe, haya desempeñado o esté llamada a desempeñar, o si la víctima fuere cónyuge, ascendiente, descendiente o colateral hasta el segundo grado de consanguinidad de ésta.

El que con motivo u ocasión del secuestro, cometiere además homicidio, violación o algunas de las lesiones comprendidas en los Artículos 395º, 396º y 397º Nº 1 del Código Penal, en la persona del ofendido, será castigado con presidio mayor en su grado máximo a presidio perpetuo calificado.

ARTÍCULO 5 c).- En tiempo de guerra externa, las penas señaladas en los dos artículos anteriores serán aumentadas en un grado. Si fuere la de presidio perpetuo, se aplicará ésta precisamente.

Título III
DELITOS CONTRA EL ORDEN PÚBLICO

ARTÍCULO 6º.- Cometen delito contra el orden público:

a) Los que provocaren desórdenes o cualquier otro acto de violencia destinado a alterar la tranquilidad pública;

b) Los que ultrajaren públicamente la bandera, el escudo, el nombre de la patria o el himno nacional;

c) Los que inciten, promuevan o fomenten, o de hecho y por cualquier medio, destruyan, inutilicen, paralicen, interrumpan o dañen las instalaciones, los medios o elementos empleados para el funcionamiento de servicios públicos o de utilidad pública o de actividades industriales, mineras, agrícolas, comerciales de comunicación, de transporte o de distribución, y los que, en la misma forma, impidan o dificulten el libre acceso a dichas instalaciones, medios o elementos;

d) Los que inciten, promuevan o fomenten o de hecho y por cualquier medio, destruyan, inutilicen o impidan el libre acceso a puentes, calles, caminos u otros bienes de uso público semejantes;

e) Los que inciten, promuevan o fomenten, o de hecho, envenenen alimentos, aguas o fluidos destinados al uso o consumo públicos;

f) Los que hagan la apología o propaganda de doctrinas, sistemas o métodos que propugnen el crimen o la violencia en cualquiera de sus formas, como medios para lograr cambios o reformas políticas, económicas o sociales;

g) Los que introduzcan al país, fabriquen, almacenen, transporten, distribuyan, vendan, faciliten o entreguen a cualquier título, o sin previa autorización escrita de la autoridad competente, armas, municiones, proyectiles, explosivos, gases asfixiantes, venenosos o lacrimógenos, aparatos o elementos para su proyección y fabricación; o cualquier otro instrumento idóneo para cometer alguno de los delitos penados en esta ley;

h) Los que soliciten, reciban o acepten recibir dinero o ayuda de cualquiera naturaleza, con el fin de llevar a cabo o facilitar la comisión de delitos penados en esta ley;

ARTÍCULO 7º.- Los delitos contemplados en las letras a), b), f) y h) del artículo precedente, serán castigados con las penas de presidio, relegación o extrañamiento menores en sus grados medio a máximo. Si se ejecutaren en tiempo de guerra, serán sancionados con presidio, relegación o extrañamiento mayores en su grado medio.

Los delitos contemplados en las letras c), d) y e) del mismo artículo serán penados:

Con presidio mayor en su grado medio a presidio perpetuo, si se diere muerte a alguna persona o se le infirieren lesiones graves, y con presidio mayor en su grado máximo a presidio perpetuo, si el hecho se ejecutare en tiempo de guerra;

Con presidio mayor en su grado mínimo, si se infiere cualquiera otra lesión, y con presidio mayor en su grado medio si se ejecutare en tiempo de guerra;

Con presidio menor en su grado máximo a presidio mayor en su grado mínimo, en los demás casos, y con presidio mayor en su grado mínimo si el hecho se ejecutare en tiempo de guerra.

Los delitos contemplados en la letra g) del mismo precepto, serán castigados con presidio menor en su grado máximo, y con presidio mayor en sus grados mínimo a medio, si se perpetraren en tiempo de guerra.

ARTÍCULO 8º.- DEROGADO

ARTÍCULO 9º.- DEROGADO

ARTÍCULO 10.- DEROGADO

Título IV
DELITOS CONTRA LA NORMALIDAD DE LAS ACTIVIDADES NACIONALES

ARTÍCULO 11.- Toda interrupción o suspensión colectiva, paro o huelga de los servicios públicos, o de utilidad pública, o en las actividades de la producción, del transporte o del comercio producidos sin sujeción a las leyes y que produzcan alteraciones del orden público o perturbaciones en los servicios de utilidad pública o de funcionamiento legal obligatorio o daño a cualquiera de las industrias vitales, constituye delito y será castigado con presidio o relegación menores en sus grados mínimo a medio.

En la misma pena incurrirán los que induzcan, inciten o fomenten alguno de los actos ilícitos a que se refiere el inciso anterior.

En tiempo de guerra externa la pena será presidio o relegación menores en su grado medio a presidio o relegación mayores en su grado mínimo.

ARTÍCULO 12.- Los empresarios o patrones que declaren el lock-out o que estuvieren comprometidos en los delitos contemplados en el artículo precedente, serán castigados con la pena de presidio o relegación menores en sus grados mínimos a medios y multas de cinco sueldos vitales mensuales a diez sueldos vitales anuales.

En tiempo de guerra externa la pena será de presidio o relegación menores en su grado medio a presidio o relegación mayores en su grado mínimo.

ARTÍCULO 13.- DEROGADO

ARTÍCULO 14.- DEROGADO

Título V
DISPOSICIONES GENERALES

ARTÍCULO 15.- En todo lo que no esté especialmente previsto en esta ley, se aplicarán las disposiciones del Libro I del Código Penal.

ARTÍCULO 16.- DEROGADO

ARTÍCULO 17.- La responsabilidad penal por los delitos previstos y sancionados en esta ley, cometidos a través de un medio de comunicación social, se determinará de conformidad a lo prescrito en el artículo 39 de la ley sobre las libertades de opinión e información y ejercicio del periodismo.

ARTÍCULO 18.- DEROGADO

ARTÍCULO 19.- DEROGADO

ARTÍCULO 20.- DEROGADO

ARTÍCULO 21.- DEROGADO

ARTÍCULO 22.- Los delitos sancionados por esta ley que se perpetraren durante la sublevación o alzamiento contra el Gobierno constituido, serán castigados con las penas acumulativas correspondientes a todos los delitos cometidos.

Se aplicará la pena más grave si alguno de los delitos contemplados en la presente ley fuere por otras castigado con pena mayor.

ARTÍCULO 23.- La proposición y la conspiración para cometer alguno de los delitos sancionados en esta ley, serán castigadas con la pena señalada al delito consumado, rebajada en uno o dos grados.

ARTÍCULO 23 A.- A la persona que aparezca responsable en un proceso por delitos contra la seguridad del Estado, se le rebajará en uno o dos grados la pena que pudiera corresponderle, por la circunstancia de revelar al Ministerio Público antecedentes no conocidos que sean útiles a la comprobación del delito o a la determinación de los delincuentes. La misma regla se aplicará si denunciare a la autoridad el plan y circunstancias de toda nueva conspiración o maquinación para cometer algunos de los delitos prescritos en los artículos 5º a), 5º b) y en las letras c), e) y g) del artículo 6º, y siempre que la denuncia lleve a la comprobación del hecho, a la individualización de los culpables y a la frustración de sus propósitos.

ARTÍCULO 24.- Sin perjuicio de lo dispuesto por el artículo 16° del Código Penal, se reputará cómplice de los delitos previstos en esta ley, todo funcionario o empleado público del orden militar, de Carabineros, Gendarmería o Policías, y todo individuo que estando, como los anteriores, obligado a hacerlo, no denunciare a la autoridad correspondiente los delitos previstos en esta ley.

ARTÍCULO 24 A.- En los casos de legítima defensa a que se refieren los números 4, 5, y 6 del artículo 10° del Código Penal, cuando se trata de atentados contra el orden público, el defensor quedará exento de la responsabilidad que pueda afectarlo por el hecho de portar armas, según el artículo 11° de la ley número 17.798. Esta exención no se extenderá en caso alguno a otras conductas punibles previstas en la misma ley.

ARTÍCULO 25.- Si el sentenciado careciere de bienes para satisfacer la multa, sufrirá, por vía de sustitución, la pena de prisión, regulándose un día por cada diez centésimos de escudo, sin que ella pueda exceder de sesenta días.

Título VI
JURISDICCIÓN Y PROCEDIMIENTO

ARTÍCULO 26.- Las investigaciones de hechos constitutivos de los delitos descritos y sancionados en esta ley, en los Títulos I, II y VI, Párrafo 1° del Libro II del Código Penal y en el Título IV del Libro III del Código de Justicia Militar, sólo podrán ser iniciadas por denuncia o querella del Ministerio del Interior, del Intendente Regional respectivo o de la autoridad o persona afectada. El denunciante o querellante ejercerá los derechos de la víctima, de conformidad al Código Procesal Penal.

Si la autoridad afectada es alguna de las ramas del Congreso Nacional o la Corte Suprema, la denuncia o querella a que se refiere el inciso anterior sólo podrá efectuarla o interponerla, en su caso, el Presidente de la respectiva Corporación.

Si se tratare del delito de desacato a que se refieren los artículos 263°, 264°, N.os 2° y 3° circunstancia segunda del Código Penal, el proceso se iniciará por querella o denuncia del Presidente del respectivo Tribunal o del magistrado afectado, según corresponda.

Si estos delitos fueren cometidos por individuos sujetos al fuero militar corresponderá su conocimiento en primera instancia al Juzgado Militar respectivo, y en segunda instancia, a la Corte Marcial.

En tiempo de guerra, en todo caso, serán de la competencia de los Tribunales Militares de ese tiempo los delitos previstos en los artículos 4°, 5° a), 5° b), 6°, 11° y 12°, de esta ley, a excepción de los delitos cuyos imputados sean civiles.

ARTÍCULO 27.- La tramitación de estos procesos se ajustará a las reglas establecidas en el Código Procesal Penal, con las modificaciones que se expresan a continuación:

a) La investigación de los delitos previstos en la presente ley perpetrados fuera del territorio de la República por chilenos, ya sean naturales o nacionalizados y por extranjeros al servicio de la República, será dirigida por el fiscal adjunto de la Región Metropolitana que sea designado por el Fiscal Regional Metropolitano que tenga competencia sobre la comuna de Santiago, con arreglo al procedimiento señalado por esta ley, sin perjuicio de las potestades del Fiscal Nacional que contempla la Ley Orgánica Constitucional del Ministerio Público;

b) La acumulación de investigaciones sólo tendrá lugar si en ellas se persiguen delitos previstos en esta ley, y

c) El Ministro del Interior o el Intendente podrán desistirse de la denuncia o querella en cualquier momento y el desistimiento extinguirá la acción y la pena. En tal caso, el juez de garantía o el tribunal de juicio oral en lo penal dispondrá el inmediato cese de las medidas cautelares que se hubieren decretado.

ARTÍCULO 28.- Los delitos a que se refiere la presente ley, cometidos por militares, serán juzgados por los Tribunales Militares en tiempo de paz, en la forma ordinaria, con las modificaciones establecidas en el artículo 27, en cuanto les fueren aplicables, a excepción de las letras a) y c).

ARTÍCULO 29.- DEROGADO

ARTÍCULO 30.- DEROGADO

Título VII
DE LA PREVENCIÓN DE LOS DELITOS CONTEMPLADOS EN ESTA LEY

ARTÍCULO 31.- En caso de guerra, de ataque exterior o de invasión, el Presidente de la República podrá declarar todo o parte del territorio nacional en estado de emergencia, sea que el ataque o invasión se haya producido o existan motivos graves para pensar que se producirá.

En caso de calamidad pública el Presidente de la república podrá declarar en estado de emergencia la zona afectada, hasta por un plazo de 6 meses.

ARTÍCULO 32.- El decreto que declare en estado de emergencia llevará la firma de los Ministros de Defensa Nacional y del Interior.

ARTÍCULO 33.- Declarado el estado de emergencia, la zona respectiva quedará bajo la dependencia inmediata del Jefe de la Defensa Nacional que el Gobierno designe, quien asumirá el mando militar con las atribuciones y deberes que se determinen en esta ley. Para el ejercicio de sus funciones, en las distintas zonas en que rija el estado de emergencia, podrá delegar sus facultades en oficiales de cualquiera de las tres ramas de la Defensa Nacional que estén bajo su jurisdicción.

Las autoridades administrativas continuarán desempeñando sus cargos y llevando a cabo sus labores ordinarias.

ARTÍCULO 34.- Corresponderá al Jefe Militar, especialmente:

a) Asumir el mando de las fuerzas militares, navales, aéreas, de carabineros y otras que se encuentren o lleguen a la zona de emergencia;

b) Dictar medidas para mantener el secreto sobre existencia o construcción de obras militares;

c) Prohibir la divulgación de noticias de carácter militar estableciendo la censura de prensa, telegráfica, y radio-telegráfica, que estime necesaria;

d) Reprimir la propaganda antipatriótica, ya sea que se haga por medio de la prensa, radio, cines, teatros o por cualquier otro medio;

e) Reglamentar el porte, uso y existencia de armas y explosivos en poder de la población civil;

f) Controlar la entrada o salida de la zona de emergencia y el tránsito en ella y someter a la vigilancia de la autoridad a las personas que se consideren peligrosas;

g) Hacer uso de los locales y medios de movilización pertenecientes a instituciones fiscales, semifiscales, de administración autónoma, de empresas del Estado, municipales o de particulares que estime necesarios, y por el tiempo que sea indispensable.

Al hacer la requisición deberá la autoridad efectuar inventario de la cosa, individualizando su estado. Copia de este inventario deberá entregarse inmediatamente, o a más tardar en el plazo de 48 horas, al dueño o a quien tenía en su poder la cosa en el momento de la requisición.

El uso a que se hace referencia en el inciso 1º de este artículo dará derecho a su dueño a pedir la adecuada indemnización, una vez que la cosa le sea restituida. En desacuerdo de las partes sobre el monto de la indemnización, ella será determinada breve y sumariamente por el juez competente de Mayor Cuantía en lo Civil. Esta acción prescribirá en un año, contado desde la fecha en que la autoridad ordene la restitución de la cosa;

h) Disponer la evacuación total o parcial de los barrios, poblaciones o zonas que se estime necesario para la defensa de la población civil y para el mejor éxito de las operaciones militares, dentro de su jurisdicción;

i) Dictar medidas para la protección de las obras de arte y servicios de utilidad pública, tales como agua potable, luz, gas, centros mineros e industriales y otros, con el objeto de evitar o reprimir el sabotaje, establecer especial vigilancia sobre los armamentos, fuertes, elementos bélicos, instalaciones y fábricas, e impedir que se divulguen noticias verdaderas o falsas que puedan producir pánico en la población civil o desmoralización en las fuerzas armadas;

j) Dictar las órdenes necesarias para la requisición, almacenaje y distribución de todos aquellos artículos necesarios para el auxilio de la población civil o de utilidad militar;

k) Controlar la entrada o salida de la zona de emergencia de elementos de subsistencia, combustible y material de guerra;

l) Disponer la declaración de stock de elementos de utilidad militar existentes en la zona;

ll) Publicar bandos en los cuales se reglamenten los servicios a su cargo y las normas a que debe ceñirse la población civil, y

m) Impartir todas las órdenes o instrucciones que estime necesarias para el mantenimiento del orden interno dentro de la zona.

n) Suspender la impresión, distribución y venta, hasta por seis ediciones de diarios, revistas, folletos e impresos en general, y las transmisiones, hasta por seis días, de las radiodifusoras, canales de televisión o de cualquier otro medio análogo de información que emitan opiniones, noticias o comunicaciones tendientes a crear alarma o disgusto en la población, desfiguren la verdadera dimensión de los hechos, sean manifiestamente falsas o contravengan las instrucciones que se les impartieren por razones de orden interno, de conformidad a la letra precedente.

En caso de reiteración, podrá disponer la intervención y censura de los respectivos medios de comunicaciones, de sus talleres e instalaciones.

Contra cualquiera de estas medidas podrá reclamarse, por el afectado, dentro del término de 48 horas desde la notificación de la medida, ante la Corte Marcial o Naval respectiva, la que se pronunciará en cuenta sobre el reclamo y resolverá en conciencia. La interposición del reclamo no suspenderá el cumplimiento de la medida dispuesta, salvo lo que se resuelva en definitiva.

Las atribuciones conferidas por esta letra se materializarán por orden escrita, dejándose constancia de la hora de la notificación, y en ella se fijará el plazo de vigencia de las mismas, sin que puedan exceder en ningún caso la duración del estado de emergencia.

ARTÍCULO 35.- Declarado el estado de emergencia, y nombrado el Jefe respectivo, cuando haya de operarse contra el enemigo extranjero o contra fuerzas rebeldes organizadas, que actúen en apoyo de la agresión exterior, se constituirán inmediatamente los Tribunales Militares en tiempo de guerra, establecidos en el Título III del Libro I del Código de Justicia Militar.

ARTÍCULO 36.- Las facultades a que se refiere el presente Título se entienden sin perjuicio de las otras leyes, especialmente las de orden militar, concedan al Presidente de la República para proveer a la defensa nacional en los casos de guerra, ataque o invasión exteriores.

Título VIII
FACULTADES ORDINARIAS DEL PRESIDENTE DE LA REPÚBLICA PARA VELAR POR LA SEGURIDAD DEL ESTADO, EL MANTENIMIENTO DEL ORDEN PÚBLICO Y DE LA PAZ SOCIAL Y POR LA NORMALIDAD DE LAS ACTIVIDADES NACIONALES.

ARTÍCULO 37.- En caso de conmoción interior podrá el Presidente de la República proponer de inmediato al Congreso la declaración de hallarse uno o varios puntos del territorio nacional en estado de sitio, o hacerla él mismo y por tiempo determinado, si el Congreso no estuviere reunido. En el primer caso, el Congreso deberá pronunciarse con el trámite más breve que contemplen los reglamentos de cada Cámara, y en el segundo caso, corresponderá al Congreso, inmediatamente que se reúna, aprobar, derogar o modificar la declaración hecha por el Presidente de la República en su receso.

Lo dispuesto en el inciso anterior se entiende sin perjuicio de lo prevenido por el artículo 44º, Nº 13, de la Constitución Política del Estado.

ARTÍCULO 38.- En caso de paralización ilegal que cause grave daño en industrias vitales para la economía nacional o de empresas de transportes, predios o establecimientos productores o elaboradores de artículos o mercaderías esenciales para la defensa nacional o para el abastecimiento de la población o que atiendan servicios públicos o de utilidad pública, el

Presidente de la República podrá decretar la reanudación de faenas con intervención de las autoridades civiles o militares.

En dichos casos los trabajadores volverán al trabajo en las mismas condiciones que regían al tiempo de plantearse la paralización ilegal.

El interventor tomará a su cargo las gestiones para dar solución definitiva al conflicto, pero en ningún caso tendrá facultades de administración.

TÍTULO FINAL

ARTÍCULO 39.- Deróganse las leyes Nº s. 6.026 y 8.987 y el decreto supremo Nº 5.839, de 30 de Septiembre de 1948, publicado en el Diario Oficial de 18 de Octubre del mismo año, que fijó el texto refundido y coordinado de la Ley de Defensa Permanente de la Democracia.

Deróganse, asimismo, los artículos 32 y 33 del Estatuto de los Trabajadores del Cobre, fijado por decreto Nº 313, de 15 de Mayo de 1956 y todas las disposiciones contrarias a la presente ley o incompatibles con ella.

En todo caso continuarán en vigor los números 9º, 10º, 11º y 12º del artículo 4º, el Nº 4 del artículo 5º y el artículo 6º de la ley Nº 8.987, que modificaron la Ley General de Elecciones y que se incorporaron a su texto refundido que fijó la ley Nº 12.891, de 26 de Junio de 1958, como, asimismo, toda otra disposición que no sea contraria o incompatible con lo dispuesto en la presente ley.

ARTÍCULO 40.- Autorízase al Presidente de la República para dictar el texto definitivo de las leyes, codificadas o no, en la parte en que sus preceptos estén modificados o ampliados por la presente ley y para dar cumplimiento a lo prescrito en el artículo precedente.

10. Decreto N° 1086, del Ministerio del Interior, sobre Reuniones Públicas
Publicado en el Diario Oficial el 10 de septiembre de 1986
(Incluye modificación del Decreto N° 1498, del
Ministerio del Interior, del 10 de octubre de 1989)

Artículo 1°.- Las personas que deseen reunirse podrán hacerlo pacíficamente, sin permiso previo de la autoridad, siempre que ello sea sin armas.

Artículo 2°.- Para las reuniones en plazas, calles y otros lugares de uso público regirán las siguientes disposiciones:

a) Los organizadores de toda reunión o manifestación pública deben dar aviso con dos días hábiles de anticipación, a lo menos, al Intendente o Gobernador respectivo. Las Fuerzas de Orden y Seguridad Pública pueden impedir o disolver cualquier manifestación que no haya sido avisada dentro del plazo fijado y con los requisitos de la letra b).

b) El aviso indicado deberá ser por escrito y firmado por los organizadores de la reunión, con indicación de su domicilio, profesión y número de su cédula de identidad. Deberá expresar quiénes organizan dicha reunión, qué objeto tiene, dónde se iniciará, cuál será su recorrido, donde se hará uso de la palabra, qué oradores lo harán y dónde se disolverá la manifestación;

c) El Intendente o Gobernador, en su caso, pueden no autorizar las reuniones o desfiles en las calles de circulación intensa y en calles en que perturben el tránsito público;

d) Igual facultad tendrán respecto de las reuniones que se efectúen en las plazas y paseos en las horas en que se ocupen habitualmente para el esparcimiento o descanso de la población y de aquellas que se celebraren en los parques, plazas, jardines y avenidas con sectores plantados;

e) Si llegare a realizarse alguna reunión que infrinja las anteriores disposiciones, podrá ser disuelta por las Fuerzas de Orden y Seguridad Pública;

f) Se considera que las reuniones se verifican con armas, cuando los concurrentes lleven palos, bastones, fierros, herramientas, barras metálicas, cadenas y, en general, cualquier elemento de naturaleza semejante. En tal caso las Fuerzas de Orden y Seguridad Pública ordenarán a los portadores entregar esos utensilios, y si se niegan o se producen situaciones de hecho, la reunión será disuelta.

Artículo 3º.- Los Intendentes o Gobernadores quedan facultados para designar, por medio de una resolución, las calles y sitios en que no se permitan reuniones públicas, de acuerdo con lo prescrito en las letras c) y d) del artículo 2º.

11. Auto Acordado sobre tramitación y fallo del Recurso de Protección de Garantías Constitucionales
Auto Acordado N° 94 de la Corte Suprema publicado en el
Diario Oficial el 28 de agosto del 2015
(Texto incluye la modificación del Auto Acordado
N° 173, del 5 de octubre de 2018)

1°.- El recurso o acción de protección se interpondrá ante la Corte de Apelaciones en cuya jurisdicción se hubiere cometido el acto o incurrido en la omisión arbitraria o ilegal que ocasionen privación, perturbación o amenaza en el legítimo ejercicio de las garantías constitucionales respectivas, o donde éstos hubieren producido sus efectos, a elección del recurrente, dentro del plazo fatal de treinta días corridos contados desde la ejecución del acto o la ocurrencia de la omisión o, según la naturaleza de éstos, desde que se haya tenido noticias o conocimiento cierto de los mismos, lo que se hará constar en autos.

2°.- El recurso se interpondrá por el afectado o por cualquiera otra persona en su nombre, capaz de parecer en juicio, aunque no tenga para ello mandato especial, por escrito en papel simple o por cualquier medio electrónico.

Presentado el recurso, el Tribunal examinará en cuenta si ha sido interpuesto en tiempo y si se mencionan hechos que puedan constituir la vulneración de garantías de las indicadas en el artículo 20 de la Constitución Política de la República. Si su presentación es extemporánea o no se señalan hechos que puedan constituir vulneración a garantías de las mencionadas en la referida disposición constitucional, lo declarará inadmisible desde luego por resolución fundada, la que será susceptible del recurso de reposición ante el mismo tribunal, el que deberá interponerse dentro de tercero día. En carácter de subsidiario de la reposición, procederá la apelación para ante la Corte Suprema, recurso que será resuelto en cuenta.

3°.- Acogido a tramitación el recurso, la Corte de Apelaciones ordenará que informe, por la vía que estime más rápida y efectiva, la persona o personas, funcionarios o autoridad que según el recurso o en concepto del Tribunal son los causantes del acto u omisión arbitraria o ilegal, que haya podido producir privación, perturbación o amenaza del libre ejercicio de los derechos que se solicita proteger, fijándole un plazo breve y perentorio para emitir el informe, señalándole que conjuntamente con éste, el obligado en evacuarlo remitirá a la Corte todos los antecedentes que existan en su poder sobre el asunto motivo del recurso.

En los casos en que el recurrido sea un organismo público, bastará la notificación al jefe local del servicio o a su representante en el territorio jurisdiccional respectivo.

Asimismo, y bajo las mismas condiciones señaladas en el inciso primero, la Corte de Apelaciones podrá solicitar informe a los terceros que, en su concepto, pudieren resultar afectados por la sentencia de protección.

Recibido el informe y los antecedentes requeridos, o sin ellos, el Tribunal ordenará traer los autos en relación y dispondrá agregar extraordinariamente la causa a la tabla del día subsiguiente, previo sorteo, en las Cortes de Apelaciones de más de una Sala.

Los oficios que fueren necesarios para el cumplimiento de las diligencias decretadas se despacharán por comunicación directa, por correo o por cualquier medio electrónico; a través de las Oficinas del Estado o por medio de un ministro de fe. El Tribunal cuando lo juzgue conveniente para los fines del recurso, podrá decretar orden de no innovar.

4°.- Las personas, funcionarios u Órganos del Estado afectados o recurridos, podrán hacerse parte en el recurso.

5°.- Para mejor acierto del fallo se podrán decretar todas las diligencias que el Tribunal estime necesarias. La Corte apreciará de acuerdo con las reglas de la sana crítica los antecedentes que se acompañen al recurso y los demás que se agreguen durante su tramitación.

La sentencia que se dicte, ya sea que lo acoja, rechace o declare inadmisible el recurso, será apelable ante la Corte Suprema.

6º.- La sentencia se notificará personalmente o por el estado a la persona que hubiere deducido el recurso y a los recurridos que se hubieren hecho parte en él.

La apelación se interpondrá en el término fatal de cinco días hábiles, contados desde la notificación por el Estado Diario de la sentencia que decide el recurso.

7º.- Recibidos los autos en la Secretaría de la Corte Suprema, el Presidente del Tribunal ordenará dar cuenta preferente del recurso en la Sala que corresponda, la cual si lo estima conveniente, se le solicita con fundamento plausible y especialmente cuando se le pide de común acuerdo por recurrente, recurrido y quienes hayan sido considerados como partes en el procedimiento, podrá ordenar que sea resuelto previa vista de la causa, disponiendo traer los autos en relación, evento en el cual el recurso se agregará extraordinariamente a la tabla respectiva de la Sala que corresponda.

8º.- Para entrar al conocimiento del recurso o para el mejor acierto del fallo, la Corte Suprema, podrá solicitar de cualquier autoridad o persona los antecedentes que considere necesarios para la resolución del asunto.

Todas las notificaciones que deban practicarse se harán por el estado diario.

9º.- Tanto en la Corte de Apelaciones como en la Corte Suprema, cuando en ésta se traiga el recurso «en relación», la suspensión de la vista de las causas procederá por una sola vez a petición del recurrente, cualquiera que sea el número de ellos y respecto de la otra parte, aunque fuere más de uno el funcionario o persona afectada, sólo cuando el Tribunal estimare el fundamento de su solicitud muy calificado. La suspensión no procederá de común acuerdo de las partes.

10º.- La Corte de Apelaciones y la Corte Suprema, en su caso, fallará el recurso dentro del quinto día hábil, pero tratándose de las garantías constitucionales contempladas en los números 1º, 3º inciso 5º, 12º y 13º del artículo 19 de la Constitución Política, la sentencia se expedirá dentro del segundo día hábil, plazos que se contarán desde que se halle en estado la causa.

11°.- Tanto la Corte de Apelaciones como la Corte Suprema, cuando lo estimen procedente, podrán imponer la condenación en costas.

12°.- En contra de la sentencia que expida la Corte de Apelaciones no procederá el recurso de casación.

13°.- Si respecto de un mismo acto u omisión se dedujeren dos o más recursos, aún por distintos afectados, y de los que corresponda conocer a una determinada Corte de Apelaciones, de acuerdo con lo establecido en el punto primero del presente auto, se acumularán todos los recursos al que hubiere ingresado primero en el respectivo libro de la Secretaría del Tribunal formándose un solo expediente, para ser resueltos en una misma sentencia.

14°.- Firme el fallo de primera instancia por haber transcurrido el plazo para interponer el recurso de apelación, sin que éste se hubiere deducido, o dictado sentencia por la Corte Suprema cuando fuere procedente, se transcribirá lo resuelto a la persona, funcionario o autoridad cuyas actuaciones hubieren motivado el recurso de protección, por oficio directo, o por cualquier medio electrónico si el caso así lo requiere.

15°.- Si la persona, el funcionario o el representante o Jefe del Órgano del Estado, ya tenga éste la calidad de titular, interino, suplente o subrogante, o cualquiera otra, no evacuare los informes o no diere cumplimiento a las diligencias, resoluciones y sentencias dentro de los plazos que la Corte de Apelaciones o la Corte Suprema ordenaren, conforme a lo establecido en este Auto Acordado, podrán éstas imponer al renuente, oyéndolo o en su rebeldía alguna o algunas de las siguientes medidas: a) amonestación privada; b) censura por escrito; c) multa a beneficio fiscal que no sea inferior a una unidad tributaria mensual ni exceda de cinco unidades tributarias mensuales; y d) suspensión de funciones hasta por cuatro meses, tiempo durante el cual el funcionario gozará de medio sueldo. Todo ello además de la responsabilidad penal en que pudieran incurrir dichas personas.

16º.- Este Auto Acordado reemplaza el de 29 de marzo de 1977, sobre la misma materia y empezará a regir treinta días después de su publicación en el Diario Oficial.

12. Auto Acordado sobre tramitación y fallo del Recurso de Amparo
Auto Acordado s/n de la Corte Suprema publicado en el Diario Oficial el 19 de diciembre de 1932

En Santiago, a diecinueve de diciembre de 1932, se reunió en acuerdo extraordinario la Excma. Corte Suprema, presidida por don Humberto Trucco y con asistencia de los Ministros señores: Novoa, Burgos, Alonso, Schepeler, Rondanelli, Silva Cotapos, Fontecilla, Hermosilla y Robles, y entró a considerar los entorpecimientos y dilaciones que ha observado en la tramitación y fallo de los recursos de amparo que por la vía de la apelación han llegado en este último tiempo a conocimiento de la Corte Suprema, por lo cual ha creído necesario adoptar algunas recomendaciones a fin de que las Cortes llamadas a conocer de esos recursos las aprecien en su oportunidad.

Este recurso que la Constitución establece en su artículo 16 a favor de toda persona que se hallare detenida, procesada o presa con infracción de las garantías individuales que la misma Carta determina en sus artículos 13, 14 y 15, o de las formalidades de procedimiento señaladas en el Código respectivo, tiende no tan sólo a garantir la libertad de los ciudadanos para permanecer en cualquier punto de la República, trasladarse de uno a otro o salir del territorio a condición de guardar los reglamentos de policía, sino también a sancionar a los que abusando de su autoridad o arrogándose facultades que no tienen, priven a las personas de uno de los más importantes derechos dentro de un país regularmente constituido.

Para la eficacia y verdadero valor de ese recurso ha querido la ley que esté al alcance de todos los habitantes y para ese fin autoriza ejercitarlo no solamente al interesado, sino también a cualquiera persona capaz de parecer en juicio, aunque no tenga para ello mandato especial, a hacer uso en todas sus fases de los más rápidos medios de comunicación, y, principalmente, que sea resuelto a la mayor brevedad y no cuando el mal causado por una prisión injusta haya tomado grandes proporciones o haya sido soportado en su totalidad.

Esta Corte ha podido notar en muchos de esos recursos que no obstante las prescripciones claras y terminantes del Título V del Libro II del Código de Procedimiento Penal, se ha dictado en ellos la sentencia respectiva después de varios días y aun semanas de estar iniciados, siendo que el artículo 330 ordena que el Tribunal deberá fallarlos en el término de veinticuatro horas. Es verdad que en muchas ocasiones, por causas ajenas al Tribunal, ese plazo se excede, aun a los términos señalados en el inciso segundo de ese artículo, pero a evitar esa grave dilación tienden principalmente las recomendaciones que se encarecen a las Cortes de Apelaciones.

Como causa de inobservancia de la ley con relación al plazo, aparece, en primer término, el retardo con que las autoridades requeridas para que informen sobre la efectividad del amparo, cumplen con el deber de llenar ese trámite, indispensable para que la Corte se forme concepto de la causa de la detención o prisión y de la facultad con que ha obrado la autoridad que la ordenó o llevó a efecto; y si bien en muchos casos no está dentro de las facultades del tribunal llamado a conocer del recurso tomar respecto de algunas de esas autoridades las medidas que tiendan a remediar ese incumplimiento, que por las circunstancias en que se opera causa graves molestias, pueden las Cortes adoptar las providencias que induzcan a cumplir oportunamente con su deber a los aludidos funcionarios.

Para remediar en lo posible los inconvenientes o entorpecimientos que impidan resolver dentro del plazo fijado por la ley el recurso de que se viene tratando, esta Corte Suprema estima conveniente recomendar a las Cortes de Apelaciones que encarezcan a los funcionarios de su dependencia la mayor atención y vigilancia en esos expedientes. Desde luego, el secretario consignará el día y hora que llega a su oficina la solicitud o telegrama en que se deduce el amparo y la pondrá en el acto en manos del relator para que inmediatamente dé cuenta al Tribunal y éste provea lo pertinente. Se vigilará el envío de las comunicaciones que se dispongan y en caso de decretarse que informen directamente funcionarios subalternos (Prefectos de Carabineros, Jefes de Investigaciones, Jueces de Subdelegación u otros), se dará a la vez conocimiento a los Jefes o superiores de esos Servicios que a su subordinado se le ha pedido un informe y tengan así conocimiento de la forma como éstos llenan sus deberes.

Si la demora de esos informes excediese de un límite razonable, deberá el Tribunal adoptar las medidas que sean pertinentes para obtener su inmediato despacho; y, en último caso, prescindir de ellos para el fallo del recurso, sin perjuicio de adoptar, si lo estimare indispensable, las medidas que señalan los artículos 331 y 332 del Código de Procedimiento Penal. No sería posible dejar la libertad de una persona sometida al arbitrio de un funcionario remiso o maliciosamente culpable en el cumplimiento de una obligación.

Una vez en estado de fallarse, se dispondrá que el recurso se agregue extraordinariamente a la tabla del mismo día y resolverlo con preferencia a cualquier otro asunto, cuidando de no acceder a la suspensión de la vista sino por motivos graves e insubsanables del abogado solicitante.

Una medida que se hace indispensable adoptar y que la precisan los continuos reclamos que formulan los afectados por detenciones injustificadas, es la falta de cumplimiento que en muchas ocasiones se niega a las sentencias que acogen un recurso de amparo. Aparte del desprestigio que para las resoluciones judiciales importa ese incumplimiento y la burla que se infiere a la majestad de la ley, semejantes actos constituyen delitos que con penas muy severas sanciona nuestra legislación.

Para exigir el respeto y acatamiento que merecen los fallos judiciales y sancionar a los que, quebrantando disposiciones expresas del Código Penal, se niegan o excusan cumplirlos, se recomienda como necesario que una vez acogido un recurso y ordenada la libertad del detenido o preso, cuide el Tribunal que su sentencia sea debidamente cumplida, para lo cual requerirá, en los casos que estime necesario, un inmediato informe del funcionario encargado de darle aplicación o del jefe del establecimiento donde se encontraba el amparado.

Considera la Corte Suprema que las recomendaciones que quedan anotadas habrán de contribuir a hacer más expedito y eficaz un recurso que por su importancia y la gravedad del mal llamado a reparar lo confía la ley al conocimiento de los Tribunales Superiores, y espera que su aplicación como las de otras medidas que tiendan a ese fin ofrecerán a los ciudadanos la garantía del más amplio respeto y protección a uno de los más importantes derechos consagrados por nuestra Constitución.

ÍNDICE ANALÍTICO DE LAS LEYES Y NORMAS COMPLEMENTARIAS

1. LEY Nº 17.997, ORGÁNICA CONSTITUCIONAL DEL TRIBUNAL CONSTITUCIONAL

2. Ley Nº 18.918, Orgánica Constitucional del Congreso Nacional

3. Ley Nº 18.575, Orgánica Constitucional de Bases de la Administración del Estado

4. LEY 18.603, ORGÁNICA CONSTITUCIONAL DE PARTIDOS POLÍTICOS

5. Ley N° 18.700, Orgánica Constitucional de Votaciones Populares y Escrutinios

6. Ley N° 19.733, sobre Libertades de opinión y de información y ejercicio del periodismo

Derecho de aclaración y rectificación (Vid. Medios de Comunicación Social)

Delitos cometidos a través de un Medio de Comunicación Social

7. LEY Nº 18.415, ORGÁNICA CONSTITUCIONAL
DE LOS ESTADOS DE EXCEPCIÓN

8. Ley N° 18.314, determina conductas terroristas y fija su penalidad

9. Ley N° 12.927, de Seguridad del Estado

10. Decreto Supremo Nº 1086, del Ministerio del Interior, sobre Reuniones Públicas

11. Auto Acordado sobre tramitación y fallo del Recurso de Protección de Garantías Constitucionales

12. Auto acordado sobre tramitación y fallo del Recurso de Amparo